바티칸 시국

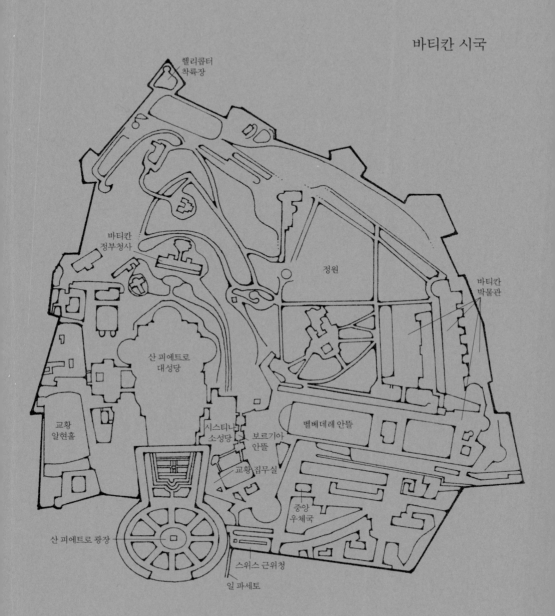

헬리콥터
착륙장

바티칸
정부청사

정원

바티칸
박물관

산 피에트로
대성당

벨베데레 안뜰

교황
알현홀

시스티나
소성당

보르기아
안뜰

교황 집무실

중앙
우체국

산 피에트로 광장

스위스 근위청

일 파세토

천사
와
악마
1

과학 문화 예술 종교가 박진감 넘치는 소설로 다시 태어났다. 반물질의 소멸이라는 거대한
공포 속에서, 전설의 조직 일루미나티의 소행으로 보이는 살인사건에 휘말리는 로버트 랭던.
그의 활약이 돋보이는 댄 브라운의 탁월한 장편소설. 지금부터 인류의 목숨을 담보로, 과학
과 종교의 대격돌이 시작된다. 반전에 반전을 거듭하는 두뇌 게임! 진정한 승자는 누구인가?

천사
와
악마
1

Angels & Demons

댄 브라운 지음 | 양선아 옮김

대교베텔스만

블라이스를 위해

감사의 글 *Thanks...*

기호학자인 로버트 랭던의 가능성을 일찍이 인정해주고…… 이 원정이 어디로 갈 것인지 꿈꿔준 소중한 친구이자 편집자인 제이슨 카우프만에게.

《천사와 악마》가 내게 소개해준 그녀, 이 소설에 새 생명을 부여하고 세상에 내보내준 누구와도 비교할 수 없는 하이드 랑게에게.

이 책에 대한 끊임없는 지원과 열정을 보여준 '아트리아'의 에밀리 베스틀러, '포켓북스'의 벤 카플란과 모든 사람에게.

내게 소설을 쓸 수 있다는 확신을 불어넣어준 전설적인 조지 위저에게, 그리고 이 소설을 '포켓북스'와 계약해주고 도움을 준 나의 첫 에이전트, 제이크 엘웰에게.

교황의 알현을 마련해주고, 대부분의 사람은 보기 힘든 바티칸 시국의 구석구석을 비밀리에 안내해주고, 로마에서 보낸 시간을 잊을 수 없게 만들어준 나의 소중한 친구, 어브 시틀러에게.

나의 불가능한 도전에 총명하게 맞서 이 소설을 위해 앰비그램을 창조해준, 현존하는 가장 천재적이고 재능 있는 예술가 중 한 사람인 존 랭던에게.

수많은 화제에 대해 1급 정보원이 되어준 오하이오 대학교, 칠러코시의 수석 사서인 스탠 플랜턴에게.

비밀의 '일 파세토'를 친절하게 안내해준 실비아 카바치니에게.

그리고 모든 면에서…… 자식이 바랄 수 있는 최고의 부모인 딕과 코니 브라운께.

정말 크나큰 감사의 빚을 졌다.

　　CERN, 헨리 베케트, 브레트 트로터, 교황청 과학원, 브룩헤이븐 인스티튜트, 페르미랩 도서관, 올가 위저, 국가보안연구소의 돈 울시, 웨일즈 대학교의 캐롤라인 H. 톰슨, 캐스린 게하드와 오마르 알 킨디, 존 파이크와 미국 과학자 협회, 하임리히 비세르홀더, 코린나 햄몬드와 데이비스 햄몬드, 아이자즈 알리, 라이스 대학교의 갈릴레이 프로젝트, 마킹버드 픽처스의 줄리 린과 찰리 라이언, 게리 골드스타인, 데이브(빌라스) 아놀드와 안드라 크로포드, 국제 우애단체(Global Fraternal Network), 필립스 엑세터 아카데미 도서관, 짐 배링턴, 존 마이어, 마지 와첼의 예외적으로 날카로운 눈, 알트메이스닉멤버스(alt.masonic.members), 알란 울리, 바티칸 의회 사본 전시 도서관, 리사 칼라마로와 칼라마로 에이전시, 존 A. 스토웰, 바티칸 박물관, 알도 바치아, 노아 알리레자, 해리엇 워커, 찰스 테리, 마이크론 일렉트로닉스, 민디 렌시레어, 낸시 커틴과 딕 커틴, 토마스 D. 나데아우, 누보미디어와 로켓 E북스, 프랭크 케네디와 실비아 케네디, 로마 관광청, 마에스트로 그레고리 브라운, 발 브라운, 웨너 브란데스, 디렉트 콘택트의 폴 크루핀, 폴 스타크, 컴퓨토크 네트워크의 톰 킹, 샌디 놀란과 제리 놀란, 웹의 스승인 린다 조지, 로마 국립 예술 아카데미, 물리학자이자 동료 문필가인 스티브 호웨, 로버트 웨스턴, 뉴햄프셔 엑세터의 워터 스트리트 서점, 그리고 바티칸 천문대에 감사의 마음을 전한다.

댄 브라운

이 책에 언급된 로마의 예술, 무덤, 터널, 건축물에 대한 묘사는 전적으로 사실이다.
이들의 위치 또한 정확하며, 오늘날의 로마에서 직접 볼 수도 있다.
일루미나티라는 조직 또한 사실임을 밝혀둔다.

스위스의 CERN(유럽 입자물리학 연구소)은 세계에서 가장 큰 과학연구 시설이다. 최근 CERN은 반물질(反物質, Antimatter)의 첫 입자들을 생산하는 데 성공했다. 반물질은 물리적인 면에서는 물질과 동일하다. 다만 자연계에서 발견되는 보통 물질과는 반대의 전기적 성질을 지녔다는 점이 다를 뿐이다.

반물질은 가장 강력한 에너지원으로 알려져 있다. 이유는 100퍼센트의 효율로 에너지를 방출하기 때문인데, 일반물질의 경우 핵융합에서 발생하는 에너지 효율이 1.5퍼센트에 불과하다. 반물질은 공해나 방사능도 방출하지 않는다. 그리고 반물질 한 방울로 뉴욕 시의 하루 전력량을 모두 충당할 수 있다.

하지만 반물질에는 한 가지 결점이 있는데……

반물질은 극도로 불안정하다. 어떤 것과 접촉만 해도 타오른다…… 심지어 공기와 접촉해도 마찬가지다. 반물질 1그램은 20톤의 핵폭탄 에너지와 맞먹고, 이것은 히로시마에 떨어진 핵폭탄의 파괴력과 같다.

최근까지 반물질은 아주 극소량만 만들어졌다. 한 번에 겨우 한두 원자들. 하지만 CERN은 반양자(反陽子)감속기를 이용해 새로운 지평을 열었다. 발달된 반물질 생산시설인 반양자감속기로 훨씬 많은 양의 반물질 생산을 약속받게 된 것이다.

이제 한 가지 질문이 인류에게 던져졌다. 극도로 불안정한 이 물질이 세상을 구할 것인가? 아니면 역사상 가장 끔찍한 무기로 사용될 것인가?

프롤로그

　물리학자인 레오나르도 베트라는 살이 타는 냄새를 맡았다. 자기 살이 타는 냄새였다. 공포에 질린 그는 자신을 내려다보는 어둠 속의 인물을 올려다보았다.

　"내게 무엇을 원하는 거요?"

　"암호."

　신경질적인 목소리가 재빨리 대꾸했다.

　"하지만…… 나는 가지고 있지 않……"

　침입자는 다시 하얗게 달구어진 물체를 베트라의 가슴 깊숙이 짓눌렀다. 살을 지지는 소리가 났다.

　베트라는 고통스러운 비명을 내질렀다.

　"암호라는 것은 없소!"

　베트라는 무의식의 세계로 자신이 넘어가고 있음을 느꼈다.

　남자가 눈을 부라렸다.

　"그것 참 유감이군."

　베트라는 정신을 잃지 않으려고 애썼다. 하지만 어둠이 점점 밀려왔다. 그나마 유일한 위안이라면 자신을 공격하는 남자는, 원하는 것을 결코 얻지 못할 거라는 점이었다.

남자가 칼을 꺼내들더니 베트라의 눈앞에 가져갔다. 칼날이 허공에서 맴돌았다. 신중하게, 그리고 정확하고 신속하게.

"신의 사랑을 위해!"

베트라는 소리쳤다. 하지만 너무 늦었다.

1

이집트 기자의 대 피라미드를 오르는 계단 꼭대기에서 젊은 여자가 웃으며 이름을 불렀다.

"로버트, 서둘러요! 좀더 젊은 남자랑 결혼할 걸 그랬어!"

여자의 웃음은 마술 같았다.

로버트는 따라잡으려고 애썼지만 다리가 마치 돌처럼 느껴졌다. 그는 애원했다.

"기다려, 제발……"

피라미드를 오를수록 시야가 흐려졌다. 귀에서는 천둥치는 소리가 들렸다.

'그녀에게 닿아야 한다!'

다시 위를 올려다보았을 때 여자는 사라지고 없었다. 대신 여자가 있던 자리에는 썩은 이의 늙은이가 있었다. 아래를 내려다보는 늙은이는 입술을 내밀며 얼굴을 찌푸렸다. 그러고는 갑자기 사막 너머까지 울려퍼지는 분노에 찬 고함을 내질렀다.

로버트 랭던은 악몽에서 번쩍 깨어났다. 침대 옆의 전화기가 시끄럽게 울려댔다. 랭던은 멍하니 수화기를 집어들었다.

"여보세요?"

"로버트 랭던 씨와 통화하고 싶습니다."

남자의 목소리였다.

랭던은 침대에 앉아 마음을 가라앉히려고 애를 썼다.

"제가…… 로버트 랭던입니다."

디지털시계를 힐끔 보았다. 새벽 5시 18분.

"당신을 당장 만나야겠습니다."

"누구십니까?"

"내 이름은 막시밀리안 콜러입니다. 입자물리학자요."

"뭐라고요?"

랭던은 무슨 소리인가 싶었다.

"당신이 찾는 랭던이라는 사람이 제가 확실합니까?"

"당신은 하버드 대학교의 종교도상학 교수입니다. 그리고 기호학에 관한 세 권의 책을 저술했고……"

"지금이 몇 시인지 아십니까?"

"미안합니다. 당신이 좀 봐주었으면 하는 게 있는데, 전화상으로는 의논드릴 수가 없군요."

이제야 감이 잡힌다는 투의 소리가 랭던의 입에서 새어나왔다. 이런 일은 전에도 있었다. 종교기호학에 관한 책을 쓰는데 따르는 위험 중 하나는 광신자들에게서 걸려오는 전화이다. 그들은 신에게서 받았다는 기호를 랭던이 확인해주기를 바란다. 지난달에는 오클라호마에 사는 어떤 스트리퍼가, 만일 랭던이 비행기를 타고 날아와 자기 침대에 신비롭게 나타난 십자가의 진위를 판별해주면, 그의 생애를 통틀어 가장 멋진 섹스를 해주겠노라고 약속했다. 랭던은 그 침대 이불보를 '털사의 수의(壽衣)'라고 불렀다.

"어떻게 제 전화번호를 아셨습니까?"

이른 시간임에도 불구하고 랭던은 정중하게 대응하려고 노력했다.

14

"인터넷에서요. 당신 책에 대한 웹사이트에서."

랭던은 눈살을 찌푸렸다. 거기에는 집 전화번호 따위는 없다는 것을 분명히 알고 있었다. 분명 이 남자는 거짓말을 하는 것이다.

"당신을 만나야만 합니다. 대가는 충분히 지불하겠소."

남자가 고집을 피웠다.

이제 랭던은 화가 점점 치밀었다.

"미안합니다만, 저는 정말……"

"지금 즉시 집에서 출발한다면, 아마 여기에……"

"나는 어디에도 안 갑니다! 지금은 새벽 다섯 시예요!"

랭던은 전화를 끊고 침대에 누웠다. 그리고 눈을 감고 다시 잠에 빠져들려고 노력했다. 하지만 소용없었다. 이미 잠은 달아났다. 랭던은 마지못해 가운을 걸치고, 아래층으로 내려갔다.

로버트 랭던은 매사추세츠에 있는 빅토리아 풍의 집에서 맨발로 어슬렁거렸다. 그리고 뜨거운 네스퀵 초콜릿우유 한 잔을 만들어 마셨다. 뜨거운 초콜릿우유는 불면을 다스리는 랭던의 의식과도 같은 것이다. 퇴창을 통해 스며드는 4월의 달빛이 동양산 카펫 위에서 노닐었다. 동료들은 가끔씩 그의 집이 일반 가정이라기보다는 인류학 박물관 같다는 농담을 던졌다. 선반에는 세계 도처에서 모은 종교 공예품이 가득했다. 가나의 에쿠아바(ekuaba), 스페인의 금십자가, 에게 해의 키클라데스 군도의 우상. 심지어는 젊은 전사의 상징인 보르네오의 진귀한 보커스(boccus)도 있었다. 이것은 영원한 젊음의 상징이다.

놋쇠로 만든 힌두교 수도사의 상자에 앉아서, 랭던은 초콜릿의 온기를 음미했다. 퇴창에는 그의 모습이 투영되었다. 유령처럼 뒤틀리고 창백한 이미지…… 랭던은 생각했다.

'나이 든 유령.'

그 모습은 자신의 활기찬 젊은 정신이 죽을 수밖에 없는 껍데기 속에 살고 있다는 점을 잔인하게 일깨워주었다.

고전적인 의미에서 보면, 랭던은 잘생겼다고 단언하기는 어렵다. 하지만 마흔 살의 랭던은 여자 동료들의 말대로 지적인 매력을 풍겼다. 굵은 갈색 머리카락 사이로 언뜻언뜻 보이는 잿빛 머리카락, 탐구하는 듯한 푸른 눈동자, 깊고 매혹적인 목소리, 그리고 대학 운동선수 같은 강하고 여유로운 미소. 고등학교와 대학교 시절 내내 다이빙 선수였던 랭던은 여전히 수영선수 같은 몸매를 유지하였다. 183센티미터의 키에 잘 단련된 몸. 대학 수영장에서 하루에 50번씩 왕복 수영을 하며 세심하게 관리한 덕택이었다.

랭던의 친구들은 항상 그를 수수께끼 같은 인물로 여겼다. 과거의 세월에 사로잡힌 남자. 주말에는 청바지를 입고 학생들과 컴퓨터 그래픽이나 종교 역사를 토론하는 모습을 볼 수 있었다. 다른 시간에는 해리스 트위드와 페이즐리 조끼를 입은 모습이 눈에 띄었다. 그리고 강의를 부탁받은 박물관 개관식에서 찍은 듯한 그의 사진이 고품격 예술잡지에 실리기도 했다.

무서운 선생에다 엄격한 원칙론자이지만, 랭던은 자기가 좋아하는 분야를 '명증한 재미를 지닌 잃어버린 예술'로서 받아들인 첫 인물이었다. 그의 강의는 전염성이 강하고 열광적이었으며, 그는 휴식을 음미할 줄 알았고 학생들에게 동료애를 주었다. 캠퍼스에서 랭던의 별명은 '돌고래'였다. 유순한 천성과, 수영장에 뛰어들면 상대팀을 완전히 압도하는 수구 경기에서 보여준 전설적인 실력 때문에 붙여진 별명이다.

랭던은 홀로 앉아 멍하니 어둠을 응시했다. 집 안의 고요가 다시 한번 깨졌다. 이번에는 팩스가 울리는 소리였다. 짜증내는 것도 지쳐서 피곤한 너털웃음을 흘리고 말았다.

랭던은 생각했다.

'신(神)의 사람들. 그들의 메시아를 기다린 이천 년의 세월. 그러나 사람들은 여전히 고집스럽게 기다린다.'

지친 기색으로 빈 우유 컵을 부엌에 갖다놓았다. 그리고 천천히 참나무 판으로 만든 서재로 걸어갔다. 방금 들어온 팩스가 수신함에 있었다. 랭던은 한숨을 쉬며 팩스 용지를 쳐다보았다.

즉시 메스꺼워졌다.

종이의 이미지는 인간의 시체였다. 알몸이었고 목이 완전히 뒤틀린 채 얼굴이 뒤쪽으로 돌아갔다. 희생자의 가슴에 심한 화상 자국이 보였다. 누군가 이 사람에게 낙인을 찍은 것이다…… 단 한 단어. 랭던이 익히 아는 단어였다. 너무나 잘 알고 있었다. 믿을 수 없는 기분으로 랭던은 화려한 문자 도안을 응시했다.

"일루미나티."

가슴이 두방망이질쳐 말조차 더듬거렸다.

'그럴 리 없어……'

자신이 목격한 것을 두려워하면서, 랭던은 느린 동작으로 팩스 용지를 180도 돌렸다. 그리고 글자의 위아래를 바꿔놓고 쳐다보았다.

숨이 멎는 기분이었다. 트럭에 치인 것만 같았다. 자기 눈을 믿기 어려워 랭던은 종이를 다시 돌렸다. 화상 자국의 오른쪽이 위로 가게 해서 읽어보고, 다시 반대로 들고서도 살펴보았다.

"일루미나티."

랭던은 중얼거렸다.

한대 얻어맞은 듯 의자에 주저앉았다. 잠시 당혹스러웠다. 그러다가 그의 시선이 팩시밀리에서 깜박거리는 붉은 빛에 이끌렸다. 이 팩스를 보낸 자가 누구든, 아직 전화선을 붙들고 있었다…… 대화를 기다리면서. 랭던은 오랫동안 깜박이는 불빛을 응시했다.

그런 다음 떨리는 손으로 수화기를 집어들었다.

2

"이제 관심이 좀 생기셨습니까?"

마침내 랭던이 수화기를 들자 아까 그 남자의 목소리가 들렸다.

"그렇습니다. 그쪽 말대로입니다. 어떻게 된 일인지 설명해주시겠습니까?"

"아까 말하려고 했습니다."

남자의 목소리는 확고하며 감정이 없었다.

"나는 물리학자요. 연구소를 운영하고 있지요. 이 살인 사건은 우리 연구소에서 일어난 것입니다. 랭던 씨도 시체를 보았겠죠."

"저를 어떻게 찾아낸 것입니까?"

랭던은 대화에 집중할 수가 없었다. 그의 마음은 팩스 종이의 이미지에서 벗어나고 있었다.

"이미 말했을 텐데요. 인터넷 웹사이트입니다. 랭던 씨의 책,《일루미나티 비밀결사의 기술》이라는 책의 웹사이트에서 알아냈습니다."

랭던은 생각을 정리하려고 애썼다. 그의 책은 주류 독서계에는 별로 유명하지 않았지만, 온라인에서는 꽤 잘나가고 있었다. 하지만 전화를 건 남자의 주장은 앞뒤가 들어맞지 않았다.

"그 웹사이트에 저와 접촉할 수 있는 정보는 없습니다. 그 점은 확실히 알고 있죠."

랭던이 대꾸했다.

"인터넷 웹사이트에서 사용자 정보를 추출하는 데 매우 유능한 사람들이 우리 연구실에서 일하지요."

랭던은 언짢아졌다.

"당신네 연구소가 인터넷에 대해서 아주 많은 것을 아는 곳처럼 들리는군요."

남자가 되받았다.

"당연히 그럴 겁니다. 인터넷을 창조한 게 우리니까요."

남자의 목소리에 담긴 뭔가에서 그 말이 농담이 아니라는 것이 느껴졌다.

"일단 당신을 만나야겠습니다."

남자가 고집했다.

"전화상으로 의논할 수 있는 문제가 아니기 때문입니다. 내 연구소는 보스턴에서 비행기로 고작 한 시간 거리요."

랭던은 서재의 흐릿한 불빛 속에 서서 손에 든 종이를 분석했다. 종이에 담긴 형상은 엄청난 것이다. 세기의 금석학적인 발견일 수도 있다. 하나의 상징에서 그 동안 연구에 바친 10년의 세월을 확인받을 수 있는 이미지였다.

"급합니다."

남자가 재촉했다.

랭던의 시선은 낙인에 사로잡혔다.

'일루미나티.'

랭던은 읽고 또 읽었다. 그의 작업은 언제나 화석 같은 상징, 즉 고대 문서와 역사적 풍문에 바탕을 두고 있다. 랭던은 살아 있는 공룡을 대면하게 된 고생물학자가 된 기분이었다.

"랭던 씨를 위해 비행기를 보내려고 미리 허가까지 받아두었습니다. 이십 분 후에 비행기가 보스턴에 도착할 겁니다."

랭던은 입이 말랐다.

'한 시간 비행……'

"앞서 행동한 것을 용서해주시기 바랍니다. 랭던 씨가 꼭 여기로 와 줘야겠습니다."

남자가 말을 이었다.

랭던은 다시 팩스를 보았다. 검은색 잉크로 찍힌 고대의 신화. 거기에 담긴 암시는 놀라웠다. 랭던은 멍하니 퇴창 너머를 응시했다. 뒤뜰의 자작나무 사이로 새벽이 밝아왔다. 오늘 아침의 정경은 어딘가 평소와 달라 보였다. 흥분과 두려움이 뒤섞인 미묘한 감정에 휩싸이며, 랭던은 자기에게 선택의 여지가 없음을 자각했다.

"당신 말대로 하겠습니다. 어디에서 비행기를 타야 하는지 말씀해 주십시오."

3

수천 킬로미터 떨어진 곳에서 두 남자가 만났다. 방은 어두웠고 중세의 분위기를 자아냈다. 돌로 만든 방이다.

"어서 오게."

방의 주인인 듯한 남자가 입을 열었다. 남자는 보이지 않게 어둠 속에 앉아 있었다.

"성공했나?"

"네. 완벽하게 처리했습니다."

거무스름한 형체의 인물이 대답했다. 그의 말투는 바위벽처럼 단단했다.

"그럼 누구의 책임인지 밝혀낼 의심의 여지도 없이?"

"없습니다."

"훌륭해. 내가 요구한 것은 가지고 왔나?"

석유처럼 매끄럽고 검은 암살자의 눈이 번쩍였다. 그는 무거워 보이는 전자장치를 꺼내 탁자에 올려놓았다.

어둠 속의 남자는 기쁜 듯 칭찬했다.

"잘했다."

"조직에 봉사하는 것은 명예로운 일입니다."

암살자가 대답했다.

"곧 이 막이 시작될 것이다. 가서 좀 쉬거라. 오늘 밤 우리는 세상을 바꿀 것이다."

4

캘러헌 터널을 가르고 빠져나온 로버트 랭던의 사브 900S 자동차가 보스턴 항구의 오른편에 모습을 드러냈다. 보스턴 항구는 로건 공항 근처에 있었다. 방향을 살피던 랭던은 공항으로 가는 표지판을 발견하고, 낡은 이스턴 항공사 빌딩을 지나 왼쪽으로 차를 돌렸다. 진입로에서 270미터 떨어진 곳에 격납고가 어둠 속에서 어렴풋이 모습을 드러내었다. 격납고에는 '4'라는 숫자가 크게 칠해져 있었다. 랭던은 사브를 주차장에 세우고 차에서 빠져나왔다.

푸른 비행제복을 입은 둥근 얼굴의 남자가 건물 뒤에서 나타났다.

"로버트 랭던 씨입니까?"

남자의 목소리는 다정했지만 어느 지방 사람인지 분간하기 힘든 억양이었다.

"제가 랭던입니다."

자동차 문을 잠그며 랭던이 대답했다.

"완벽한 타이밍입니다. 저도 방금 착륙했거든요. 저를 따라오시죠."

남자가 말했다.

두 사람이 건물을 돌아갈 때 랭던은 긴장되었다. 그는 비밀스런 전화나 낯선 사람과의 은밀한 만남에는 익숙하지 않았다. 무슨 일을 부탁받을 것인지 알 수가 없어서 평소 강의할 때의 옷차림으로 나왔다. 치노 바지에 터틀넥, 그리고 해리스 트위드 재킷. 얼굴이 둥근 남자와 함께 걸어가면서, 재킷 주머니에 넣은 팩스 종이를 생각했다. 그 장면은 아직도 믿어지지 않았다.

조종사가 랭던의 근심을 알아챈 것 같았다.

"비행기 타는 것쯤이야 아무 일도 아니죠, 안 그렇습니까?"

"물론입니다."

랭던이 대답했다.

'내게는 낙인이 찍힌 시체가 문젯거리지. 비행기 타는 거야 잘 처리할 수 있어.'

조종사는 격납고 끝으로 랭던을 안내했다. 두 사람은 구석을 돌아 활주로로 접어들었다.

랭던은 갑자기 걸음을 멈추고, 아스팔트 활주로에 서 있는 비행기를 멍하니 입을 벌리고 바라보았다.

"저걸 타는 겁니까?"

조종사가 싱긋 웃었다.

"마음에 드십니까?"

랭던은 오랫동안 쳐다보았다.

"마음에 드느냐고요? 도대체 저게 뭡니까?"

그들 앞에 있는 비행기는 거대했다. 위를 깎아 완전히 평평하게 만든 점만 제외하면 언뜻 우주왕복선을 연상시켰다. 활주로에 버티고 있는 모습이 꼭 거대한 쐐기 같았다. 랭던은 처음에는 자신이 꿈을 꾼다고 생각했다. 앞에 놓인 운송 수단은 비행이 가능한 뷰익자동차처럼 보였다. 이 비행기에는 날개라는 것이 없었다. 뭉툭한 지느러미 같은 것 두 개가 비행선 동체 뒤편에 달려 있고, 한쌍의 방향타가 후미에 솟아 있을 뿐이다. 비행선의 나머지 부분은 그냥 선체였다. 약 60미터 길이에 창문도 없고 오로지 몸통만 있는 선체였다.

"이십오만 킬로미터를 비행할 수 있는 연료가 꽉 채워져 있습니다."

갓 태어난 자식을 자랑하는 아버지처럼 비행기 조종사가 설명했다.

"수소 윤활유로 비행하는 겁니다. 비행선의 외피는 실리콘카바이드 섬유로 만든 티타늄을 소재로 썼답니다. 단위 무게당 추진력이 이십이지요. 다른 대부분의 제트기는 칠이랍니다. 소장님이 랭던 씨를 급히 만나고 싶은 게 분명합니다. 소장님이 이놈을 내보내는 일은 흔치 않거든요."

"이게 날아가는 겁니까?"

랭던이 물었다.

"네, 그렇습니다."

조종사는 미소지었다. 그러고는 아스팔트 활주로를 가로질러 비행선 쪽으로 랭던을 이끌었다.

"좀 놀랍게 생겼다는 건 저도 압니다. 하지만 익숙해지실 겁니다. 앞으로 오 년만 지나면 랭던 씨가 보실 모든 비행기는 이놈들일 겁니다. HSCT, 초고속민간항공기(High Speed Civil Transport)의 약자죠. 우리 연구소가 첫째로 이놈을 보유한 측에 들 겁니다."

'어떤 연구소의 빌어먹을 작품이로군.'

랭던은 생각했다.

조종사의 설명은 계속되었다.

"이놈은 보잉 X-33의 표준을 따랐습니다. 하지만 다른 명칭들이 수십 개 있어요. 미국은 미항공우주비행기, 러시아는 스크램제트, 영국은 호톨이라고 부르죠. 미래가 여기에 있습니다. 공공부문에 이용되기까지는 단지 시간이 좀 걸릴 뿐이죠. 그렇게 되면 기존의 제트 비행기와는 작별인사를 하셔야 될 겁니다."

랭던은 걱정스럽게 비행선을 올려다보았다.

"저는 기존의 비행기가 더 마음에 드는데요."

조종사는 트랩 위로 올라가라는 몸짓을 했다.

"이쪽으로 가시죠, 랭던 씨. 발밑을 조심하십시오."

몇 분 후에 랭던은 텅 빈 객실에 앉아 있었다. 조종사는 랭던을 맨 앞줄에 앉히고, 비행기의 앞쪽으로 사라졌다.

비행기의 선실은 일반 비행기의 객실을 놀랍도록 넓힌 모습이다. 한 가지 다른 점은 창문이 없다는 것인데, 그것이 바로 랭던을 불편하게 했다. 그는 평생 동안 약간의 폐쇄공포증에 시달렸다. 어렸을 때의 사고 후유증에서 완전히 극복하지 못한 것이다.

폐쇄공간에 대한 혐오감은 줄어드는 법 없이 항상 그를 좌절시켰다. 심하지는 않지만 분명히 영향을 미쳤다. 랭던은 라켓볼이나 스쿼시처럼 닫힌 공간에서 즐기는 스포츠를 피했다. 경제적인 학교 임원 숙소를 손쉽게 이용할 수 있었지만, 통풍이 잘되고 천장이 높은 빅토리아 풍의 집을 구입하기 위해 거금을 기꺼이 지불했다. 랭던은 예술 세계에 대한 자신의 관심이 박물관의 널찍하고 열린 공간을 사랑한 어린 소년의 마음에서 비롯된 것이 아닐까, 가끔 생각했다.

아래에서 엔진이 포효하는 소리가 들려오며, 비행선 동체에 깊은 울림이 전해졌다. 랭던은 어렵사리 침을 삼키고 기다렸다. 비행기가 택시처럼 빠르게 출발하는 것이 느껴졌다. 머리 위에서는 컨트리 음악이 잔잔하게 흘러나왔다.

랭던의 옆 벽에 걸려 있는 전화기가 두 번 삑삑거렸다. 랭던은 수화기를 들었다.

"여보세요?"

"랭던 씨, 편안하십니까?"

"전혀 그렇지 못하군요."

"그냥 마음을 편히 먹으세요. 한 시간이면 목적지에 도착할 겁니다."

"그런데 목적지가 정확히 어디입니까?"

자신이 어디로 향하는지도 전혀 모른다는 것을 깨닫고 물었다.

"제네바입니다. 제네바에 있는 연구소입니다."

엔진의 회전 속도를 높이며 조종사가 대답했다.

"제네바라."

기분이 나아지면서 랭던은 조종사의 말을 받았다.

"뉴욕 위쪽이군요. 세네카 호수 근처에 제 가족이 살긴 합니다만, 거기에 물리학 연구소가 있다는 것은 몰랐습니다."

조종사가 웃었다.

"뉴욕 주의 제네바가 아닙니다, 랭던 씨. 스위스에 있는 제네바를 말하는 겁니다."

그 말을 이해하기까지 조금 시간이 걸렸다.

"스위스?"

랭던은 맥박이 뛰는 것을 느꼈다.

"연구소는 한 시간 거리라고 들었는데요!"

"맞습니다. 랭던 씨. 이 비행기는 마하 십오로 나니까요."

조종사가 껄껄 웃었다.

5

유럽의 봄비는 어느 거리에서 암살자는 군중 속으로 뱀처럼 슬며시 파고들었다. 그는 힘센 남자였다. 거무스름하고 유능했다. 그리고 사람을 현혹시킬 정도로 민첩했다. 남자의 근육은 야누스와의 만남으로 생긴 전율 때문에 아직도 뻣뻣하게 굳어 있었다.

'잘됐어.'

그는 자기 자신에게 말했다. 자기를 고용한 사람은 결코 얼굴을 드러내지 않았지만, 그분과 함께 있는 것만으로도 명예롭게 느껴졌다.

'그분이 처음 접촉을 해온 이후 이제 겨우 보름이 지났나?'

암살자는 전화가 걸려왔을 때 나눴던 모든 대화를 기억한다……

"내 이름은 야누스요. 우리는 서로 친척이라고 할 수 있소. 그리고 하나의 적을 공유하지. 당신 실력이 괜찮다고 들었소만."

"댁이 누구를 대표하느냐에 달려있습니다."

암살자가 대꾸했다.

전화를 건 사람이 그에게 뭔가를 말했다.

"지금 농담하는 겁니까?"

"우리의 이름은 당신도 들어봤을 거요."

전화 속의 목소리가 대답했다.

"물론입니다. 하지만 그 조직은 전설에나 존재하죠."

"당신은 혹시 내가 가짜가 아닌지 의심하고 있군 그래."

"그 조직은 먼지 속으로 사라졌다는 사실을 모두가 알고 있습니다."

"기막힌 속임수지. 가장 위험한 적은 아무도 두려워하지 않는 곳에 있는 법이니까."

암살자는 회의적이었다.

"아직도 조직이 살아남았다는 얘기입니까?"

"그 어느 때보다 가장 깊은 곳에 잠복해 있소. 우리의 뿌리는 당신이 볼 수 있는 모든 것에 침투해 있어…… 심지어 우리는 복수를 맹세한 적의 신성한 요새에까지 뻗어 있지."

"불가능합니다. 그들을 이겨낼 수는 없어요."

"우리의 침투력은 아주 멀리까지 미치오."

"누구도 그렇게 멀리까지 닿지 못했어요."

"얼마 안 가서 당신은 믿게 될 것이오. 누구도 반박할 수 없는, 조직의 힘을 보여주는 것이 이미 실행되었으니까. 배신과 증거를 나타내는 단독적인 행위지."

"무슨 일을 한 겁니까?"

전화 속의 목소리가 뭔가를 속삭였다.

암살자의 눈동자가 휘둥그레졌다.

"불가능한 일입니다."

다음 날, 각국의 신문들은 동일한 머릿기사를 실었고, 암살자는 믿음을 갖게 되었다.

이제 보름이 지난 후, 암살자의 믿음은 의심을 털어버리고 굳건해졌다. 암살자는 생각했다.

'조직은 참고 견뎠다. 오늘 밤 조직은 그들의 힘을 보여주기 위해 표면으로 떠오를 것이다.'

거리를 걷는 암살자의 까만 눈이 어떤 예감으로 번득였다. 지상에서 가장 은밀하고 두려운 조직이 봉사를 명하러 자신에게 전화를 걸었다.

'그들의 선택은 현명했어.'

비밀 보장에 대한 암살자의 명성은 그의 철저한 일처리 방식만큼이나 자자했다.

지금까지 충성스럽게 그들에게 봉사했다. 죽이라는 대로 죽였고, 요청받은 물건을 야누스에게 전달했다. 이제 물건의 위치를 완벽하게 숨기기 위해 힘을 쓰는 것은 야누스에게 달려있었다.

위치……

암살자는 그런 경이적인 과업을 야누스가 어떻게 해냈는지 궁금했다. 그 남자는 분명 적진 내부에 연줄이 있을 터였다. 조직의 침투력에는 한계라는 단어가 없어 보였다.

'야누스.'

암살자는 생각했다.

'분명 암호명이겠지.'

두 얼굴을 가진 로마의 신을 언급하는 것인지…… 아니면 토성의 달을 뜻하는 것인지 궁금했다. 하지만 아무래도 상관없다. 야누스는 가늠할 수 없는 힘을 휘둘렀다. 의심을 버리도록 능력을 증명했다.

암살자는 길을 걸어가며, 조상님들이 웃으며 자기를 내려다본다고 상상했다. 오늘 그는 조상의 전투에 참여해 싸운 것이다. 11세기로 거슬러 올라가 조상들이 수백 년 동안 싸워온 똑같은 적과 싸우는 것이다…… 적의 십자군 부대가 처음 그의 땅을 약탈하고, 동족을 살해하고, 여자를 강간하고, 그들을 더러운 백성이라 선포하며, 그들의 신과 사원을 모독했을 때가 11세기다.

조상들은 자신을 지키기 위해 작지만 치명적인 군대를 만들었다. 군대는 그 땅의 보호자로 유명해졌고, 나라 주변을 떠돌면서 발견하는 적들을 무참히 베어버리는 숙련된 처형자들이었다. 이 군대는 잔인한 살해로 유명했을 뿐만 아니라, 약에 취한 무감각상태에서 자신들의 잔인한 살인을 축하한 것으로도 명성이 자자했다. 그들이 고른 것은 하시시(hashish)라는 효능이 뛰어난 약재였다.

그들의 악명이 세상에 퍼져나가자 이 치명적인 군대의 사람들은 한 단어, 하사신(Hassassin)으로 알려졌다. 말 그대로 '하시시를 마시는 자' 라는 의미였다. 그리고 하사신이라는 이름은 지상에서 죽음과 같은 의미가 되었다. 이 단어는 살인이라는 뜻을 품은 채 진화해서……심지어 오늘날까지 현대 영어에서도 여전히 쓰이고 있다.

이제 이 단어는 아사신(assassin, 암살자)이라고 부른다.

6

가벼운 비행기 멀미에 시달리며 랭던이 햇살 가득한 활주로에 내렸을 때는 64분이 흐른 뒤였다. 시원한 산들바람이 재킷 옷깃을 흔들고 지나갔다. 눈앞에 펼쳐진 전망은 훌륭했다. 그는 눈을 가늘게 뜨고 주변의 청정한 초록 계곡과 눈 덮인 산봉우리를 둘러보았다.

랭던은 혼잣말로 생각했다.

'나는 꿈을 꾸는 거야. 몇 분 후면 깨어나겠지.'

"스위스에 오신 것을 환영합니다."

X-33 분무형 고에너지밀도 엔진이 속도를 줄이면서 내는 소음 사이로 비행기 조종사가 소리를 질러댔다.

랭던은 시계를 살폈다. 아침 7시 7분.

"랭던 씨는 지금 막 여섯 시간의 시차를 넘어 날아왔습니다. 이곳 시간은 오후 한 시가 조금 넘었군요."

조종사가 말했다.

랭던은 시계를 조정했다.

"기분은 어떠십니까?"

랭던이 배를 문질렀다.

"스티로폼을 먹은 것 같습니다."

조종사가 고개를 끄덕였다.

"고산병입니다. 우리는 비행기로 해발 일천팔백 미터 상공에 있었으니까요. 거기에서는 삼십 퍼센트 정도 무게가 가벼워지지요. 단거리 비행이라서 운이 좋았습니다. 만일 도쿄로 가야 했다면, 훨씬 높이 비행기를 끌고 올라가야 했을 테니까요. 일천육백 미터 정도 더 높죠. 그럼 지금쯤 속이 울렁거리고 뒤집어졌을 겁니다."

랭던은 창백한 얼굴로 고개를 끄덕이면서, 이 정도는 운이 좋은 것이라고 자신을 달랬다. 모든 것을 고려해볼 때, 비행은 대체로 일반 비행기를 탔을 때와 비슷했다. 이륙할 때 뼈를 부수는 듯한 가속도를 별도로 치면, 비행기의 움직임은 전형적이었다. 가끔 미미한 난기류에 휘말리거나 상승할 때 압력 변화가 느껴졌지만, 시속 17,000킬로미터라는 감지하기 어려운 속도로 공간을 날아왔다는 걸 실감나게 할 만한 별다른 점은 없었다.

기술자 한 무리가 X-33을 정비하기 위해 활주로를 허둥지둥 달려왔다. 조종사는 통제탑 옆 주차장에 있는 검은 푸조 세단으로 랭던을 안내했다. 잠시 후 두 사람은 계곡 사이로 쭉 뻗은 포장도로를 빠르게 달렸다. 건물 단지들이 멀리 희미하게 보였다. 창밖으로는 푸른 초원이 알아볼 수 없을 정도로 휙휙 지나갔다.

조종사가 자동차 속도를 시속 170킬로미터까지 올리는 것을 랭던은 믿을 수 없는 기분으로 지켜보았다.

'이 사람과 이 속도, 이게 다 뭐지?'

랭던은 의아했다.

"연구소까지 오 킬로미터 남았습니다. 이 분 안에 도착하도록 하겠습니다."

조종사가 설명했다.

랭던은 무력하게 좌석벨트를 찾아 맸다.

'우리가 살아 있는 채로 삼 분 안에 도착하면 왜 안 되는 걸까?'

자동차는 질주했다.

"레바를 좋아하십니까?"

카세트를 테이프 플레이어에 넣으며 조종사가 물었다.

여자가 노래를 시작했다.

"……혼자가 되는 것이 두려울 뿐이야……"

'여기에는 두려움이 없다.'

랭던은 멍하니 생각에 빠졌다. 여자동료들이 종종 자기가 수집한 박물관 수준의 공예품들을 보고 빈 집을 채우기 위한 속이 빤히 들여다보이는 시도일 뿐, 그 이상은 아니라고 놀리곤 했다. 그리고 자고로 가정이란 여자의 존재로 빛이 나는 곳이라고 주장했다. 랭던은 언제나 동료들의 말을 웃어넘겼다. 자신의 인생에는 벌써 세 가지의 사랑이 자리하고 있음을 친구들에게 일깨워주면서 말이다. 세 가지란 기호학과 수구(水球), 그리고 독신주의였다. 독신주의는 세상을 마음껏 여행하고, 자고 싶을 때 늦게까지 자고, 브랜디와 좋은 책과 함께 집에서 조용한 밤을 누리게 해주는 자유이기도 했다.

"우리 연구소는 작은 도시 같습니다."

공상에 잠긴 랭던을 깨우며 비행기 조종사가 말했다.

"단순한 연구소는 아니죠. 연구소 단지 안에 슈퍼마켓과 병원이 있고 심지어 극장도 있으니까요."

랭던은 멍하니 고개를 끄덕이며, 그들 앞에 불규칙하게 뻗은 건물들을 차창 밖으로 내다보았다.

"사실 우리는 지구에서 가장 큰 기계도 가지고 있답니다."

조종사가 덧붙였다.

"정말입니까?"

랭던은 바깥 주변을 둘러보았다.

조종사가 미소지었다.

"밖에서는 볼 수 없을 겁니다. 지하 육 층 깊이에 묻혀 있으니까요."

랭던은 물어볼 시간이 없었다. 주의도 없이 조종사가 브레이크를 밟은 것이다. 자동차는 연구소의 경비초소의 입구까지 미끄러졌다.

랭던은 그들 앞에 있는 안내문을 읽었다.

보안검사(SECURITE)
정지(ARRETEZ)

랭던은 갑자기 자기가 어디에 있는지를 깨닫고 몹시 당황했다.

"이런 세상에! 여권을 안 가져왔습니다!"

"여권은 필요 없습니다. 우리 연구소는 스위스 정부와 영구 협약을 맺었으니까요."

조종사가 랭던을 안심시켰다.

조종사가 초소 경비원에게 ID 카드를 건네는 것을 랭던은 말문이 막힌 채 지켜보았다. 입구 초소에는 신분 확인을 위한 전자장치가 있었고, 경비원은 ID 카드를 전자장치에 대고 그었다. 기계 불빛이 초록색으로 바뀌었다.

"승객 성함은?"

"로버트 랭던."

조종사가 응답했다.

"누구의 손님입니까?"

"소장님."

경비원의 눈썹이 활처럼 휘었다. 그리고 돌아서서 인쇄된 출력 정보를 컴퓨터 화면에 나타난 자료와 대조해가며 확인 작업을 했다. 마침내 초소 창문으로 돌아온 경비원이 허락했다.

"편히 머무르시기 바랍니다. 랭던 씨."

자동차는 다시 내달렸다. 커다란 로터리를 돌아 180미터쯤 달리자,

36

연구소의 현관이 나타났다. 유리와 강철로 만들어진 사각형의 초현대적인 건물이 그들 앞에 모습을 드러냈다. 랭던은 건물의 인상적이고 투명한 디자인에 감탄했다. 그가 항상 애정을 느끼는 분야가 건축이기도 했다.

"유리 대성당이죠."

조종사가 말했다.

"교회란 말입니까?"

"맙소사, 아니에요. 이곳에 없는 단 한 가지가 바로 교회입니다. 이 주변에서는 물리학이 종교지요. 하고 싶은 대로 신의 이름을 아무렇게나 들먹여도 상관없지만, 쿼크와 중간자를 비방해서는 안 됩니다."

조종사가 웃었다.

유리건물 앞으로 차를 주차하는 동안 랭던은 당혹스러워하며 앉아 있었다.

'쿼크와 중간자? 국경 통제가 없다? 마하 십오로 나는 제트기? 이 사람들은 도대체 누구지?'

건물 앞 화강암 석판에 답이 새겨져 있었다.

CERN
Conseil Europeen pour la Recherche Nucleaire

"유럽 입자물리학 연구소?"

자신의 번역이 맞을 것이라 확신하면서 랭던이 물었다.

운전을 하는 조종사는 대답하지 않았다. 그는 몸을 앞으로 내밀어 바쁘게 카세트 플레이어를 정리했다.

"여기가 랭던 씨의 종착지입니다. 소장님이 입구에서 당신을 기다리실 겁니다."

랭던은 현관에 어떤 남자가 휠체어에 앉아 있는 것을 알아차렸다.

남자는 예순 살쯤 되어 보였다. 완고해 보이는 턱에, 몹시 말랐으며, 완전히 대머리인 남자가 하얀 실험실 가운을 걸치고 있었다. 정장용 구두는 휠체어의 발걸이를 단단히 딛고 있었다. 멀찌감치에서 봐도 남자의 눈에는 생기가 없었다. 마치 두 개의 잿빛 돌멩이 같았다.

"저 사람이 소장님입니까?"

랭던이 물었다.

조종사가 고개를 들었다. 그리고 몸을 돌려 랭던에게 불길한 미소를 건넸다.

"그럼, 저는 이만. 호랑이도 제 말 하면 오는군요."

무엇을 기대하는지 알 수 없는 불확실한 심정으로 랭던이 차에서 내렸다.

휠체어에 앉은 남자가 랭던에게 다가와 차고 끈적끈적한 손을 내밀었다.

"랭던 씨? 우리, 전화상으로 얘기를 나누었지요. 제 이름은 막시밀리안 콜러입니다."

7

CERN의 소장인 막시밀리안 콜러는 연구소에서 왕으로 불리었다. 휠체어라는 왕좌에 앉아 영토를 다스리는 인물에게 붙여진 왕이란 호칭은 존경심보다는 강한 두려움을 자아냈다. 개인적으로 그를 잘 아는 사람은 드물었지만, 그가 어쩌다 불구가 되었는지에 대한 끔찍한 이야기는 CERN에서 전설이 되어 떠돌았다. 하지만 그의 신랄한 성격을 비난하는 사람은 없었다…… 순수과학에 대한 그의 공공연한 헌신을 나무라는 이도 없었다.

랭던은 짧은 순간 콜러 소장과 대면했지만, 이 남자가 사람 사이에 거리를 두는 인물임을 한눈에 알아차렸다. 랭던은 조용히 현관으로 들어가는 콜러의 자동 휠체어를 따라잡기 위해 종종걸음을 쳤다. 콜러의 휠체어는 랭던이 아는 일반 휠체어와는 전혀 달랐다. 다선 전화기, 페이징시스템*, 컴퓨터 모니터, 심지어 분리 가능한 소형 비디오 카메라까지 장착된 전자장치들의 집합지였다. 콜러의 휠체어는 왕의 이동 사령부 역할이었다.(페이징 시스템:주기억장치와 보조기억장치 간에 페이지를 교환하는 시스템.)

랭던은 자동문을 지나 CERN의 넓은 로비로 들어섰다.

'유리 대성당.'

랭던은 천장을 응시하며 생각했다.

머리 위로 푸른빛이 도는 유리지붕이 오후 햇살에 아른아른 빛났다. 천장 유리를 통해 들어온 햇살은 허공에 기하학적인 빛의 패턴을 만들고, 로비 전체에 웅장한 분위기를 풍겼다. 흰 타일 벽을 가로질러 대리석 바닥까지 이어진 각진 그림자가 마치 정맥처럼 보였다. 로비는 깨끗하고 무균 상태의 공기 냄새가 났다. 과학자들 몇 명이 반향이 잘되는 널찍한 공간에서 발소리를 울리며 분주히 지나갔다.

"이쪽으로 가시죠, 랭던 씨."

콜러의 목소리는 컴퓨터 소리 같았다. 완고한 외모처럼 그의 억양 역시 강하고 정확했다. 콜러가 기침을 하더니, 생기를 잃은 회색 눈동자를 랭던에게 고정시키고 하얀 손수건으로 입 주위를 닦았다.

"좀 서두릅시다."

콜러의 휠체어가 타일 바닥을 뛰어넘을 것처럼 빨리 움직였다.

중앙 홀에서 여러 갈래로 뻗은 셀 수 없이 많은 복도를 지나치며 랭던은 서둘러 뒤따라갔다. 모든 복도마다 사람들이 바쁘게 움직였다. 콜러를 본 과학자들은 놀란 눈초리로 랭던을 응시했다. 소장이 동반한 인물이 누구인지 무척 궁금하다는 투였다.

"이런 말을 하는 것이 부끄럽습니다만, 저는 CERN에 대해서 들어보지 못했습니다."

대화를 나누려고 노력하며 랭던이 말을 꺼냈다.

"놀라운 일은 아닙니다."

콜러의 짤막한 응답은 상대방을 충분히 무안하게 만드는 효과가 있었다.

"대부분의 미국 사람들은 과학연구 분야에서 유럽이 세상의 리더라는 것을 모릅니다. 미국 사람들은 우리 유럽을 그저 기묘한 쇼핑 구역쯤으로 여기지요. 아인슈타인, 갈릴레이, 뉴턴 같은 사람들의 국적을 고려해보면 이상한 사고방식이오."

랭던은 어떻게 대답해야 좋을지 몰랐다. 그는 주머니에서 팩스 종이를 꺼냈다.

"이 사진에 있는 남자, 이 남자에 대해서……"

콜러가 손을 휘저으며 말을 잘랐다.

"이런, 여기서는 안 됩니다. 지금 당신을 그에게 데려가는 중이오."

그러고는 손을 내밀었다.

"내가 그 종이를 가지고 있는 게 낫겠습니다."

콜러의 휠체어가 급하게 왼쪽으로 돌더니, 상패와 표창장들로 장식된 넓은 복도로 들어섰다. 특히 눈에 띄는 커다란 명판이 복도 입구를 차지하였다. 랭던은 천천히 지나가며 황동명판에 새겨진 글을 읽었다.

아르스 일렉트로니카 상

ARS ELECTRONICA AWARD

디지털 시대에 문화적 기술혁신을 이룬 월드와이드웹(World Wide Web)의 발명으로 팀 버너스 리와 CERN에게 이 상을 수여함.

'완전히 엿 먹었군.'

명판의 글을 읽으며 랭던은 생각했다.

'이 사람 말이 농담이 아니었어.'

랭던은 항상 웹이 미국인의 발명품이라고 생각했다. 자신의 책을 안내하는 웹사이트와 낡은 매킨토시 컴퓨터에서 온라인으로 탐색하는 루브르 박물관, 엘 프라도를 가끔씩 들여다보는 것이 전부인, 웹에 대한 그의 지식은 협소했다.

다시 기침을 하고 입을 닦으며 콜러가 말했다.

"웹은 재택 컴퓨터의 네트워크로서 여기에서 시작되었습니다. 다른 부서의 과학자들이 일상의 발견을 다른 사람과 공유할 수 있도록 돕기 위해서였어요. 물론 온 세상은 웹이 미국의 기술이라고 생각하는 듯한 인상입니다만."

랭던은 복도 아래로 따라갔다.

"왜 세상 사람들의 잘못된 인식을 바로잡지 않으십니까?"

그런 일에는 관심이 없다는 듯 콜러는 어깨를 으쓱했다.

"사소한 기술에 따르는 사소한 오해일 뿐이니까. 우리 연구소는 세상 모든 컴퓨터를 연결하는 것보다 위대한 일을 합니다. 우리 과학자들은 거의 매일같이 기적을 만들어내지요."

랭던은 콜러에게 의아하다는 표정을 지었다.

"기적이요?"

기적이라는 단어는 확실히 하버드 대학교의 패어차일드 과학연구동 주변에 돌아다니는 어휘가 아니었다. '기적'은 신학대학을 위해 남겨진 단어였다.

"회의적인 것 같군요. 나는 당신이 종교기호학자라고 생각했는데. 기적을 믿지 않습니까?"

콜러가 물었다.

"기적에 대해서는 생각해보지 않았습니다."

랭던이 대답했다.

'특히 과학 실험실에서 일어나는 기적에 대해서는 더더욱 생각해보지 않았지.'

"어쩌면 기적이라는 말을 내가 다른 의미로 쓴 것인지도 모르죠. 나는 그저 당신의 용어로 말하려고 한 것뿐입니다."

"제 용어요?"

랭던은 갑자기 마음이 불편해졌다.

"실망시키려는 뜻은 아니지만, 저는 종교적인 기호학을 연구합니다. 다시 말해, 저는 사제가 아니라 학자라는 뜻입니다."

콜러가 갑자기 속도를 늦추더니 랭던을 돌아보았다. 그의 시선이 약간은 부드러워진 것 같았다.

"물론이오. 내가 이렇게 단순해요. 증세를 분석하기 위해서 암을 앓을 필요는 없지요."

랭던은 이런 식으로 말하는 사람을 지금까지 보지 못했다.

복도를 내려가며 콜러는 이해가 된다는 표시로 고개를 끄덕였다.

"랭던 씨, 당신과 나는 서로 완벽하게 이해할 것 같습니다."

왠지 랭던은 콜러의 그 말이 미심쩍었다.

두 사람이 서둘러 가는 길에 랭던은 앞쪽에서 뭔가 깊이 울리는 것을 느꼈다. 한 걸음씩 나아갈 때마다 벽을 타고 진동하는 그 소리 또한 점점 분명해졌다. 소리는 복도 맨 끝에서 들려오는 것 같았다.

"이 소리가 뭡니까?"

결국 랭던은 소리를 질러가며 물었다. 활화산에 접근하는 기분이 들 정도였다.

"자유낙하 튜브."

콜러의 공허한 목소리가 허공을 가르며 미약하게 들려왔다. 콜러는 다른 설명은 덧붙이지 않았다.

랭던도 묻지 않았다. 그는 지쳤고, 막시밀리안 콜러는 방문자에게 따뜻한 환대를 베푸는 것에는 관심이 없었다. 랭던은 자기가 왜 여기 왔는지를 상기했다.

'일루미나티.'

이 거대한 시설 어딘가에 시체가 있다…… 시체에 찍힌 낙인, 그 상징을 보기 위해 4,800킬로미터를 날아온 것이다.

복도 끝에 다다르자 귀가 먹먹해질 정도로 우르릉거리는 소리가 커졌다. 발바닥으로 소리의 진동이 전해졌다. 이 과정을 지나니 오른쪽에 조망실이 나타났다. 두꺼운 창유리가 끼워진 입구 네 개가 벽에 파

묻혀 있었는데, 그 모습은 마치 잠수함의 창문 같았다. 랭던은 걸음을 멈추고, 입구로 다가가서 안을 들여다보았다.

랭던은 살면서 몇몇 이상한 것도 보아왔지만, 이것이 가장 기이했다. 랭던은 환각이 일어난 것은 아닌지 의아해서, 서너 번 눈을 깜박거렸다. 그는 원형으로 생긴 거대한 방 안을 들여다보았다. 방 안에서는 사람들이 무게가 없는 듯 둥둥 떠다녔다. 세 사람이었다. 그 중 한 사람이 손을 흔들더니 공중에서 공중제비를 돌았다.

'이런 세상에. 내가 지금 오즈의 나라에 온 거로군.'

랭던은 생각했다.

방바닥에는 눈이 육각형인 거대한 철사망 같은 그물이 깔려 있었다. 그물망 아래에 보이는 것은 거대한 금속 프로펠러였다. 프로펠러는 눈으로 분간할 수 없을 만큼 맹렬하게 회전했다.

랭던을 기다리기 위해 멈춘 콜러가 말했다.

"자유낙하 튜브는 실내 스카이다이빙 시설입니다. 직원들의 스트레스 해소를 위해서지요. 수직으로 움직이는 바람 터널입니다."

랭던은 감탄한 채 들여다보았다. 자유낙하를 즐기는 사람들 중 한 명은 뚱뚱한 여자였다. 여자는 랭던이 들여다보는 창쪽으로 다가오려고 움직였다. 프로펠러에서 뿜어져 나오는 거친 기류에 악전고투했지만, 여자는 싱긋 웃으며 기분이 최고라는 듯 엄지손가락을 들어 보였다. 랭던은 희미한 미소를 띠며 여자에게 같은 동작을 취해주었다. 그는 엄지손가락을 들어올리는 것이 남자의 왕성한 생식력을 자랑하는 고대의 남근 상징이라는 것을 여자가 알고 있는지 궁금했다.

뚱뚱한 여자만이 낙하산 모형처럼 생긴 것을 입고 있음을 랭던은 놓치지 않았다. 여자 위에서 부푼 미니 낙하산은 장난감 같았다.

랭던이 콜러에게 물었다.

"여자가 달고 있는 저 작은 낙하산은 무슨 용도입니까? 낙하산 지름이 일 미터도 안 돼 보입니다."

콜러가 대답했다.

"마찰이 공기역학을 줄여서 프로펠러 바람이 그녀를 들어올릴 수 있는 거지요."

콜러는 다시 복도 아래로 움직이기 시작했다.

"일 평방미터의 저항은 낙하하는 물체의 속도를 이십 퍼센트나 늦춰줍니다."

랭던은 멍하니 고개를 끄덕였다.

랭던은 그날 밤 늦게, 수천 킬로미터나 떨어진 다른 나라에서 콜러가 지금 말해준 정보 덕분에 자기가 목숨을 구하리라고는 상상도 하지 못했다.

8

콜러와 랭던이 CERN 복합단지 후미에서 강하게 내리쬐는 스위스의 햇빛 속으로 나왔을 때, 랭던은 고향으로 돌아온 듯한 느낌을 받았다. 앞의 광경은 아이비리그 대학의 캠퍼스 같았다.

푸른 풀밭이 광활한 저지대 아래로 쭉 펼쳐졌다. 낮은 곳에는 벽돌로 지어진 기숙사들과 작은 길들이 있고, 기숙사와 길로 둘러싸인 안뜰에는 사탕단풍나무 군락이 여기저기서 자랐다. 학자처럼 보이는 사람들이 책을 잔뜩 들고서 건물을 드나들었다. 머리를 길게 기른 히피풍의 두 사람이 프리스비를 이리저리 던지며 풀밭에서 놀고 있는 모습은 한결 대학 분위기를 자아냈다. 그들은 기숙사 창문에서 흘러나오는 말러의 〈4번 교향곡〉을 즐기면서 놀았다.

"이 건물들은 우리 연구소의 주거용 기숙사입니다."

기숙사 건물 쪽으로 휠체어의 속력을 올리며 콜러가 설명했다.

"여기에는 삼천 명이 넘는 물리학자가 있습니다. CERN은 세계 입자물리학자의 절반 이상을 단독으로 고용했지요. 입자물리학자는 지상에서 가장 밝은 마음을 가진 사람입니다. 독일 인, 일본 인, 이탈리아 인, 네덜란드 인, 어느 나라 사람이나 있을 거요. 우리 연구소의 물리학자들은 오백 개 이상의 대학교와 육십 개 나라의 국적을 대표하니까."

랭던은 감탄했다.

"그럼 모두 어떻게 의사소통을 합니까?"

"물론 영어를 씁니다. 과학의 보편적인 언어는 영어니까."

랭던은 과학의 보편적인 언어는 수학이라고 들었다. 하지만 그 점을 내세워 논쟁하기에는 너무 피곤했다. 길을 내려가는 콜러를 랭던은 얌전히 따라갔다.

기숙사 건물까지 반쯤 갔을 때, 젊은 남자가 랭던을 살짝 밀치고 지나갔다. 남자의 티셔츠에는 이런 메시지가 선명했다.

'배짱이 없으면, 영광도 없다!(NO GUT, NO GLORY!)'

랭던은 신기해하며 남자의 뒤를 쫓았다.

"배짱(GUT)?"

"대통일이론(GUT:Grand Unified Theory), 모든 것의 이론이오."

콜러가 빈정댔다.

"그렇군요."

무슨 소리인지 전혀 이해하지 못하면서 랭던이 대답했다.

"입자물리학을 잘 압니까, 랭던 씨?"

랭던은 어깨를 으쓱했다.

"일반물리학에는 익숙합니다. 낙하하는 물체라든가, 그런 것이죠."

젊은 시절, 고공 다이빙 경험을 통해 랭던은 중력이라는 놀라운 힘에 심오한 존경심을 품었다. 랭던이 물었다.

"입자물리학은 원자에 대한 연구입니다, 그렇지 않습니까?"

콜러는 머리를 저었다.

"원자는 우리가 다루는 것과 비교하면 행성과 같아요. 우리의 관심은 원자의 핵이오. 원자의 만분의 일에 해당하는 크기입니다."

콜러가 다시 기침을 해댔다. 어딘가 아파 보였다.

"CERN의 사람들은 시간이 시작된 이래, 인류가 계속 반복해온 똑같은 질문에 대답하기 위해 여기에 있는 거요. 우리는 어디에서 왔는가? 우리는 무엇으로 만들어졌는가?"

"그런 질문이 물리학 실험실에서 나온다는 말씀입니까?"

"놀랐군요."

"그렇습니다. 그런 것은 정신적인 질문처럼 보이니까요."

"랭던 씨, 모든 질문이 한때는 정신적이었습니다. 시간이 시작된 이래, 정신과 종교는 과학이 이해하지 못한 차이를 메우기 위해서 함께 불려왔지요. 옛날에는 태양이 뜨고 지는 이유가 헬리오스와 불타는 전차 때문이라고들 생각했어요. 지진과 거대한 파도는 포세이돈의 분노이고요. 과학은 그런 신들이 허위 우상이라는 것을 증명했습니다. 얼마 안 가서 모든 신은 가짜 우상이라는 것이 증명될 거요. 오늘날 과학은 인간이 궁금해하는 거의 모든 질문에 답을 제시하고 있습니다. 해결 못한 몇몇 질문만 남았지요. 비밀스럽고 심원한 질문들 말입니다. 우리는 어디에서 왔는가? 우리는 여기에서 무엇을 하는가? 삶의 의미와 우주는 무엇인가?"

랭던은 감탄했다.

"그러면 그런 질문들이 CERN에서 답하고자 노력하는 것들이란 말입니까?"

"그래요. 우리가 대답하고자 하는 질문들입니다."

두 사람이 주거용 기숙사의 안뜰을 돌아나가는 동안 랭던은 침묵에 잠겼다. 그들이 걸어갈 때, 프리스비가 머리 위로 날아와 그들 앞에 떨어졌다. 콜러는 무시하고 계속 갔다.

안뜰을 가로질러 목소리가 들려왔다.

"좀 던져주겠소?"

랭던이 돌아보았다. 머리가 하얗게 센 나이 든 남자가 '파리 대학교'라고 씌어진 땀복을 입고서 랭던에게 손을 흔들었다. 랭던은 프리스비를 집어들어 정확하게 던졌다. 남자는 능숙하게 프리스비를 낚아

채 몇 번 흔든 뒤, 어깨 너머로 파트너에게 날려 보냈다. 그리고 랭던에게 소리쳤다.

"고맙소!"

랭던이 마침내 콜러를 따라잡자 그가 말을 건넸다.

"축하합니다. 당신은 지금 노벨상 수상자, 조르주 샤르파크와 어울린 거요. 다중선 비례검출기의 발명가이지요."

랭던은 고개를 끄덕였다.

'운 좋은 날이로군.'

목적지에 도착하기까지 3분이 더 걸렸다. 미루나무 숲속에 크고 손질이 잘된 기숙사가 있었다. 다른 기숙사에 비해 이 기숙사는 호화스러웠다. 기숙사 입구의 돌에는 'C 빌딩'이라고 새겨져 있었다. 랭던은 속으로 생각했다.

'상상력도 풍부한 이름이로군.'

하지만 진부한 이름에도 불구하고, C 빌딩은 건축학 스타일 면에서 랭던의 기호와 맞았다. 보수적이고 견고했다. 붉은 벽돌의 외관에 화려하게 장식된 난간들, 대칭으로 조각된 울타리가 기숙사 방을 둘러쌌다. 두 사람은 입구를 향해 돌길을 올라가, 한 쌍의 대리석 기둥으로 만들어진 관문 아래를 통과했다. 누군가 기둥에 쪽지를 붙여놓았다.

이 기둥은 이오닉(IONIC)이다.

'물리학자의 낙서인가?'

랭던은 기둥을 쳐다보고 속으로 웃었다.

"총명한 물리학자도 실수하는 걸 보니 마음이 편해지네요."

콜러가 올려다보았다.

"무슨 뜻입니까?"

"저 쪽지를 누가 썼는지는 모르겠으나 실수를 했습니다. 저 기둥은 이오니아식(Ionic)이 아닙니다. 이오니아식 기둥은 넓이가 일정합니다. 그런데 저 기둥은 점점 가늘어지고 있지요. 저건 도리스 양식입니다. 그리스적인 대응물이죠. 보통 잘 혼동하는 실수입니다."

콜러는 웃지 않았다.

"랭던 씨, 그 쪽지를 쓴 사람은 농담을 한 거요. 이오닉(Ionic)이란 말은 이온(ion), 즉 하전입자(荷電粒子)*를 포함하고 있다는 의미입니다. 대부분의 물체는 이온을 가지고 있지요." (하전입자:모든 전자기현상의 근원이 되는 실체이며, 반드시 전기량과 질량이 있는 입자.)

랭던은 기둥을 뒤돌아보고 신음을 흘렸다.

엘리베이터를 타고 C 빌딩의 꼭대기 층에서 내렸을 때, 랭던은 여전히 바보가 된 기분이었다. 그는 콜러를 따라 잘 꾸며진 복도를 내려갔다. 과학연구소에서 예상하지 못한 내부 장식이었다. 전통적인 프랑스 식민지 풍으로 꾸며진 복도에는 벚나무로 만든 긴 의자와 도자기 화병, 그리고 소용돌이 장식의 목공예 등이 있었다.

"우리 연구소는 종신 과학자들이 안락하게 지내기를 바랍니다."

콜러가 설명했다.

'확실히 그렇군.'

랭던은 생각했다.

"그럼 팩스에 나온 남자는 여기에서 살았습니까? 고위급 인물이었나 보군요?"

콜러가 대답했다.

"그런 셈이오. 오늘 아침 나와 만나기로 약속했는데 약속 장소에 안 나왔어요. 호출기에도 응답이 없고. 여기에 있나 보러 올라왔다가, 거실에서 죽은 채 누워 있는 것을 발견했습니다."

곧 시신을 보게 된다는 것을 깨닫고 랭던은 갑작스런 냉기를 느꼈다. 그는 비위가 좋은 편이 아니었다. 선생님이 수업시간에 레오나르도 다 빈치가 신체구조의 지식을 습득하기 위해서 시체를 파내어 근육조직을 해부했다는 것을 가르쳐주었을 때, 예술을 공부하는 학생으로서 랭던은 자신의 성격이 약점이라는 것을 깨달았다.

콜러는 복도 맨 끝으로 랭던을 이끌었다. 복도 끝에 문 하나가 달려 있었다.

"펜트하우스쯤 된다고 생각하면 될 거요."

이마에서 흘러내린 땀방울을 닦으며 콜러가 설명했다.

랭던은 그들 앞에 있는 참나무 문을 쳐다보았다. 문패에는 이름이 적혀 있었다.

레오나르도 베트라

콜러가 입을 열었다.

"레오나르도 베트라 박사. 다음 주에 그는 쉰여덟 살이 됩니다. 우리 시대의 가장 총명한 과학자 가운데 한 사람이었지. 그의 죽음은 과학에 크나큰 손실입니다."

순간 랭던은 콜러의 굳은 얼굴에서 어떤 감정이 피어오르는 것을 감지했다. 하지만 그 감정은 즉시 사라져버렸다. 콜러가 주머니에 손을 넣어 커다란 열쇠고리를 끄집어냈다.

갑자기 이상한 생각이 퍼뜩 들었다. 빌딩 전체가 너무 고요한 느낌이 든 것이다.

"다른 사람들은 어디에 있습니까?"

랭던이 물었다. 사람이 살해된 장소에 들어서는데 이렇게 조용한 분위기라니, 납득하기 어려웠다.

"다들 자기 실험실에 있지요."

열쇠를 찾으며 콜러가 응답했다.

"제 말은 경찰들이 어디에 있느냐는 겁니다. 벌써 떠났습니까?"

랭던이 말뜻을 분명히 밝혔다.

자물쇠로 반쯤 향하던 열쇠를 멈추고 콜러가 되물었다.

"경찰?"

랭던의 눈동자가 콜러의 눈과 마주쳤다.

"경찰 말입니다. 소장님은 제게 살해 장면이 당긴 팩스를 보냈습니다. 당연히 경찰을 부르셨겠지요."

"꼭 그런 것은 아닙니다."

"뭐라고요?"

콜러의 회색 눈동자가 날카로워졌다.

"상황이 복잡합니다, 랭던 씨."

랭던은 걱정스런 마음이 일었다.

"하지만…… 누군가는 이 일에 대해서 확실히 알아야 합니다!"

"그래요. 레오나르도 박사의 양녀. 그녀 또한 여기 CERN에서 일하는 물리학자요. 그녀와 그녀의 아버지는 실험실을 같이 썼어요. 두 사람은 파트너였소. 베트라 양은 현장조사를 하느라 이번 주에 다른 곳에 가 있습니다. 아버지의 죽음은 그녀에게 알렸어요. 지금쯤 돌아오는 중일 겁니다."

"하지만 사람이 죽어……"

콜러가 굳은 목소리로 말했다.

"공식적인 조사는 이뤄질 거요. 하지만 그렇게 되면, 분명 베트라의 실험실 연구도 연루되겠지. 실험실은 그 부녀가 비밀을 유지해온 장소요. 그러니까 베트라 양이 도착할 때까지 기다리자는 겁니다. 이런 약간의 결정권은 그녀에게 빚지는 것으로 생각하고 있소."

콜러가 열쇠를 돌렸다.

문이 활짝 열리자 방 안을 가득 채운, 얼음처럼 차가운 공기가 랭던의 얼굴을 때렸다. 랭던은 당황해서 뒤로 물러났다. 그리고 다른 세계를 문지방 너머로 응시했다. 그의 앞에 놓인 방은 하얗고 두터운 안개로 채워졌다. 가구 주변으로 하얀 아지랑이 같은 소용돌이가 피어오르고, 흐릿한 안개가 방을 감쌌다.

　"이게……?"

　랭던은 말을 더듬었다.

　"프레온 냉각시스템이오. 시신을 보존하기 위해서 방을 차갑게 했습니다."

　콜러가 대답했다.

　랭던은 추위를 막기 위해 트위드 재킷의 단추를 채우며 생각했다.

　'역시 나는 오즈의 나라에 있군 그래. 그리고 요술 구두는 잃어버렸어.'

9

방바닥의 시체는 오싹했다. 레오나르도 베트라는 등을 바닥에 대고, 벌거벗은 채 누워 있었다. 베트라의 피부는 푸른빛이 도는 회색이었다. 목이 부러진 부분에 목뼈가 밖으로 돌출되었다. 얼굴은 보이지 않았다. 머리가 완전히 뒤틀려 바닥을 향했기 때문이다. 시체는 자기가 눈 오줌 웅덩이 속에 누워 있었는데 오줌은 얼어 있었다. 성기 주위의 시들한 음모에는 성에가 거미집처럼 얼어붙었다.

치미는 메스꺼움의 물결과 싸우며 랭던은 희생자의 가슴을 들여다보았다. 이미 팩스로 수십 번 넘게 본 상처이건만, 실제로 보는 화상 자국은 훨씬 더 생생했다. 그을리고 부풀어 오른 살점이 완벽한 윤곽을 그려냈다…… 흠 하나 없는 일루미나티의 상징이 모습을 드러내었다.

몸을 관통해서 흐른 냉기가 방 안의 에어컨 때문인지, 아니면 지금 보는 이미지의 중요성에 놀란 것 때문인지, 랭던은 분간할 수가 없었다.

54

시체 주위를 한 바퀴 둘러본 랭던의 가슴은 쿵쿵 뛰었다. 글자를 위아래로 뒤집어서 읽어보고, 이 기호가 보여주는 완벽한 대칭성에 감탄했다. 실제로 보니, 글자로 받아들여지는 감이 덜하기도 했다.

"랭던 씨?"

랭던은 아무 소리도 못 들었다. 그는 다른 세계에 간 것이다…… 역사와 신화, 그리고 사실이 충돌하는 세계, 그의 세계, 그의 구성요소가 있는 곳이다. 감각이 현실로 돌아왔다.

"랭던 씨?"

콜러의 눈이 뭔가를 기대하며 랭던을 살폈다.

랭던은 고개를 들지 않았다. 한번 집중하면, 완전히 몰입하는 것이 그의 버릇이다.

"이 기호에 대해 얼마나 알고 계십니까?"

"당신의 웹사이트에서 읽은 시간 만큼이오. '일루미나티'라는 단어는 '개화된 자들'이라는 뜻이더군요. 그리고 일종의 고대 조직의 명칭이라는 것 정도입니다."

랭던은 고개를 끄덕였다.

"전에 들어봤습니까?"

"베트라 박사의 가슴에 찍힌 낙인을 보기 전까지는 몰랐소."

"그럼 이 기호가 뭔지 알아보려고 인터넷을 검색했군요."

"그렇소."

"그리고 당연히 수백 개의 참고 자료가 컴퓨터에 떴겠지요."

"수천 개요."

콜러가 말을 이었다.

"그런데 당신 책이 하버드 대학교, 옥스퍼드 대학교, 명망 있는 출판사, 그리고 몇몇 관련 잡지의 목록에 참고 자료로 올라 있더군요. 과학자인 나는 정보의 근원이 정보만큼 가치가 있다고 믿는 사람이오. 그리고 당신 평판도 진짜인 것 같았고."

랭던의 눈은 아직도 시체에 꽂혀 있었다.

콜러는 더 이상 아무 말도 하지 않았다. 그저 랭던이 그들 앞에 놓인 상황에 빛을 비춰주기만을 기다리는 게 분명했다.

랭던은 고개를 들고 언 방바닥을 둘러보았다.

"좀더 따뜻한 곳에서 얘기할 수 있을까요?"

"이 방도 괜찮소. 여기에서 얘기합시다."

콜러는 추위를 망각한 것 같았다.

랭던은 눈살을 찌푸렸다. 일루미나티의 역사는 결코 간단한 것이 아니다.

'일루미나티를 설명하다가 얼어 죽겠군.'

랭던은 다시 한 번 낙인을 쳐다보고, 경외감이 새롭게 치미는 것을 느꼈다.

일루미나티의 상징에 대한 세세한 사항은 현대 기호학에서 전설이 되다시피 했지만, 어떤 학자도 이 상징을 실제로 보지는 못했다. 고대 문서들은 이 상징을 앰비그램(ambigram)으로 묘사했는데, 여기서 앰비(ambi)란 '두 가지, 양쪽 모두'를 뜻했다. 즉 양쪽 모두 적합하다는 것을 나타낸다. 스바스티카(卍), 음양, 유대인의 별(✡), 단순한 십자가(十), 이처럼 앰비그램은 기호학에서 흔한 것이지만, 하나의 단어가 앰비그램으로 만들어진다는 것은 전혀 불가능해 보였다. 현대 기호학자들은 수년 동안 '일루미나티'라는 단어를 완벽한 대칭으로 만들고자 노력해왔지만, 결과는 참담한 실패였다. 대부분의 학자는 이제 일루미나티의 상징이 존재한다는 것은 하나의 신화라고 결론지었다.

"일루미나티가 누구입니까?"

콜러가 물었다.

랭던은 고민에 빠졌다.

'그래, 정말 그들은 누구인가?'

그리고 얘기를 시작했다.

"역사가 시작된 이래, 과학과 종교 사이에는 깊은 균열이 존재했습니다. 코페르니쿠스 같은 노골적인 과학자는······."

콜러가 끼어들었다.

"살해당했소. 과학적인 진실을 드러냈다는 이유로 교회에 의해서 살해되었지. 종교는 항상 과학을 박해했으니까 말이오."

"그렇습니다. 하지만 1500년경에 로마의 한 집단이 교회에 대항해 싸웠습니다. 이탈리아에서 가장 개화된 사람들인 물리학자, 수학자, 천문학자. 이들은 교회의 부정확한 가르침에 서로의 우려를 공유하려고 은밀히 만났습니다. 이들은 '진리'를 교회가 독점해서 세상의 학구적인 계몽을 위협하는 것을 두려워했지요. 이들이 세계 최초로 과학 분야의 두뇌집단을 만든 사람들일 겁니다. 그리고 자신들을 '개화된 자들'이라고 불렀지요."

"일루미나티."

"그렇습니다. 유럽에서 가장 많이 배운 정신이며······ 과학의 진실 탐구에 몸을 바친 사람들이었죠."

콜러는 아무 말도 없었다.

"물론 일루미나티는 가톨릭 교회의 무자비한 사냥을 당했습니다. 안전은 오직 치밀한 보안을 통해서만 이루어졌지요. 소문은 지하학계로 퍼져나갔고, 일루미나티는 유럽 전역의 학자를 망라할 정도로 조직이 커졌습니다. 과학자들은 로마의 은밀한 장소에서 정기적으로 만났는데, 이 장소를 '계몽의 교회'라고 불렀답니다."

콜러는 기침을 하더니 의자에서 몸을 뒤척였다.

랭던은 설명을 계속했다.

"일루미나티의 많은 과학자들이 직접 행동해서 교회의 폭정에 맞서 싸우기를 원했습니다. 하지만 조직 내에 가장 신망이 높고 폭력 사용을 반대한 이가 다른 과학자들을 설득했지요. 그는 역사상 가장 유명한 과학자일 뿐만 아니라 평화주의자였습니다."

랭던은 콜러가 그 사람을 짐작할 것이라 확신했다. 심지어 과학도가 아니더라도, 지구가 아닌 해가 태양계의 중심이라는 주장을 펴서 교회에 체포돼 처형될 뻔한 불운한 천문학자는 누구나 잘 알고 있다. 그가 제시한 자료는 부정할 수 없는 명백한 것이었지만, 신이 인간을 우주의 중심이 아닌 다른 곳에 두었다는 암시를 했다는 이유로 이 천문학자는 심한 벌을 받아야 했다.

"그의 이름은 갈릴레오 갈릴레이입니다."

랭던이 말했다.

콜러가 고개를 들었다.

"갈릴레이?"

"그렇습니다. 갈릴레이는 일루미나티의 사람이었습니다. 그리고 독실한 가톨릭 신자였지요. 그는 과학이 신의 존재를 약화시키는 것이 아니라고 선언해서, 과학에 대한 교회의 자세를 누그러뜨리려고 노력했습니다. 하지만 교회는 더 강경하게 나왔지요. 갈릴레이는 망원경으로 운행하는 행성들을 보노라면, 행성들의 음악에서 신의 목소리를 들을 수 있다는 글을 남기기도 했습니다. 과학과 종교는 적이 아니라 동지라고 여긴 거죠. 두 개의 다른 용어가 같은 얘기를 하고 있다고 본 것입니다. 대칭과 조화에 관한 얘기를…… 천국과 지옥, 낮과 밤, 뜨거움과 차가움, 신과 악마. 과학과 종교는 둘다 신의 조화를 누리는 것이다…… 빛과 어둠의 끝없는 경쟁처럼 말입니다."

몸을 따뜻하게 하려고 발을 구르면서 랭던은 잠시 말을 멈췄다.

콜러는 휠체어에 앉아서 랭던을 응시했다.

랭던이 덧붙였다.

"불행하게도 과학과 종교의 단일화는 교회가 원한 것이 아니었습니다."

콜러가 불쑥 끼어들었다.

"물론 아니었지요. 과학과 종교의 결합은 신을 이해하는 유일한 소통 수단이 교회라는 주장을 무력하게 만드는 것이니까. 그래서 교회는 갈릴레이를 이단자로 몰려고 애를 썼던 거요. 그에게 유죄를 판결하고, 영구 가택연금을 한 거지. 랭던 씨. 나는 과학의 역사는 잘 알고 있습니다. 하지만 이건 수백 년 전의 얘기요. 그 일이 레오나르도 베트라 박사와 무슨 관계가 있는 거요?"

'백만 불짜리 질문이로군.'

랭던은 곧바로 본론으로 들어갔다.

"갈릴레이가 체포되자 일루미나티에는 큰 변동이 일어났습니다. 실수가 있었고 교회는 일루미나티 회원 네 사람의 신분을 알아냈죠. 그리고 그들을 잡아들여 심문했습니다. 하지만 이 네 명의 과학자는 아무것도 발설하지 않았죠…… 잔인한 고문을 견디면서 말입니다."

"고문?"

랭던은 고개를 끄덕였다.

"그들은 산 채로 낙인이 찍히는 고문을 당했습니다. 가슴에 십자가를 찍는 고문이었죠."

콜러의 눈이 커지며 불편한 시선을 베트라의 시신에 던졌다.

"그후 과학자들은 잔인하게 살해되었습니다. 그리고 그들의 시체는 다른 자들에게 경고의 의미로 로마 거리에 버려졌지요. 일루미나티에 합류하는 것을 다시 고려해보라는 위협이었을 겁니다. 교회가 가까이 접근한 것을 느낀 일루미나티에 남은 사람들은 이탈리아에서 도망쳤습니다."

랭던은 요점을 강조하기 위해 잠시 말을 쉬었다. 그러고는 콜러의 생기 없는 눈동자를 똑바로 쳐다보았다.

"일루미나티는 지하로 깊이 숨었습니다. 그리고 지하에서 교회의 숙청을 피해 도망친 다른 망명자 집단과 섞이기 시작했습니다. 신비주의자, 연금술사, 밀교 신봉자, 유대인들이었죠. 세월이 흐르면서 일루미나티는 새 회원을 받아들였습니다. 새로운 일루미나티가 등장한 겁니다. 어둠의 일루미나티. 철저히 반기독교적인 일루미나티. 신비로운 의식과 철저한 비밀을 통해 그들은 매우 강해졌습니다. 그리고 언젠가는 다시 일어서서, 가톨릭 교회에 복수하겠노라고 맹세했지요. 단일조직으로서는 지상에서 가장 위험한 반기독교 세력이라고 교회가 믿을 정도로 일루미나티의 힘은 성장했습니다. 바티칸은 일루미나티 조직을 샤이탄(Shaitan)이라고 비난했어요."

"샤이탄?"

"이슬람 어입니다. '적'을 뜻하지요…… 신의 적. 교회는 일루미나티에 붙이는 이름으로 일부러 이슬람 어를 고른 겁니다. 왜냐하면 교회에서 더럽다고 생각하는 언어가 이슬람 어였기 때문이지요."

랭던은 잠시 망설였다.

"샤이탄은 영어로 이 단어의 뿌리입니다…… 사탄(satan)."

불편한 감정이 콜러의 얼굴을 스쳤다.

랭던의 목소리가 엄숙해졌다.

"소장님, 저는 이 표지가 어떻게 이 사람의 가슴에 찍혔는지 잘 모릅니다…… 그 이유도 모릅니다…… 하지만 소장님은 지금 인류가 오랫동안 잃어버린, 세상에서 가장 오래 되고, 가장 강력한 사탄 숭배의 상징을 보고 계신 겁니다."

10

골목길은 좁고 한산했다. 암살자는 이제 재빨리 걸었다. 그의 까만 눈동자는 기대감으로 가득 차 있었다. 목적지에 다다르자, 헤어질 때 야누스가 던진 말이 마음속에 다시 울려퍼졌다.

'곧 이 막이 시작될 것이다. 가서 좀 쉬거라.'

암살자는 능글맞게 웃었다. 그는 밤새도록 깨어 있었지만, 잠자는 일은 그의 마음에서 가장 뒷전에 있었다. 잠은 약한 사람을 위한 것이다. 그는 자신의 조상들처럼 전사이고, 일단 전투가 시작되면 그의 사람들은 결코 잠을 자지 않았다. 이번 전투는 분명 시작된 거나 마찬가지였다. 그는 맨 처음으로 피를 보는 영예를 얻었다. 이제 암살자는 일로 돌아가기 전에 자신의 영광을 축하할 두 시간의 여유가 있었다.

'잠? 휴식을 취하는 데는 잠보다 좋은 방법이 있지……'

쾌락주의적인 즐거움을 좋아하는 그의 기호는 조상에게서 물려받았다. 그의 선조는 하시시에 탐닉했지만, 그는 다른 종류의 쾌락을 더 좋아했다. 암살자는 자기 몸을 자랑스러워했다. 대대로 전해져 내려온 전통임에도 불구하고, 그는 잘 훈련되고 치명적인 무기인 자신의 몸을 마약으로 오염시키는 것을 거부했다. 그는 마약보다 영양가가 있는 다른 종류의 탐닉을 개발했다…… 건강에도 훨씬 도움이 되고, 만족스러운 보상이 따르는 행위였다.

익숙한 기대감이 내부에서 부푸는 것을 느끼며, 암살자는 빠른 속도로 골목길을 내려갔다. 그리고 아무런 특징이 없는 문 앞에 도착해서 벨을 울렸다. 문의 틈새가 열리고, 부드러운 두 개의 갈색 눈동자가 물건을 감정하듯 그를 찬찬히 살폈다. 그런 뒤에 문이 열렸다.

"어서 오세요."

잘 차려입은 여자가 말했다. 여자는 그를 가구로 멋지게 꾸며진 대기실로 안내했다. 대기실의 불빛은 어두웠다. 비싼 향수와 사향 냄새가 떠돌았다. 여자가 그에게 사진첩 한 권을 건넸다.

"언제든 준비가 되시면, 벨을 눌러 저를 부르세요."

그런 뒤에 여자는 사라졌다.

암살자는 미소지었다.

호화로운 소파에 앉아서 앨범을 무릎에 펼쳐놓고, 색욕의 허기가 요동치는 것을 느꼈다. 그의 사람들은 크리스마스를 축하하지 않았지만, 지금 이 기분은 마치 잔뜩 쌓아둔 크리스마스 선물 앞에서 안에 뭐가 들었는지 궁금해하며 상자를 막 열어보려는 순간에 꼬마 기독교 신자가 느끼는 흥분과 비슷할 터였다.

'마리사.'

이탈리아의 여신. 정열적이고 젊은 소피아 로렌 같았다.

'사치코.'

일본 게이샤. 나긋나긋하고 잠자리 기술이 뛰어날 것이라는 데 의심의 여지가 없었다.

'카나라.'

까무잡잡한 피부의 죽여주는 미인. 육감적이고 이국적인 분위기를 풍겼다.

그는 앨범을 두 차례나 넘겨본 후에 결정내렸다. 그리고 옆에 있는 탁자 위의 버튼을 눌렀다. 1분쯤 후에 그를 맞이했던 여자가 다시 나타났다. 암살자는 자신의 선택을 가리켰다. 여자가 웃었다.

"저를 따라오세요."

금전적인 문제에 서로 합의한 뒤 여자는 조용히 전화를 걸었다. 그리고 몇 분 정도 기다린 후에 그를 호화로운 복도가 이어진 대리석 계단으로 안내했다.

"맨 끝에 있는 황금색 문이에요. 손님은 고급 취향이시군요."

여자가 말했다.

암살자는 생각했다.

'당연하지. 나는 전문가거든.'

남자는 한참 늦은 식사를 즐기려는 표범처럼 소리내지 않고 복도를 걸어갔다. 문가에 이르렀을 때, 그는 웃지 않을 수가 없었다. 문이 살짝 열려 있었다…… 안으로 들어오는 그를 환영하듯이. 그가 문을 밀자 소리 없이 활짝 열렸다.

자신이 고른 여자를 보았을 때, 선택이 탁월했음을 알았다. 그녀는 그가 요구한 그대로였다…… 알몸으로 등을 기대고 누운 여자의 팔은 두꺼운 벨벳 끈으로 침대 기둥에 묶여 있었다.

그는 방을 가로질러가서, 까무잡잡한 손가락으로 여자의 상앗빛 복부를 더듬었다. 암살자는 생각했다.

'지난밤에 나는 사람을 죽였다. 너는 내 성공에 대한 보상이다.'

11

"사탄?"

콜러가 입을 닦으며 불편한 듯 몸을 뒤척거렸다.

"이게 사탄 숭배의 상징이란 말입니까?"

랭던은 몸을 데우기 위해 추운 방을 왔다 갔다 했다.

"일루미나티는 사탄으로 여겨졌습니다. 하지만 현대 의미의 사탄은 아닙니다."

대부분의 사람들이 사탄 숭배를 악마 숭배로 연결하지만, 역사적으로 사탄 신봉자는 교회의 반대 입장에 있던 학식 있는 사람이었음을 재빨리 설명했다. 사탄의 흑마술로 동물을 희생시킨다거나 오각형 별 모양의 의식에 대한 소문은 교회가 자신의 적에게 퍼뜨린 야비한 거짓말에 불과했다. 시간이 흐르면서 일루미나티와 겨루는 교회의 또 다른 적들이 떠도는 소문을 실행에 옮겼고, 거기에서 현대의 악마주의가 탄생한 것이다.

콜러가 불쑥 말을 내뱉었다.

"그건 모두 고대 역사요. 나는 이 상징이 어떻게 여기 있는지를 알고 싶은 겁니다."

랭던은 숨을 깊이 들이마셨다.

"이 상징 자체는 대칭을 사랑하는 갈릴레이에 대한 헌사로, 일루미나티의 익명의 예술가가 16세기에 창조했습니다. 일루미나티의 신성한 로고인 셈이죠. 일루미나티는 이 문양을 비밀에 붙였습니다. 수면에 떠오를 정도로 충분히 힘을 모아 조직의 최종 목표를 실행할 때 이 상징을 드러낼 계획이었습니다."

콜러는 불안해 보였다.

"그럼 이 상징은 일루미나티라는 조직이 수면에 떠올랐다는 것을 의미한다는 거요?"

랭던은 눈살을 찌푸렸다.

"그건 불가능합니다. 제가 아직 설명 드리지 못한 일루미나티 역사의 한 장이 남아 있습니다."

콜러의 목소리가 강해졌다.

"알려주시오."

일루미나티에 관해 자신이 읽고 쓴 수백 개의 기록을 마음속에서 분류하듯 랭던은 양 손바닥을 문질렀다. 이윽고 설명을 시작했다.

"일루미나티는 생존자들이었습니다. 로마에서 도망쳤을 때, 그들은 재결집할 안전한 장소를 찾아 유럽 전역을 떠돌았습니다. 그러다가 다른 은밀한 조직에 받아들여졌지요…… 프리메이슨이라고 불리는 부유한 바이에른 석공 장인 조직이었습니다."

콜러가 놀란 듯 되물었다.

"프리메이슨?"

랭던이 고개를 끄덕였다. 콜러도 이 조직의 이름을 익히 알고 있을 것이다. 프리메이슨 조직은 현재 전 세계 5백만 명 이상의 회원이 있고, 절반 가까이가 미국에 거주했다. 그리고 1백만 명 이상은 유럽에 거주했다.

갑자기 회의적인 목소리로 콜러가 선언하듯 말했다.

"하지만 프리메이슨은 분명 악마주의라고 할 수 없소."

"물론 아닙니다. 프리메이슨은 자비심으로 생존자들을 받아들인 겁니다. 1700년대에 도망다니는 과학자들을 거둔 후, 프리메이슨은 은밀히 일루미나티를 위한 선봉이 되었습니다. 일루미나티 소속 회원들은 프리메이슨의 위계 속에서 성장했고, 점차 지부 내에서 힘있는 자리를 차지했죠. 일종의 비밀단체 속의 비밀단체가 된 겁니다. 그런 뒤에 일루미나티는 자신의 영향력을 넓히기 위해 전 세계적으로 연결된 프리메이슨의 지부를 이용했습니다."

랭던은 설명을 계속하기 전에 차가운 공기를 들이마셨다.

"가톨릭 신앙의 말소는 일루미나티의 주된 맹약이었습니다. 교회가 토해놓은 미신적인 교리가 인류의 가장 큰 적이라는 게 조직의 생각이었습니다. 만일 종교가 깊은 신앙심에서 우러나오는 신화를 절대적인 사실로 계속 밀고 나간다면, 과학의 진보는 정체하고 인류는 의미 없는 성전(聖戰)이라는 무지한 미래에 부딪혀 봉변을 당하는 것이 아닌가 하고 두려워했습니다."

"오늘날 우리가 보는 것과 많이 비슷하군."

랭던은 얼굴을 찡그렸다. 콜러가 옳았다. 성전은 여전히 언론의 머릿기사를 장식하고 있었다.

'나의 신은 너의 신보다 우수하다.'

사람들의 믿음이 깊을수록 그에 따른 희생자도 많아지는, 그런 상관관계가 항상 존재하는 것처럼 보였다.

"계속하시오."

콜러가 재촉했다.

랭던은 생각을 모아 말을 이었다.

"일루미나티는 유럽에서 큰 힘을 가진 조직으로 성장했습니다. 그리고 갓 태어난 미국 정부에 눈독을 들였죠. 사실 미국의 많은 리더는 프리메이슨 단원이었습니다. 조지 워싱턴, 벤저민 프랭클린 같은 사람이 그들이죠. 정직하고 신을 두려워하는 독실한 단원들은 일루미나티가 프리메이슨에 근거지를 두었다는 것을 몰랐습니다. 일루미나티는 침투 방법을 이용해, 은행과 대학, 기업 설립을 도왔습니다. 그들의 궁극적인 원정에 재정을 조달하기 위해서였죠."

랭던은 잠시 뜸을 들였다.

"단일한 통일 세계 창조, 즉 현세의 '신세계 질서' 수립이 바로 그것입니다."

콜러는 미동조차 하지 않았다.

랭던이 반복했다.

"신(新)세계 질서. 이것은 과학적인 계몽을 밑바탕에 깔고 있습니다. 일루미나티는 이를 '루시퍼의 교리'라고 불렀습니다. 교회는 루시퍼를 악마와 다름없다고 주장했지만, 일루미나티는 루시퍼가 라틴어 의미 그대로 '빛을 가져오는 자'라고 보았죠. 다른 말로는 '빛을 밝히는 자', 즉 일루미네이터(Illuminator)였던 거죠."

콜러가 한숨을 쉬었다. 갑자기 그의 목소리가 엄숙해졌다.

"랭던 씨, 좀 앉읍시다."

랭던은 머뭇거리며 성에가 낀 의자에 앉았다.

콜러가 휠체어를 랭던 가까이 몰고 왔다.

"방금 당신이 말한 것을 내가 다 이해했는지는 자신이 없군요. 하지만 이것만은 알고 있습니다. 레오나르도 베트라 박사는 CERN의 위대한 자산 가운데 하나였다는 거요. 또한 내 친구이기도 했소. 나는 당신이 일루미나티의 소재를 알아내는 일을 도와주었으면 합니다."

"일루미나티의 소재를 알아낸다고요?"

랭던은 뭐라고 대답해야 할지 몰랐다.

'이 사람 지금 농담하는 거겠지, 그렇지?'

"죄송합니다만, 소장님. 그건 불가능합니다."

콜러의 이마에 주름이 잡혔다.

"무슨 뜻입니까? 당신은……"

"소장님."

랭던은 콜러에게 몸을 내밀었다. 자기가 하려는 말을 콜러에게 어떻게 이해시켜야 할지 확신이 없었다.

"제 얘기가 다 끝나지 않았습니다. 지금 우리가 보는 상황이 끔찍하긴 해도, 여기 찍힌 낙인이 일루미나티의 소행이라고 여기는 것은 정말 있을 수 없는 일입니다. 오십 년 넘게 일루미나티가 존재한다는 증거는 전혀 없으니까요. 대부분의 학자들은 일루미나티가 오래 전에 사멸했다는 것에 동의합니다."

랭던의 말이 끝나자 침묵이 따랐다. 망연자실과 분노, 그 중간쯤의 감정을 드러내 보이며 콜러는 방 안의 안개를 물끄러미 바라보았다.

"그들의 이름이 박사의 피부에 박혀 있는데 그런 조직은 이제 없다니, 당신은 어떻게 그딴 말을 나한테 할 수 있는 거요!"

랭던 역시 내내 같은 질문을 자신에게 던졌다. '일루미나티'라는 앰비그램의 출현은 놀라운 일이다. 세계 도처의 기호학자들이 흥분할 것이다. 하지만 학자로서 분석해볼 때, 이 낙인의 출현이 일루미나티에 관해서 언급하는 것은 아무것도 없다는 것을 알았다.

랭던이 입을 열었다.

"상징은 상징일 뿐, 그 상징을 처음 고안한 창조자의 존재에 대해서는 어떤 식으로든 확인해주지 않습니다."

"그게 무슨 말이오?"

"일루미나티 같은 조직의 철학이 사라진다고 해도, 그들의 상징은 남을 수 있다는 얘깁니다…… 다른 집단이 가져가서 사용하는 것도 가능하니까요. 그런 경우를 '전이'라고 합니다. 기호학에서는 흔한 일입니다. 나치는 힌두교에서 스바스티카(卍)를 가져왔고, 기독교인은 이집트인에게서 십자가 형태를 따왔습니다. 그리고……"

콜러가 말을 막았다.

"오늘 아침에 컴퓨터에 '일루미나티'라는 단어를 검색했더니, 수천 개의 참고자료들이 떠오릅디다. 그건 분명 많은 사람들이 아직도 이 조직의 존재를 믿는다는 얘기요."

"음모론 애호가들이죠."

랭던이 대꾸했다. 그는 대중문화에서 순환하는 다량의 음모론들에 항상 짜증이 났다. 언론은 종말론적인 머릿기사를 열망했고, 자칭 '우상 전문가'라는 사람은 천년왕국이라는 허위 거짓말로 돈을 벌었다. 일루미나티가 현존한 채 잘나가고 있으며, 그들이 '신세계 질서'를 조직한다는 날조된 이야기도 빠지지 않았다. 최근 《뉴욕타임스》는 셀 수 없이 많은 유명 인사가 프리메이슨 단원이며, 그들의 섬뜩한 유대관계를 기사로 싣기도 했다. 아서 코난 도일 경, 켄트 공작, 피터 셀러스, 어빙 베를린, 필립 왕자, 루이 암스트롱. 이들뿐만이 아니다. 오늘날 유명한 기업과 은행계의 거물 인사들도 프리메이슨이라는 내용이다.

콜러는 노여운 목소리로 베트라의 시신을 가리켰다.

"저 증거를 보건대 음모론 애호가들이 옳을 수도 있겠군요."

랭던은 가능한 한 정중하고 공식적인 견해를 밝히려고 노력했다.

"그렇게 보인다는 것은 저도 잘 압니다. 하지만 더 그럴듯한 설명은, 다른 조직이 일루미나티의 로고를 가져다 자기네 목적을 위해 쓸 수도 있다는 겁니다."

"무슨 이유로? 이 살인으로 무엇을 증명하려고?"

'좋은 질문이로군.'

랭던은 생각했다. 400년이란 세월이 흐른 뒤에 일루미나티의 낙인이 드러날 만한 장소로 연구소의 기숙사를 상상하기란 그 역시 어려웠다.

"제가 지금 말씀드릴 수 있는 것은, 만일 일루미나티가 오늘날까지 활동한다 해도…… 사실 저는 그럴 가능성은 전혀 고려하지 않습니다만, 일루미나티가 레오나르도 베트라 박사의 죽음에 관여했을 리는 없습니다."

"없다?"

"없습니다. 일루미나티가 기독교의 종말을 바랐을 수도 있지만, 그들은 자신의 힘을 정치와 경제 수단을 통해 행사했습니다. 테러리스트의 행동이 아니라요. 일루미나티는 적으로 간주하는 자들에 대해 엄격한 도덕률을 적용합니다. 게다가 과학자는 일루미나티 내에서 가장 우대받았습니다. 베트라 박사 같은 동료 과학자를 그들이 살해할 이유가 없지요."

콜러의 눈동자가 얼음처럼 차갑게 변했다.

"레오나르도 베트라 박사는 평범한 과학자가 아니었다는 얘기를 당신에게 빠뜨렸군요."

랭던은 천천히 숨을 내쉬었다.

"소장님, 저 역시 레오나르도 베트라 박사가 많은 면에서 뛰어난 사람이었다고 생각합니다. 하지만 여기에 있는 사실은……"

아무런 얘기도 없이 콜러는 휠체어를 빙 돌려서 거실 밖으로 나가 버렸다. 콜러가 복도 쪽으로 사라지자, 휠체어 자국 뒤로 안개가 소용돌이치며 맴돌았다.

'신의 사랑으로.'

랭던은 신음하면서 뒤쫓아갔다. 콜러는 복도 끝의 우묵한 곳에서 그를 기다렸다.

"여기가 레오나르도 베트라 박사의 서재요."

미닫이문으로 다가가며 콜러가 말했다.

"이걸 보면 어쩌면 당신도 다르게 생각할 수 있을 거요."

어설픈 동작으로 콜러가 잡아당기자, 문이 미끄러지며 열렸다.

랭던은 서재 안을 슬쩍 살펴보고, 즉시 피부 위로 뭔가 기어다니는 기분을 느꼈다. 그는 속으로 중얼거렸다.

'하느님 맙소사.'

12

또 다른 나라에서 젊은 근위병이 비디오 모니터로 가득한 방에 끈기 있게 앉아 있었다. 그는 앞에서 깜박거리는 이미지들을 지켜보았다. 수백 개의 무선 비디오카메라가 이리저리 흩어져 있는 건물 단지를 감시하며 생중계하는 장면들이다. 이미지는 끊임없이 이어지며 바뀌었다.

호화스럽게 치장된 복도.

개인 사무실.

기업용 크기의 주방 조리실.

화면이 지나갈 때마다 근위병은 졸음과 싸워야 했다. 교대 시간이 임박해왔다. 하지만 여전히 경계태세를 늦추지 않고 지켜보았다. 복무는 명예다. 언젠가 그는 궁극의 보상을 받게 될 터였다.

생각이 떠도는 가운데, 하나의 이미지가 그에게 경종을 울렸다. 스스로 놀랄 정도의 재빠른 반사행동으로 근위병은 손을 뻗어 계기판의 버튼을 눌렀다. 그러자 눈앞의 화면이 정지했다.

자세히 보기 위해 근위병은 눈을 화면 가까이 들이댔다. 모니터에 달린 이름표가 86번 카메라에서 전송되는 장면임을 알려줬다. 86번은 복도의 감시 카메라였다.

하지만 그의 앞에 있는 화면은 절대로 복도가 아니었다.

13

랭던은 앞에 있는 서재를 당혹해하며 응시했다.

"이 장소는 뭡니까?"

얼굴에 와 닿는 따뜻한 바람이 반가웠지만 몸을 떨면서 문을 지났다. 랭던을 따라 들어온 콜러는 아무 말도 없었다.

방을 둘러보았지만, 무엇을 어떻게 이해해야 할지 난감했다. 서재는 랭던이 지금까지 보아온 방들 중에서 가장 특이한 공예품들의 조합이었다. 제일 안쪽 벽에는 거대한 목재 십자가가 벽을 장식했는데, 14세기 스페인에서 만들어진 것 같았다. 십자가 위로 궤도를 도는 행성들의 금속 모빌이 천장에 매달려 있었다. 왼쪽에는 성모 마리아를 그린 유화가 있고, 그 옆에는 화학 원소주기표가 새겨진 얇은 판이 자리잡았다. 옆 벽에는 두 개의 황동 십자가가 알버트 아인슈타인의 초상화를 사이에 두고 걸려 있었다. 아인슈타인의 초상화에는 그의 유명한 말이 함께 들어 있었다.

신은 우주를 가지고 주사위 놀이를 하지 않는다.

랭던은 놀라움에 휩싸여 서재 안으로 들어갔다. 베트라의 책상에는 닐스 보어의 플라스틱 원자모형, 미켈란젤로의 〈모세〉상의 축소모형과 함께 가죽장정의 성서가 있었다.

'보완주의를 의미하는 건가.'

방 안의 온기는 반가웠지만, 서재의 장식물들의 의미가 몸에 새로운 냉기를 불어넣었다. 마치 두 명의 거대한 철학적 거인이 충돌하는 장면을 목격한 기분이었다…… 서로 대립하는 힘의 불안한 조화. 랭던은 책장에 꽂힌 도서 목록을 살폈다.

《신(神)의 입자The God Particle》《현대 물리학과 동양사상The Tao of Physics》《신 — 증거God – The Evidence》

책 버팀대들 중 하나에는 다음과 같은 인용구가 동판에 새겨져 있었다.

진실한 과학은 모든 문 뒤에서 기다리는 신을 찾아낸다.
교황 피우스 12세

"레오나르도 베트라 박사는 가톨릭 사제였소."

콜러가 말했다.

랭던이 돌아섰다.

"사제요? 그는 물리학자라고 말씀하신 걸로 기억하는데요."

"둘 다요. 과학과 종교를 병행한 사람이 역사에 전례가 없던 것은 아니오. 베트라 박사도 그들 중 한 명이었소. '신의 자연스러운 법칙.' 그는 신의 필적이 우리를 둘러싼 모든 것, 자연질서에 명확히 드러난다고 주장했지요. 이것을 의심하는 사람들에게 과학을 통해서 신의 존재를 증명하고 싶어했지. 자기 자신을 신의 물리학자라고 생각했으니 말이오."

'신의 물리학자?'

랭던에게 이 단어는 불가능한 모순어법처럼 들렸다.

콜러가 말했다.

"입자물리학 분야는 최근 몇몇 놀라운 발견을 해냈어요. 꽤나 정신적인 암시를 가진 발견들이오. 박사는 그 발견의 상당 부분을 책임지고 있었소."

기이한 주변 환경을 이해하려고 노력하면서 랭던은 CERN의 소장을 관찰했다.

"정신과 물리학?"

랭던은 종교사를 연구하며 경력을 쌓아왔다. 그에게 늘 떠나지 않는 주제가 하나 있다면, 과학과 종교는 처음부터 기름과 물 같은 존재라는 점이다…… 서로 대적하며…… 결코 섞일 수 없는 존재들이다.

콜러가 말했다.

"박사는 입자물리학계의 최선두를 달리던 과학자였어요. 그는 과학과 종교의 융합을 시작했습니다…… 종교와 과학, 그 둘이 전혀 기대치 못한 방법으로 서로 보완한다는 것을 보여주면서 말이오. 베트라 박사는 그 분야를 '신(新)물리학'이라고 불렀지요."

콜러는 책장에서 책을 한 권 꺼내 랭던에게 건넸다.

랭던은 책표지를 살폈다.

《신(神), 기적, 그리고 신(新)물리학》, 레오나르도 베트라 지음

콜러가 입을 열었다.

"그 분야는 미미합니다. 하지만 오래 된 질문들에 신선한 대답을 제시했어요. 우리 모두를 잡아두는 힘과 우주의 기원에 대한 질문들. 박사는 자신의 연구에 수백 만 명의 사람을 정신적인 생활로 전환시킬 잠재력이 있다고 믿었습니다. 지난해에 그는 우리 모두를 하나로 단일화시키는 에너지의 존재를 명확히 증명했어요. 그리고 물리적으로

우리 모두가 연결되었다는 것을 실제로 보여주었지요…… 당신 몸 안의 분자들이 내 몸 안의 분자들과 서로 맞물린다…… 우리 모두의 몸 속에서 움직이는 단일 에너지가 존재한다."

랭던은 당혹스러웠다.

'그리고 신의 힘이 우리 모두를 통일시킨다는 얘기겠군.'

"베트라 박사가 실제로 연결된 입자를 보여줄 방법을 찾았습니까?"

"결정적인 증거이죠. 최근 《사이언티픽 아메리칸》 기사를 보면 신에게 이르는 좀더 확실한 길로, 종교 자체보다 신물리학을 환영하고 있습니다."

콜러의 논평이 급소를 찔렀다. 랭던은 갑자기 반종교적인 일루미나티를 떠올리는 자신을 발견하고, 그건 어불성설이라고 억지로 자신을 다독거렸다. 만일 일루미나티가 정말로 활동을 시작한 것이라면, 베트라 박사가 자신의 종교적 메시지를 대중에게 전파하는 걸 막기 위해 박사를 살해했다는 말인가? 랭던은 머리를 흔들며 그 생각을 털어버렸다.

'말도 안 돼! 일루미나티는 고대의 역사일 뿐이야! 모든 학자들이 그렇게 알고 있어!'

콜러가 말을 계속했다.

"베트라 박사는 과학계에 적이 많았습니다. 많은 과학 순수주의자들이 그를 경멸했어요. 심지어 여기 CERN에서도 그랬지요. 분석물리학을 이용해 교리를 지지한다는 것은 과학에 대한 배신이라고 다른 과학자들이 느꼈던 거요."

"하지만 오늘날의 과학자들은 교회에 덜 방어적이지 않습니까?"

콜러가 혐오스럽다는 듯 툴툴거렸다.

"우리가 왜 그래야 하죠? 교회가 더 이상 과학자를 말뚝에 매달아 화형시키지 않기 때문에? 한번 생각해보시오. 만일 교회가 과학에 대한 그들의 통제력을 완화했다면, 왜 당신네 나라의 학교에서는 진화

론을 가르치면 안 되는지 당신 자신에게 물어보시오. 왜 미국 기독교
연합이 과학의 진보에 반대하는 가장 영향력 있는 로비 집단인지 자
신에게 물어보란 말이오. 랭던 씨, 과학과 종교의 전쟁은 여전히 진행
중입니다. 싸우는 장소가 전쟁터에서 중역 이사의 회의실로 옮겨진
것뿐이지, 여전히 거세게 충돌하고 있습니다."

　랭던은 콜러가 옳다는 것을 깨달았다. 바로 지난주에 하버드 대학
교 안의 신학대학 사람들이 생물학과 건물로 행진한 시위가 있었다.
생물학과 대학원에 유전공학 프로그램이 개설되는 것에 항의하기 위
해서였다. 생물학부의 학장이자 유명한 조류학자인 리처드 애로니언
은 자기 사무실 창밖에 거대한 현수막을 내걸고 생물학부의 교육 과
정을 옹호했다. 현수막에는 네 개의 작은 발이 달린 기독교 '물고기'
가 그려져 있었는데, 마른 땅에 적응하기 위해 진화한 아프리카의 폐
어(肺魚)에게 바치는 헌사라는 것이 애로니언의 주장이었다. 물고기
아래에는 '예수'라는 말 대신에 '다윈!'이라는 선언이 적혀 있었다.

　날카롭게 삑삑거리며 허공을 찢는 소리에 랭던은 고개를 들었다.
콜러가 휠체어에 일렬로 늘어선 전자장치에 손을 댔다. 콜러는 무선
호출장치를 홀더에서 꺼내들고 수신된 메시지를 읽었다.

　"잘됐군. 레오나르도 박사의 딸이 보낸 거요. 베트라 양이 지금 막
헬리콥터 착륙장에 도착했다는군. 거기로 가서 만납시다. 아버지가
이런 식으로 죽은 모습은 안 보는 편이 더 낫겠지."

　랭던도 동의했다. 현장 목격은 어떤 자녀라도 감당하기 힘든 충격
을 줄 것이다.

　"베트라 양에게 아버지와 함께 작업한 프로젝트를 설명해달라고 할
작정이오…… 레오나르도 박사가 왜 살해됐는지 단서를 찾을지도 모
르지."

　"베트라 박사의 연구 프로젝트가 그를 죽음으로 몰고 갔다고 보시
는 겁니까?"

"그럴 가능성이 높습니다. 박사는 새로운 지평을 열 만한 뭔가를 작업중이라고 했으니까. 그게 그가 말한 전부요. 그는 자신의 프로젝트에 대한 비밀을 철저히 엄수했어요. 개인 실험실이 있었고 게다가 격리를 요구했습니다. 그 친구의 총명함을 믿고 나는 기꺼이 허락했고, 최근에 그의 작업은 막대한 양의 전력을 소비했습니다. 하지만 나는 그에게 무슨 일이냐고 묻는 것을 자제했지요."

콜러는 서재의 문 쪽으로 휠체어의 방향을 돌렸다.

"이 기숙사를 떠나기 전에 랭던 씨가 알아둘 것이 한 가지 더 있습니다."

랭던은 자기가 콜러의 얘기를 듣고 싶은 건지 확신이 없었다.

"레오나르도 박사의 살인범은 그에게서 훔쳐간 게 하나 있어요."

"하나?"

"날 따라오시오."

소장은 휠체어를 타고 안개로 가득한 거실로 다시 끌고 갔다. 랭던은 무슨 일인지 짐작도 못한 채 뒤따라갔다. 소장의 휠체어가 베트라 박사의 시신에서 불과 몇 센티미터 떨어진 곳에 멈춰 섰다. 콜러는 랭던을 자기 옆으로 불렀다. 랭던은 마지못해 가까이 다가갔다. 희생자의 언 오줌 냄새 때문에 목구멍에서 담즙이 올라오는 것 같았다.

"그의 얼굴을 보시오."

콜러가 말했다.

'죽은 사람의 얼굴을 보라고?'

랭던은 눈살을 찌푸렸다.

'뭔가 훔쳐간 것이 있다고 했는데.'

주저주저하며 랭던은 무릎을 꿇었다. 그리고 박사의 얼굴을 보려고 노력했다. 180도로 완전히 뒤틀린 시신의 머리는 카펫에 얼굴을 파묻고 있었다.

콜러가 불편한 몸에도 불구하고, 몸을 숙여 베트라의 언 머리를 조심스럽게 되돌렸다. 시끄럽게 삐걱대는 소리가 나고, 얼굴이 앞으로 돌아왔다. 고통으로 뒤틀린 얼굴이었다. 콜러는 잠시 그대로 들고 있었다.

"세상에, 이럴 수가!"

공포에 휩싸여 뒤로 물러서면서 랭던이 소리쳤다. 베트라의 얼굴은 피범벅이었다. 생기를 잃은 개암나무색 눈동자 하나가 랭던을 쳐다보았다. 다른 한 쪽 눈자위는 갈가리 찢긴 채 비어 있었다.

"살인자가 베트라 박사의 눈을 훔쳐간 겁니까?"

14

랭던은 C 빌딩을 나와 바깥 공기를 쐬었다. 그는 베트라 박사의 기숙사 빌딩을 빠져나온 것이 고맙기만 했다. 태양이 그의 마음에 새겨진 베트라 박사의 텅 빈 눈자위 이미지를 없애는 데 일조했다.

"이쪽으로."

경사가 가파른 길로 접어들며 콜러가 인도했다. 자동 휠체어는 무리 없이 가속기능을 내는 모양이었다.

"베트라 양이 곧 도착할 겁니다."

랭던은 콜러와 보조를 맞추기 위해 서둘렀다.

콜러가 물었다.

"랭던 씨는 여전히 일루미나티의 관여를 의심합니까?"

랭던은 어떻게 생각해야 할지 종잡을 수가 없었다. 베트라 박사의 종교적인 제휴는 확실히 문제가 될 만했다. 하지만 자신이 그동안 연구해 온 모든 학문적 증거를 쉽게 포기할 수는 없었다. 게다가 눈이……

랭던은 의도한 것보다 강한 목소리로 입을 열었다.

"일루미나티가 이 살인 사건과 무관하다는 생각을 아직도 지울 수 없습니다. 그 증거가 바로 사라진 눈입니다."

"뭐라고요?"

랭던은 설명했다.

"무작위적인 신체 절단. 이것은 일루미나티의 성격과 거리가 멉니
다. 우상 전문가는 극단론자의 서투르고 탈선적인 신체 손상 행위를
목격하기도 합니다. 광신도가 저지른 무작위적인 테러리즘의 행동들
말입니다. 하지만 일루미나티는 항상 신중했습니다."

"신중하다? 그럼 누군가의 눈을 외과수술을 한 것처럼 제거한 것은
신중하지 않다는 거요?"

"그 행위에는 분명한 메시지 전달이 없습니다. 그렇다고 다른 목적
이 있는 것도 아니고요."

콜러의 휠체어가 경사 꼭대기에서 잠깐 멈춰 섰다. 그가 돌아보았다.

"랭던 씨, 나를 믿어요. 사라진 베트라 박사의 눈은 분명 어떤 목적
이 있을 겁니다…… 매우 고차원적인 분명한 목적이."

두 사람이 풀이 무성한 둔덕을 가로질러가자, 서쪽에서 헬리콥터의
프로펠러소리가 들렸다. 그들 앞으로 계곡 사이를 날아온 헬리콥터가
등장했다. 헬리콥터는 급선회하더니, 페인트가 칠해진 이착륙장소에
떠서 조금씩 속도를 늦추었다.

헬리콥터의 프로펠러처럼 랭던의 마음도 빙글빙글 돌았다. 헬리콥
터를 바라보며, 밤에 잠이라도 푹 잤더라면 현재의 혼란이 줄지 않았
을까 생각했다.

헬리콥터가 땅에 내려앉자, 조종사가 뛰어내려 짐을 내렸다. 많은
짐들이 있었다. 더플백, 젖은 비닐가방, 스쿠버 탱크, 첨단기술 다이
빙 장비로 보이는 나무상자들.

랭던은 의아했다.

"저게 다 베트라 양의 짐입니까?"

헬리콥터 엔진소리가 시끄러워 랭던은 콜러에게 고함을 지르며 물었다.

콜러가 고개를 끄덕이며 랭던에게 소리쳤다.

"베트라 양은 발레아레스제도에서 생물학 조사 중이었소."

"아까는 물리학자라고 말씀하신 걸로 기억하는데요!"

"그렇소. 베트라 양은 생물학적 얽힘현상을 연구하는 물리학자요. 생명체계의 상호연관성을 연구합니다. 그녀의 연구는 입자물리학에서 자신의 아버지 연구와 밀접한 관계가 있지요. 최근에 베트라 양은 참치 떼를 관찰하기 위해 원자력을 사용한 싱크로나이즈 카메라를 이용했어요. 그리고 그 연구로 아인슈타인의 기본 이론들 중 하나를 반증했습니다."

랭던은 소장이 행여 농담하는 게 아닌지 얼굴을 살펴보았다.

'아인슈타인과 참치라고?'

랭던은 X-33 비행선이 실수로 자신을 엉뚱한 행성에 떨어뜨린 게 아닌지 궁금해졌다.

잠시 후, 비토리아 베트라가 헬리콥터에서 모습을 드러냈다. 랭던에게 오늘은 놀라움의 연속이다. 카키색 반바지에 하얀 민소매 옷을 입은 비토리아 베트라는 랭던이 예상한 학자 풍의 딱딱한 물리학자와는 거리가 멀었다. 갈색 피부에 키가 크고 날씬하며 우아했다. 검고 긴 머리카락이 헬리콥터 회전날개의 역풍으로 휘날렸다. 그녀의 얼굴은 전형적인 이탈리아 사람이었다. 단순히 아름답다고 하기보다는 꾸미지 않은 생동감과 대지의 여신 같은 충만한 분위기가 18미터나 떨어진 곳에서도 느껴졌다. 헬리콥터가 일으킨 바람에 옷이 들러붙어, 여자의 가녀린 상반신과 작은 가슴을 강조했다.

"베트라 양은 아주 강인한 여자요."

랭던이 여자에게 사로잡혔음을 눈치챈 듯 콜러가 입을 열었다.

"그녀는 몇 달씩이나 위험한 생태계에서 일합니다. 엄격한 채식주의

자에다 CERN 거주자들의 하타 요가 선생이기도 하지요."

'하타 요가?'

랭던은 곱씹었다. 고대 불교의 기술인 명상 스트레칭과 가톨릭 사제의 딸이자 물리학자인 여자, 너무나 기이한 조합 같았다.

랭던은 비토리아가 다가오는 것을 지켜보았다. 그녀는 분명 운 것 같았다. 여자의 담비같이 까맣고 깊은 눈동자에는 형언할 수 없는 감정이 가득 담겨 있었다. 그녀는 격한 감정을 품은 채 그들에게 다가왔다. 그녀의 팔은 강해 보였고 아름다웠다. 태양 아래에서 오랜 시간을 즐기는 지중해 사람의 건강하고 아름다운 빛을 온몸에서 발산했다.

여자가 다가오자 콜러가 입을 열었다.

"비토리아, 정말 깊은 애도를 표하네. 아버지의 죽음은 우리 과학계의 큰 손실이야…… 여기 CERN의 모든 사람에게도 안타까운 일일세."

비토리아는 공손하게 고개를 끄덕였다. 그녀의 목소리는 부드러웠다. 목 안쪽에서 울리는 억양이 있는 영어로 비토리아가 물었다.

"누가 범인인지 아세요?"

"아직 계속 조사중일세."

가녀린 손을 내밀며 여자가 랭던에게 돌아섰다.

"제 이름은 비토리아 베트라예요. 당신은 인터폴에서 나오셨겠군요?"

랭던은 여자의 손을 잡았다가, 잠시 물기어린 깊은 그녀의 눈동자에 사로잡혔다.

"로버트 랭던입니다."

랭던은 무슨 말을 해야 할지 머뭇거렸다.

콜러가 설명했다.

"랭던 씨는 수사당국 사람이 아닐세. 이분은 미국에서 온 전문가야. 랭던 씨는 자네 아버지의 살인자를 찾는 일을 도와줄 걸세."

비토리아는 불안해 보였다.

"그럼 경찰은?"

콜러는 숨을 내쉬었지만 아무 말도 하지 않았다.

"아버지의 시신은 어디에 있죠?"

비토리아가 물었다.

"사람들이 잘 지키고 있네."

콜러의 악의 없는 거짓말에 랭던은 놀랐다.

"아버지를 보고 싶어요."

콜러가 말렸다.

"비토리아, 레오나르도 박사는 잔인하게 살해되었어. 옛날 모습 그 대로 아버지를 기억하는 것이 더 나을걸세."

비토리아는 뭔가를 말하려고 하다가 그냥 입을 다물었다.

"어이, 비토리아!"

멀리서 여러 명의 목소리가 들렸다.

"집에 돌아온 걸 환영해!"

비토리아가 돌아섰다. 한 무리의 과학자가 헬리콥터 착륙장 근처를 지나가며 반갑게 손을 흔들었다.

"아인슈타인 이론 중 다른 한 개를 깨부순 거야?"

한 사람이 소리쳤다.

다른 사람이 토를 달았다.

"당신 아버지가 자랑스러워하겠는걸!"

그들이 지나갈 때, 비토리아는 어색하게 손을 흔들었다. 그런 뒤 콜 러에게 돌아섰다. 그녀의 얼굴에는 혼란이 가득했다.

"아직 아무도 모르나요?"

"신중함이 가장 중요하다고 판단했네."

"직원들에게 아버지가 살해되었다는 얘기를 안 하신 거예요?"

그녀의 어리둥절한 어조에는 이제 분노마저 섞여 있었다.

콜러의 어조가 즉시 딱딱해졌다.

"비토리아, 자네 아버지의 죽음을 알리자마자 CERN에 조사가 들이

닥칠 거라는 내 말을 잊은 모양이로군. 그렇게 되면 수사당국은 레오나르도 박사의 실험실을 철저히 조사하려들겠지. 나는 항상 자네 아버지의 비밀을 존중해왔네. 그는 현재 자네 부녀가 진행하는 프로젝트에 관해서 오직 두 가지만 알려줬네. 하나는 그 프로젝트가 향후 십 년 안에 라이선스 계약을 통해 수백만 프랑을 CERN에 벌어다줄 것이고, 두 번째는 아직 너무 위험한 기술이라서 공식적으로 발표할 준비가 안 되었다는 거였어. 이 두 가지 사실을 고려해볼 때, 나는 박사의 실험실 주변을 들쑤시고 다니지 않을 외부인이 더 적합하다고 판단했네. 적어도 조사과정 중에 박사의 연구를 도난당하거나, 범인들이 자살하거나, CERN이 책임지는 그런 일이 일어나지 않게 말이야. 내 말이 무슨 뜻인지 이해가 되나?"

비토리아는 아무 말도 없이 가만히 응시했다. 랭던은 그녀가 콜러의 논리를 마지못해 수긍한다는 느낌을 받았다.

콜러가 말했다.

"당국이 알기 전에, 나는 자네 부녀가 무슨 연구를 진행하던 중이었는지 알아야 하네. 비토리아, 우리를 아버지의 실험실로 데려가주게."

비토리아가 입을 열었다.

"실험실은 아무 상관도 없어요. 저와 아버지가 무슨 연구를 하는지는 아무도 모르니까요. 실험이 아버지의 살인 사건과 관련되었을 가능성은 전혀 없습니다."

콜러가 앓는 듯한 숨소리를 급하게 내쉬었다.

"다른 식의 증거가 있네."

"증거? 무슨 증거요?"

랭던 역시 궁금했다.

콜러가 다시 입을 닦았다.

"자네는 그저 날 믿어야 해."

비토리아의 울적한 시선에는 그럴 수 없다는 뜻이 분명히 비쳤다.

15

기이한 방문이 시작된 중앙 홀로 다시 돌아왔을 때, 랭던은 비토리
아와 콜러의 뒤를 따라 조용히 걸었다. 비토리아의 다리는 올림픽에
출전한 다이빙 선수처럼 유연하게 움직였다. 저토록 탄력적인 걸음
새는 요가를 통해 얻어진 것이 틀림없었다. 마치 슬픔을 정화시키는
노력인 양, 천천히 신중하게 내쉬는 비토리아의 숨소리가 들렸다.

랭던은 비토리아에게 유감의 말을 전하고 싶었다. 자신 역시 아버
지를 갑작스럽게 잃었고, 그때의 공허감을 잊지 못한다. 비가 내리고
온통 잿빛이던 장례식이 떠올랐다. 열두 살 생일이 이틀 지난 날이었
다. 집에는 사무실에서 나온 회색 양복의 사람들로 가득했다. 그와 악
수를 나눌 때, 사람들은 랭던의 손을 세게 꽉 쥐었다. 그리고 모두 '심
장병'과 '스트레스'라는 단어들을 중얼거렸다. 그의 어머니는 눈물어
린 눈으로 농담을 했다. 그저 남편 손을 쥐고만 있어도 항상 주식 시
장을 따라갈 수 있었노라고 말이다…… 아버지의 맥박은 어머니의 개
인용 티커 테이프*였던 셈이다.(티커 테이프 : 증권시세 등이 인쇄된 티커
에서 자동으로 나오는 테이프.)

아버지가 살아계셨을 때, 랭던은 어머니가 아버지에게 '일을 멈추

고 장미꽃 향기를 맡으라'고 사정하는 것을 들었다. 그해 크리스마스에 랭던은 아버지에게 유리로 만든 작은 장미 한 송이를 사다 드렸다. 그 장미는 랭던이 지금까지 본 것 중에서 가장 아름다웠다…… 햇빛이 장미에 닿으면, 일곱 가지 색깔의 무지개가 벽에 펼쳐졌다.

"사랑스럽구나."

상자를 열어보고 아들의 이마에 입맞춤을 하면서 아버지는 말했다.

"장미를 놓아둘 안전한 장소를 찾자."

그후 아버지는 거실의 가장 어두운 구석, 먼지 쌓인 높은 선반에 장미를 조심스럽게 올려두었다. 며칠 후에 랭던은 의자를 딛고 선반에서 장미를 내렸다. 그리고 다시 가게로 가져갔다. 아버지는 장미가 사라졌다는 것을 결코 눈치채지 못했다.

엘리베이터가 움직이는 소리에 랭던은 현실로 돌아왔다. 비토리아와 콜러가 엘리베이터에 올라탔다. 랭던은 엘리베이터 문 밖에서 머뭇거렸다.

"뭐가 잘못되었습니까?"

걱정하기보다는 서두르는 기색으로 콜러가 물었다.

"아닙니다."

꽉 막힌 운반상자 안으로 자신을 억지로 밀어넣으며 랭던이 대답했다. 그는 아주 다급할 때만 엘리베이터를 이용했다. 이런 막힌 공간보다는 열린 공간의 계단이 훨씬 좋았다.

"베트라 박사의 실험실은 지하에 있습니다."

콜러가 말했다.

'훌륭하군.'

엘리베이터 문 사이를 건너며 랭던은 생각했다. 승강기의 지하 수직통로에서 올라오는 차가운 바람이 그 틈새로 불었다. 문이 닫히고 엘리베이터가 하강했다.

"지하 육 층이오."

기계를 분석하듯이 콜러가 딱 잘라서 말했다.

랭던은 그들 아래 텅 빈 수직 갱도의 어둠을 떠올렸다. 바뀌는 층수를 나타내는 숫자 표시판을 응시하며, 랭던은 그 이미지를 지워버리려고 노력했다. 하지만 이상하게도 표시판에는 오직 두 개의 목적지만 있었다. 지상층과 LHC.

"LHC는 무슨 뜻입니까?"

신경질적으로 들리지 않도록 주의하면서 랭던이 물었다.

"거대 하드론 충돌형 가속기(Large Hadron Collider). 입자가속기요."

콜러가 말했다.

'입자가속기?'

랭던은 어렴풋이 그 용어가 낯익었다. 케임브리지에 있는 던스터 하우스에서 동료들과 저녁식사를 하며 처음 들었다. 어느 날 밤, 물리학자 친구인 밥 브라우넬이 씩씩대며 저녁식사 자리에 나타났다.

"그 나쁜 놈들이 취소시켜버렸어!"

브라우넬이 악담을 퍼부었다.

"취소하다니, 뭘?"

모두가 반문했다.

"SSC!"

"그게 뭔데?"

"초전도 초대형 입자가속기(Superconducting Super Collider)!"

누군가 어깨를 으쓱하며 말했다.

"하버드가 그걸 지으려는 줄은 몰랐군."

브라우넬이 소리쳤다.

"하버드가 아니야! 미국이라고! SSC는 세계에서 가장 강력한 입자가속기가 될 참이었어! 금세기의 가장 중요한 과학 프로젝트가 될 뻔했다고! 이십억 달러가 거기에 들어갔는데, 상원에서 그 프로젝트를 날려버리다니! 빌어먹을, 성서 신봉자 로비스트들 같으니!"

마침내 브라우넬이 마음을 가라앉히고, 입자가속기란 커다란 원형 튜브로서 그것을 통해 원자의 구성요소인 여러 입자들이 가속된다고 설명했다. 튜브 안의 자석을 빠르게 껐다 켰다 반복하면, 입자들이 가공할 속력을 가지게 될 때까지 자석이 입자들을 주변으로 '밀어낸다'는 것이다. 완전히 가속된 입자들은 초속 29만 킬로미터의 속도로 튜브를 순환한다고 했다.

"그런데 그건 빛의 속도야."

다른 사람이 일깨워주었다.

"빌어먹게도 그 말이 맞아."

브라우넬이 말했다. 튜브 주위의 반대 방향에서 두 입자를 가속시킨 후에 서로 충돌시키면 과학자는 입자들을 깨부술 수가 있고, 그를 통해 자연의 가장 기본적인 구성요소들에 대해 약간의 단서를 얻을 수 있다는 설명이 이어졌다. 브라우넬이 선언했다.

"입자가속기는 과학의 미래에 절대적으로 중요한 거야. 입자의 충돌은 우주의 블록 쌓기를 이해하는 열쇠가 되거든."

'하버드 관저의 시인'이라는 별명이 붙은 조용한 남자, 찰스 프레트는 그다지 감동받은 얼굴이 아니었다. 프레트가 말했다.

"나한테는 오히려 과학의 네안데르탈인식 접근같이 들리는데…… 내부가 어떻게 돌아가는지 보려고, 시계들을 서로 부딪혀보는 거랑 비슷하잖아."

브라우넬은 포크를 놓더니, 폭풍처럼 나가버렸다.

'그럼 CERN은 입자가속기를 가지고 있는 건가?'

엘리베이터가 내려갈 때 랭던은 생각했다.

'입자들을 부딪치기 위한 원형 튜브.'

랭던은 왜 CERN 사람들이 입자가속기를 지하에 묻었는지 궁금했다.

엘리베이터가 덜컹거리며 멈추자, 랭던은 발밑의 단단한 땅을 느끼며 안도했다. 하지만 엘리베이터 문이 열렸을 때, 그의 안도감은 사라졌다. 그는 다시 한 번 완전히 이질적인 세계에 서 있었다.

길이 오른쪽과 왼쪽, 양쪽으로 끝없이 뻗어 있었다. 매끄러운 시멘트 터널이었다. 폭은 18구륜 화물트럭이 지나다닐 수 있을 정도로 넓었다. 그들이 있는 자리는 불이 환하게 켜져 있지만, 통로의 끝으로 갈수록 칠흑처럼 어두웠다. 축축한 바람이 어둠 속에서 불어왔다. 지하 깊은 곳에 있다는 불안을 일깨워주는 바람이었다. 랭던은 머리 위에서 맴도는 먼지와 돌의 무게가 느껴졌다. 즉시 그는 아홉 살 때로 되돌아갔다…… 뒤에서 그를 불안하게 만드는 어둠…… 어둠 속에서 사투를 벌인 다섯 시간은 아직도 그를 괴롭혔다. 랭던은 주먹을 움켜쥐고 공포와 싸웠다.

잠자코 있던 비토리아가 엘리베이터에서 내렸다. 그리고 일말의 주저함도 없이 혼자 어둠 속으로 성큼성큼 걸어갔다. 그녀가 걸어가는 길 위로 형광등이 자동으로 켜졌다. 터널이 살아 있는 것처럼 보이는 그 효과는 자못 불안하기까지 했다…… 마치 터널이 그녀의 모든 행보를 예측하는 것처럼 보였다. 뒤에서 거리를 두고 랭던과 콜러가 뒤따랐다. 그들 뒤에서 불빛이 자동으로 꺼졌다.

"입자가속기가 이 터널에 있는 겁니까?"

랭던이 조용히 물었다.

"저기에 있습니다."

콜러가 왼쪽을 가리켰다. 터널 안쪽 벽을 따라 광택 나는 크롬 튜브가 있었다.

당황해하며 랭던은 튜브를 살폈다.

"저게 가속기입니까?"

그 장치는 랭던이 상상하던 것과는 딴판이었다. 지름 90센티미터 정도의 직선으로 뻗은 튜브였다. 수평으로 쭉 뻗은 튜브는 터널을 따라 어둠 속으로 사라질 때까지 계속되었다. 랭던은 생각했다.

'이건 뭐 첨단 하수관처럼 생겼잖아.'

"저는 입자가속기가 동그란 고리처럼 생겼을 거라고 생각했습니다."

콜러가 말했다.

"이 가속기도 원형입니다. 튜브가 똑바로 뻗은 것처럼 보이지만 그건 착시 현상입니다. 이 터널이 너무 길어서, 곡선을 지각할 수 없는 거죠. 마치 우리가 지상에서 지구의 곡선을 못 느끼듯이 말입니다."

랭던은 깜짝 놀랐다.

'이게 원형이라고?'

"하지만…… 그러면 가속기가 엄청나게 크다는 말인데!"

"LHC는 세상에서 가장 큰 기계요."

랭던은 다시 튜브를 쳐다보았다. 그리고 CERN의 조종사가 지하에 묻힌 거대한 기계 얘기를 한 것이 기억났다.

'하지만……'

콜러의 설명이 이어졌다.

"이 입자가속기 전체를 보면, 직경이 팔 킬로미터 이상에…… 길이는 이십칠 킬로미터에 이릅니다."

랭던은 머리를 얻어맞은 듯 아찔했다.

"이십칠 킬로미터?"

그는 소장을 한 번 쳐다보고, 다시 앞에 있는 어둠 속의 터널을 응시했다.

"이 터널의 길이가 이십칠 킬로미터나 된다는 겁니까? 그건…… 십육 마일 이상이란 얘기인데!"

콜러가 고개를 끄덕였다.

"완벽한 원을 그리고 있소. 프랑스 쪽으로 뻗었다가 방향을 꺾어 바로 이 지점으로 돌아오지요. 완전히 가속된 입자들은 서로 충돌하기 전, 일 초에 만 번 이상을 튜브에서 순환합니다."

입을 벌린 터널을 응시하고 있노라니, 랭던의 다리가 고무처럼 휘청거렸다.

"단지 아주 작은 입자를 부수기 위해 CERN이 수백만 톤의 흙을 파냈다고 지금 말씀하시는 겁니까?"

콜러는 어깨를 으쓱했다.

"가끔은 진리를 찾기 위해 누군가는 산을 옮겨야 하는 법입니다."

16

CERN에서 수백 킬로미터 떨어진 곳, 어떤 목소리가 휴대용 무전기에서 지직거리며 흘러나왔다.

"좋아요. 저는 지금 복도에 있습니다."

비디오 스크린을 모니터하던 근위병이 전송기 버튼을 눌렀다.

"팔십육 번 카메라를 찾아봐요. 맨 끝에 있을 겁니다."

무전기는 오랫동안 침묵이었다. 답을 기다리는 근위병은 가벼운 진땀을 흘렸다. 마침내 그의 무전기가 지직거렸다.

무전기에서 흘러나온 목소리가 보고했다.

"카메라는 여기에 없습니다. 하지만 그게 어느 받침대에 있었는지는 알겠어요. 누군가 카메라를 가져간 게 틀림없습니다."

근위병이 무겁게 숨을 내쉬었다.

"고맙습니다. 잠시 거기에서 기다려주세요, 괜찮죠?"

근위병은 한숨을 쉬며, 자기 앞에 놓인 비디오 스크린의 바다에 다시 집중했다. 단지 내의 많은 건물이 일반인에게 공개되어 있다. 그리고 전에도 무선카메라가 사라진 일이 있었다. 이곳을 방문한 장난꾸러기가 기념품으로 카메라를 훔쳐가는 경우가 종종 있기 때문이다. 하지만 카메라가 단지를 벗어나 일정 범위를 넘어서면, 신호가 끊기고 해당 스크린은 텅 비게 마련이다. 당황한 근위병은 모니터를 응시했다. 수정처럼 깨끗한 영상이 여전히 86번 카메라를 통해 전송되었다.

근위병은 의아했다.

'만일 저 카메라가 도둑맞은 것이라면, 어떻게 신호가 수신된 걸까?'

물론 한 가지 가정이 필요하다. 카메라는 아직 건물 단지 안에 있고, 누군가 카메라의 위치를 옮긴 것이다.

'하지만 누가? 왜?'

근위병은 꽤 긴 시간을 들여 모니터를 관찰했다. 마침내 무전기를 집어들었다.

"그쪽 계단에 옷장 같은 게 있습니까? 혹시 선반이라든가, 어두운 구석은?"

당황한 듯한 목소리가 되돌아왔다.

"없습니다. 왜요?"

근위병은 눈살을 찌푸렸다.

"아무것도 아닙니다. 도와줘서 고마워요."

그는 무전기를 꺼버리고 입을 굳게 닫았다.

비디오카메라가 무선이라는 사실과 작은 크기를 고려해볼 때, 카메라 86번은 엄중한 경비를 자랑하는 단지 어느 곳에서건 영상을 전송할 수 있다는 점을 근위병은 알고 있었다. 이곳은 반경 800미터에 걸쳐 32개의 건물들로 꽉 들어찬 곳이다. 유일한 단서는 카메라가 지금 어두운 곳에 있다는 것이다. 물론 이 단서도 큰 도움이 되지는 않았다. 건물 안에 어두운 곳이라면 무수히 많으니까. 유지보수 장비를 넣어두는 함, 난방 송수관, 원예 장비보관 창고, 침실의 옷장, 아니면 미로 같은 지하 터널일 수도 있다. 86번 카메라의 위치를 찾아내려면 수 주일이 걸릴 것이다.

'하지만 카메라를 찾아내는 건 내 소관이 아니야.'

근위병은 고민했다.

카메라의 재배치라는 딜레마에도 불구하고, 당장 더 불안한 문제가 생겼다. 그는 고개를 들고, 사라진 카메라가 전송하는 화면을 쳐다보았다. 화면은 움직이지 않는 물체였다. 현대적인 장치 같은데, 난생 처음 보는 물건이다. 근위병은 화면에서 깜박거리는 전자 표시판을 관찰했다.

긴박한 상황에 대처하기 위해 혹독한 훈련을 거쳤음에도 불구하고, 맥박이 빨라지는 것이 느껴졌다. 그는 겁먹지 말자고 다짐했다. 분명 설명이 필요했다. 화면에 보이는 물체는 너무 작아서 심각한 위험물체는 아닌 것처럼 보였다. 하지만 단지 내부에 그런 존재가 있다는 게 마음에 걸렸다. 몹시 꺼림칙했다.

'하고많은 날 중에 하필이면 오늘이라니.'

항상 보안은 고용주의 최우선순위였고, 오늘은 지난 12년 동안의 어느 날보다도 가장 중요한 날이다. 근위병은 오랫동안 그 물체를 응시했다. 그리고 멀리서 다가오는 폭풍의 우르릉거리는 소리를 감지했다.

근위병은 땀을 흘리며 상관에게 전화를 걸었다.

17

자기의 아버지를 처음 만난 날을 기억한다고 말할 수 있는 아이들은 많지 않다. 하지만 비토리아 베트라는 기억한다고 말할 수 있다. 그녀는 여덟 살이었고, 얼굴도 모르는 친부모에게서 버려져 피렌체 근처의 가톨릭계 고아원인 '시에나 고아원'에서 살았다. 그날은 비가 내렸다. 수녀들이 안에 들어와 저녁을 먹으라고 두 번이나 그녀를 재촉했다. 하지만 늘 그랬던 것처럼 비토리아는 못 들은 척했다. 그녀는 안뜰에 누워, 빗방울이 몸을 때리는 것을 느끼면서…… 다음 빗방울은 어디에 내려앉을지를 추측하면서…… 떨어지는 빗방울을 응시했다. 수녀가 다시 한 번 불렀다. 폐렴에 걸리면, 이 밉살스럽고 고집센 아이도 자연에 대한 관심이 확 줄어들 것이라고 위협했다.

'난 들리지 않아요.'

비토리아는 생각했다.

젊은 사제가 그녀에게 다가왔을 때, 비토리아는 뼛속까지 젖었다. 그녀는 사제를 알지 못했다. 사제는 고아원에 새로 온 사람이었다. 비토리아는 사제가 자기를 붙잡아 안으로 질질 끌고 가리라 예상했다. 하지만 사제는 그러지 않았다. 대신 놀랍게도 흙탕물에 외투자락을 적시면서 비토리아 옆에 누웠다.

"사람들이 네가 질문을 많이 던진다고 그러더구나."

젊은 남자가 말했다.

비토리아는 얼굴을 찌푸렸다.

"질문이 나쁜 건가요?"

남자가 웃었다.

"사람들 말이 맞는 것 같구나."

"여기에서 뭘 하세요?"

"네가 하는 것과 같은 것…… 왜 빗방울이 떨어지는지를 궁금해하고 있지."

"나는 빗방울이 왜 떨어지는지 궁금하지 않아요! 이미 알고 있으니까요!"

젊은 사제는 놀랍다는 표정을 지어 보였다.

"알고 있어?"

"프란체스카 수녀님이 그랬어요. 빗방울은 우리의 죄를 씻기 위해 천사들이 흘린 눈물이 떨어지는 것이라고."

"우아!"

감탄한 것처럼 사제가 말했다.

"그럼 그게 다 설명해주는구나."

"아니에요, 그렇지 않아요!"

비토리아는 되쏘았다.

"모든 물건은 떨어지기 때문에 빗방울도 떨어지는 거예요! 모든 것이 떨어져요! 빗방울만 그런 게 아니라고요!"

당황스럽다는 듯이 사제는 머리를 긁적거렸다.

"우리 꼬마숙녀, 네 말이 맞다. 모든 것은 떨어지지. 중력 때문이란다."

"무엇 때문이라고요?"

사제는 다시 놀란 표정을 지었다.

"중력이란 말을 처음 들어봤니?"

"처음이에요."

사제는 안타깝게 어깨를 들썩였다.

"너무 안타깝구나. 중력은 많은 질문에 답을 준단다."

비토리아는 일어나 앉으며 물었다.

"중력이 뭔데요? 말씀해주세요!"

사제는 비토리아에게 윙크했다.

"저녁식사 후에 말해주면 어떨까?"

그 젊은 사제가 레오나르도 베트라였다. 대학 시절 수상 경력까지 있는 전도 유망한 물리학도였지만, 그는 또 다른 부름을 받고 신학교에 들어갔다. 레오나르도와 비토리아는 수녀들과 규제가 가득한 외로운 세계에서 최고의 친구가 되었다. 비토리아는 레오나르도를 웃게 만들었고, 레오나르도는 비토리아를 자기 날개 밑에 두고 여러 가지를 가르쳤다. 무지개처럼 아름다운 자연과 강물은 그 안에 많은 설명을 담고 있다는 것을 말이다. 그는 소녀에게 빛과 행성과 별에 대해 이야기했다. 그리고 신과 과학, 양쪽의 눈으로 보는 자연의 모든 것에 관해서 이야기했다. 비토리아의 타고난 지성과 호기심은 그녀를 매력적인 학생으로 만들었다. 레오나르도는 딸처럼 그녀를 보호했다.

비토리아 또한 행복했다. 그녀는 아버지를 가진 즐거움을 몰랐다. 다른 어른들이 그녀의 질문에 손목을 찰싹 때려가며 대답을 할 때, 레오나르도는 그녀에게 책을 보여주며 시간을 보냈다. 심지어 비토리아의 생각은 어떤지 묻기도 했다. 비토리아는 레오나르도가 영원히 함께 머물러주기를 기도했다. 그러던 어느 날, 최악의 악몽이 그녀에게 현실로 찾아왔다. 레오나르도 신부가 고아원을 떠난다는 얘기를 들은 것이다.

레오나르도가 말했다.

"스위스로 가게 됐단다. 제네바 대학교에서 물리학을 공부할 수 있는 장학금을 받았거든."

비토리아는 울면서 말했다.

"물리학이요? 저는 신부님이 신을 사랑한다고 믿었어요!"

"사랑한단다. 아주 많이. 그게 내가 신의 신성한 법칙을 공부하고 싶어하는 이유란다. 물리학의 법칙은 신이 펼쳐놓은 캔버스와 같아. 캔버스에 신께서 당신의 걸작을 그리신 거지."

비토리아는 망연자실했다. 하지만 레오나르도 신부님은 다른 소식도 들려주었다. 그는 윗사람에게 자신이 비토리아를 입양할 수 있는지 물었고, 괜찮다는 허락을 받았다고 말해주었다.

"내가 너를 입양해도 되겠니?"

"입양이 뭔데요?"

레오나르도 신부는 설명했다.

비토리아는 기쁨의 눈물을 흘리면서 레오나르도를 5분 동안이나 껴안고 놓지 않았다.

"아, 그럼요! 그렇고말고요!"

레오나르도는 비토리아에게 스위스에서 그들이 머물 새 보금자리를 구하기 위해 잠시 떠나야 한다고 얘기했다. 그리고 여섯 달 안으로 데리러오겠다고 약속했다. 그 시간은 비토리아의 인생에서 가장 긴 기다림이었다. 결국 레오나르도는 약속을 지켰다. 아홉 살 생일을 닷새 앞두고 비토리아는 제네바로 이사했다. 그녀는 낮에는 제네바 외국인학교에 다니고, 밤에는 그녀의 아버지에게 배웠다.

3년 후에 레오나르도 베트라는 CERN에 고용되었다. 비토리아는 레오나르도와 함께 어린 그녀가 한 번도 상상해보지 못한 이상한 나라에 터를 잡았다.

LHC 터널을 터벅터벅 걸어가는 비토리아 베트라는 몸이 마비된 듯했다. 그녀는 터널에 반사된 자기 모습을 말없이 보며, 아버지의 부재를 느꼈다. 보통의 경우 그녀는 주위 세계와 조화를 이루며 깊고 고요한 상태에 머물렀다. 하지만 이제, 정말 갑자기 모든 것을 통제할 수 없는 상태가 되었다. 지난 세 시간의 기억조차 흐릿했다.

콜러의 전화가 걸려왔을 때, 그녀는 아침 10시에 발레아레스 제도에 있었다.

'자네 아버지가 살해되셨네. 즉시 돌아오게.'

다이빙 보트의 갑판으로 쏟아지는 찌는 듯한 열기에도 불구하고, 전화로 들은 소식은 뼛속까지 얼어붙게 만들었다. 그 소식만큼이나 무감정한 콜러의 말투도 비토리아에게 상처를 입혔다.

이제 그녀는 집으로 돌아왔다.

'하지만 무엇을 위한 집인가?'

열두 살 이래 그녀의 세계였던 CERN이 갑자기 낯설게 보였다. 이 장소를 마술처럼 매력적으로 만들었던 그녀의 아버지는 이제 없다.

'숨을 깊이 들이마셔.'

비토리아는 자신에게 되뇌었지만 마음이 진정되지 않았다. 의문이 빠르게, 더욱 빠르게 맴돌았다. 누가 아버지를 죽였는가? 그리고 왜 죽였는가? '전문가'라는 이 미국인은 누구인가? 왜 콜러는 실험실을 봐야 한다고 주장하는가?

콜러는 아버지의 죽음에 현재 진행중인 프로젝트와 관련된 증거가 있다고 했다.

'무슨 증거지? 우리가 무슨 연구를 하는지는 아무도 몰라! 그리고 누군가 알아냈다 하더라도, 왜 아버지를 죽여야 했을까?'

아버지의 실험실이 있는 방향으로 LHC 터널을 걸어가면서, 비토리아는 아버지가 없는 자리에서 그가 이루어낸 가장 위대한 성취를 공개해야 함을 깨달았다. 그녀는 이 순간을 훨씬 다르게 꿈꿔왔다.

CERN의 고위 과학자들을 아버지의 실험실에 불러다놓고, 그들에게 아버지의 발견을 보여주고, 경탄해마지 않는 사람들의 얼굴을 보리라고 상상했다. 그러면 레오나르도 베트라는 아버지로서 지을 수 있는 가장 자랑스러운 얼굴로 그들에게 설명할 것이다. 이 프로젝트를 현실화할 수 있게 도와준 것은 비토리아의 아이디어 중 하나였다고…… 그가 돌파구를 열 때 자신의 딸은 없어서는 안 될 중요한 역할을 했다고. 비토리아는 목구멍에 묵직한 덩어리가 치밀어오름을 느꼈다.

'아버지와 나는 이 순간을 함께 나누기로 했는데.'

하지만 여기에 혼자였다. 동료도 없고 행복해하는 얼굴도 없다. 그저 낯선 미국인과 막시밀리안 콜러가 전부다.

'막시밀리안 콜러. CERN의 왕.'

아이였을 적에도 비토리아는 이 남자를 싫어했다. 끝내는 콜러의 뛰어난 지적 능력을 존경하게 되었지만, 콜러의 얼음처럼 차가운 태도는 항상 비인간적으로 느껴졌다. 아버지의 따뜻함과는 정반대였다. 콜러는 흠잡을 수 없는 완벽한 논리를 위해 과학을 추구했고…… 아버지는 정신적인 경이로움을 위해 과학을 추구했다. 하지만 기이하게도 두 남자 사이에는 항상 말로 표현하지 않아도 서로에 대한 존경심이 존재하는 것 같았다. 누군가 한번은 이런 말로 설명했다.

'천재는 무조건적으로 천재를 받아들인다.'

비토리아는 생각했다.

'천재는 아버지였어…… 아빠. 돌아가시다니.'

레오나르도 베트라의 실험실로 향하는 길은 전체가 하얀 타일로 깔린 삭막한 긴 복도였다. 랭던은 지하 정신병원으로 들어가는 기분이었다. 수십 개의 흑백 사진 액자들이 복도를 따라 늘어서 있었다. 랭던은 이미지를 연구하는 직업이지만, 그 이미지들은 그에게도 생소했다. 무작위로 그어진 선과 나선형은 혼란스런 네거티브 사진 원판처럼 보였다. 랭던은 생각했다.

'현대예술인가? 암페타민을 복용한 잭슨 폴록의 작품?'

랭던의 흥미를 알아채고 비토리아가 말을 꺼냈다.

"산점도라는 거예요. 입자의 충돌을 컴퓨터로 재현한 거죠. 저게 Z-입자예요."

추상화 같은 사진 속에서 가려내기 힘든 희미한 자국을 가리키며 비토리아가 설명했다.

"아버지는 오 년 전에 저걸 찾아내셨죠. 순수에너지. 질량이 전혀 없어요. 아마 자연에서 가장 작은 기본 단위일 겁니다. 물질은 에너지를 잡아두는 것일 뿐이거든요."

랭던은 머리를 곧추 세웠다.

'물질은 에너지다? 꼭 선(禪)에 대한 얘기를 듣는 것 같군.'

사진 속의 가느다란 줄을 응시하면서 랭던은 생각했다. Z-입자에 감탄하며 '대 하드론 충돌기' 안에서 주말을 보냈다고 하면, 하버드 대학교 물리학과에 몸담고 있는 그의 친구들이 어떤 반응을 보일지 궁금했다.

실험실의 강철문에 다다르자 콜러가 입을 열었다.

"비토리아. 오늘 아침에 자네 아버지를 찾으러 여기로 내려왔었네."

비토리아는 살짝 얼굴을 붉혔다.

"그러셨어요?"

"그래. 그리고 레오나르도 박사가 CERN의 표준 키패드 보안장치를 다른 것으로 바꿔놓았다는 것을 알았을 때, 내가 얼마나 놀랐을지 상상해보게나."

콜러가 문 옆에 솟은 정교한 전자장치를 가리켰다.

비토리아가 말했다.

"사과드릴게요. 아버지가 비밀 엄수에 얼마나 신경쓰시는지 잘 아시잖아요. 아버지는 저를 제외한 그 누구도 여기에 출입하는 것을 원치 않으셨거든요."

콜러가 말했다.

"좋아. 문을 열게."

비토리아는 잠깐 잠자코 서 있었다. 그런 다음 숨을 크게 들이마시더니, 벽에 붙은 장치로 걸어갔다.

랭던은 다음에 무슨 일이 일어날지 전혀 몰랐다.

벽에 붙은 전자장치로 다가간 비토리아는 망원경처럼 불쑥 튀어나온 렌즈에 그녀의 오른쪽 눈을 조심스럽게 갖다댔다. 그런 뒤에 버튼을 눌렀다. 기계 안쪽에서 뭔가 딸각거리는 소리가 났고, 일자로 그어진 수직 빛이 복사기처럼 왔다 갔다 하며 그녀의 눈동자를 스캔했다.

비토리아가 말했다.

"이건 망막 스캔이에요. 오류가 없는 보안장치입니다. 오직 두 개의 망막만이 출입 허가를 받을 수 있어요. 제 것과 아버지 것이죠."

랭던은 끔찍한 연상이 떠올라 그대로 멈춰 섰다. 소름끼치는 레오나르도 베트라의 이미지가 되살아났다. 피범벅인 얼굴, 응시하는 개암나무색의 한 개뿐인 눈동자, 그리고 텅 빈 눈자위. 랭던은 명백한 진실을 거부하려고 애썼지만 보고야 말았다…… 스캐너 아래 하얀 타일 바닥에…… 붉은 액체방울이 희미하게 떨어져 있었다. 말라붙은 피였다.

다행스럽게도 비토리아는 핏자국을 알아차리지 못했다.

강철문이 열리자 비토리아는 안으로 걸어들어갔다.

콜러의 완고한 시선이 랭던에게 꽂혔다. 그의 메시지는 분명했다.

'내가 말한 대로…… 사라진 눈동자는 더 분명한 목적을 위해 쓰였소.'

18

여자의 손은 묶여 있었다. 밧줄에 쓸려 부풀어오른 팔목은 이제 자주색으로 변했다. 마호가니 빛 피부의 암살자는 여자 곁에 누워서, 벌거벗은 자기의 상(賞)에 감탄하고 있었다. 암살자는 여자가 얕은 잠에 빠져 있는 게 진짜인지, 아니면 더 이상의 봉사를 피하기 위한 애처로운 시도인지 궁금했다.

남자는 신경쓰지 않았다. 그는 충분한 보상을 받았다. 넌더리가 나도록 맛을 본 후에 남자는 침대에 일어나 앉았다.

그의 나라에서 여자는 소유물이었다. 약한 동물. 즐거움의 도구. 가축처럼 거래할 수 있는 가재 도구였다. 그리고 여자들은 자신의 처지를 이해했다. 하지만 이곳 유럽의 여자는 힘과 독립성을 가진 척해서 그를 흥분시키고 즐겁게 했다. 여자를 힘으로 굴복시키는 것은 그가 항상 즐기는 희열이었다.

이제 음부의 만족에도 불구하고, 암살자는 또 다른 욕구가 자기 안에서 고개를 드는 것을 느꼈다. 지난밤에 그는 살인을 했다. 살해하고 절단했다. 그에게 살인은 마약과 같았다…… 한 번 살인을 저지를 때마다, 갈망하는 마음이 달아오르기 전에, 만족은 잠시뿐이었다. 흥분이 모조리 사라지고 다시 욕구가 치밀었다.

남자는 옆에 누워 자는 여자를 관찰했다. 여자의 목에 손바닥을 가져가면서, 한순간에 여자의 목숨을 끊을 수 있다는 사실에 흥분이 끓어올랐다. 뭐가 문제인가? 이 여자는 인간 이하의 동물이다. 오로지 즐거움과 봉사를 위한 도구이다. 남자의 강한 손가락이 여자의 섬세한 맥박을 즐기며 목을 감쌌다. 그런 뒤에 욕망과 싸우면서 남자는 손을 치웠다. 할 일이 있었다. 자신의 욕망보다 더 높은 목적을 위해 봉사할 임무가 남았다.

침대에서 빠져나오며 암살자는 자기에게 주어진 명예로운 일에 푹 빠져들었다. 그는 아직도 야누스라고 불리는 인간과 야누스가 지휘하는 고대 조직의 영향력을 헤아릴 수가 없다. 황송하게도 조직은 그를 선택했다. 어쨌든 조직은 적에 대한 그의 혐오를 사전에 파악한 것이다…… 그리고 그의 능력도. 어떤 경로로 알게 됐는지는 모른다.

'조직의 뿌리는 멀리까지 뻗어 있다.'

이제 조직은 암살자에게 궁극적인 명예를 수여했다. 그는 그들의 손이 되고, 그들의 목소리가 될 것이다. 그는 조직의 암살자이자 조직의 사자(使者)였다. 그의 사람들은 이런 자를 '말라크 알하크(Malak al-haq)'라고 불렀다. '진실의 천사'라는 뜻이다.

19

베트라의 실험실은 굉장히 초현대적이었다.

순백색의 실험실은 사방이 컴퓨터와 전문 전자 장비들로 빼곡했다. 실험실은 일종의 수술실 같았다. 출입문을 통과하기 위해 사람의 눈을 도려낸다. 이런 일이 정당화될 만한 비밀이 과연 이곳에 있을지 랭던은 궁금했다.

그들이 실험실 안으로 들어섰을 때 콜러는 편치 않아 보였다. 그의 눈동자는 침입자의 혼적을 찾아서 사방을 들쑤시고 다녔다. 그러나 실험실은 고요했다. 비토리아 역시 천천히 움직였다…… 마치 그녀의 아버지가 이 자리에 없다는 사실을 실험실이 모르게 하려는 것처럼 보였다.

랭던의 시선은 즉시 작은 기둥들이 솟아 있는 실험실 한가운데로 모아졌다. 스톤헨지의 모형처럼 윤기가 흐르는 열두 개 가량의 강철 기둥이 방 중앙에 원을 그렸다. 1미터 정도 높이의 기둥들은 박물관의 값비싼 보석 전시회를 연상시켰다. 하지만 여기에 있는 기둥들은 분명 진귀한 보석을 전시할 목적으로 세워진 것이 아니다. 각각의 기둥 위에는 투명한 깡통이 있었는데, 깡통은 테니스공이 들어갈 만한 크기였다. 통 안은 비어 있는 것 같았다.

콜러는 의아하다는 표정으로 깡통을 바라보았다. 그는 시간이 촉박해서인지 깡통은 무시하기로 한 것 같았다. 그리고 비토리아에게 돌아서서 물었다.

"도난당한 것이 있나?"

"도난이요? 어떻게?"

비토리아가 되물었다.

"망막 스캔은 아버지와 저만 가능해요."

"그냥 한번 둘러보게."

비토리아는 한숨을 쉬고 잠시 방을 조사했다. 그러고는 어깨를 으쓱했다.

"모든 것이 아버지가 평소 해둔 것과 같아요. 정돈된 무질서죠."

랭던은 콜러가 어느 정도까지 비토리아를 밀어붙일 수 있는지…… 얼마나 많은 얘기를 해줄 것인지 여러 선택을 재보고 있다는 느낌을 받았다. 콜러는 그냥 이대로 내버려두기로 결정한 모양이었다. 휠체어를 방 한가운데로 끌고 가더니 빈 것처럼 보이는 이상한 깡통을 조사했다.

콜러가 마침내 입을 열었다.

"비밀은 우리가 더 이상 감당할 수 있는 사치품이 아닐세."

동의한다는 듯 비토리아가 고개를 끄덕였다. 이 자리에 서 있는 것이 갑작스레 추억을 몰고 온 것처럼 그녀의 얼굴에 감정이 어렸다.

'비토리아에게 잠시 시간을 줘야 해.'

랭던은 생각했다.

비토리아는 뭔가를 말하려고 준비하는 것처럼 보였지만, 이내 눈을 감고 숨을 들이켰다. 그런 다음 다시 숨을 들이마셨다. 한 번 더. 다시 한 번 더……

랭던은 비토리아를 쳐다보다가 갑자기 걱정되었다.

'괜찮은 건가?'

랭던은 콜러를 흘끗 쳐다보았다. 콜러는 아무렇지도 않은 표정이다. 과거에도 비토리아의 이런 의식을 본 경험이 있는 게 분명했다. 비토리아가 눈을 뜨기까지 10초가 흘렀다.

랭던은 그녀의 변화를 믿을 수가 없었다. 비토리아 베트라는 변했다. 풍만한 입술은 느슨해지고, 어깨는 아래로 처졌다. 그녀의 눈동자는 순하고 부드러워졌다. 마치 상황을 받아들이기 위해 몸의 모든 근육을 재정비한 것 같았다. 타오르는 분노와 개인적 고뇌를 어떻게든 깊고 차가운 물밑으로 가라앉힌 모양이었다.

"어디부터 시작해야 할지……"

비토리아의 억양은 평온했다.

콜러가 말했다.

"처음부터. 아버지의 실험에 대해서 얘기해주게."

비토리아가 입을 열었다.

"종교가 함께한 신(新)과학은 아버지 일생의 꿈이었어요. 아버지는 과학과 종교가 서로 양립할 수 있는 분야라는 걸 증명하려고 하셨죠. 과학과 종교는 동일한 진실을 찾기 위한 두 가지의 다른 접근법이라고 보신 거예요. 그리고 최근에…… 그걸 증명할 수 있는 방법을 생각해내셨죠."

자신이 지금 막 꺼낸 얘기를 믿을 수 없다는 듯 비토리아는 말을 멈추었다.

콜러는 아무 말도 하지 않았다.

"아버지는 하나의 실험을 고안하셨어요. 과학과 종교의 역사에서 가장 쓰디쓴 논쟁이 되어 온 문제를 당신의 실험이 해결하기를 희망하셨죠."

랭던은 비토리아가 어떤 논쟁을 지칭하는 것인지 궁금했다. 과학과 종교 사이에 논쟁은 많았으니까.

비토리아가 선언하듯 말했다.

"천지 창조. 우주가 어떻게 만들어졌는지에 대한 논쟁입니다."

랭던은 생각했다.

'하, 그 논쟁이로군.'

비토리아가 설명했다.

"물론 성서는 신이 우주를 창조했다고 밝힙니다. 신이 '빛이 있으라' 이렇게 말하자, 우리가 보는 모든 것이 광활한 공허에서 나타났다는 거죠. 불행하게도, 물리학의 기본 원리 중 하나는 물질은 무(無)에서 창조될 수 없다는 거예요."

닭이 먼저냐, 달걀이 먼저냐 식의 끝을 볼 수 없는 이 논쟁에 관해서 랭던도 읽은 바가 있었다. 신이 '무(無)에서 무엇'을 창조해냈다는 생각은 현대 물리학에서 일반적으로 받아들이는 법칙과는 완전히 어긋나는 것이다. 그래서 과학자들은 성서의 창세기가 과학적으로 터무니없다고 주장하였다.

비토리아가 돌아서며 물었다.

"랭던 씨, 빅뱅 이론을 잘 아시죠?"

랭던은 어깨를 움츠렸다.

"대강 알고 있습니다."

우주 창조에 대해서 과학적으로 받아들여진 모델이 빅뱅 이론이라는 건 랭던도 알고 있다. 완벽히 이해한 것은 아니지만, 빅뱅 이론에 따르면 우주는 모든 에너지가 한 점에 모여 일으킨 대폭발의 결과이고 그 폭발의 여파로 우주가 계속 팽창한다는 이론이다. 대강 그런 내용인 것 같았다.

비토리아가 말을 이었다.

"가톨릭 교회가 1927년에 처음 빅뱅 이론을 제안했을 때, 그……"

"뭐라고요?"

랭던은 자기도 모르게 끼어들었다.

"지금 빅뱅이 가톨릭계의 생각이었다고 했어요?"

랭던의 질문에 비토리아는 놀란 것 같았다.

"물론이에요. 가톨릭 수도사인 조르주 르메트르가 1927년에 제안한 겁니다."

랭던은 머뭇거렸다.

"하지만 제 기억에는…… 빅뱅은 하버드의 천문학자인 에드윈 허블이 제안한 것 아닙니까?"

콜러가 성난 얼굴로 노려보았다.

"다시 시작이로군. 미국의 과학적 오만함이라니. 허블은 르메트르보다 이 년이나 늦은 1929년에 발표했소."

랭던은 얼굴을 찌푸렸다.

'허블 천체망원경이라고 불립니다, 소장님. 르메트르 천체망원경이라는 것은 못 들어봤다고요!'

비토리아가 말했다.

"콜러 소장님 말씀이 맞아요. 그 생각은 르메트르가 창안한 것이죠. 허블은 단지 르메트르의 생각을 확인한 것뿐이에요. 확실한 증거를 모아서, 빅뱅이 과학적으로 있을 법한 이론임을 증명한 겁니다."

"이런."

하버드 천문학과의 허블광(狂)들이 강의 시간에 르메트르라는 이름을 언급하는지 의아해하며 랭던은 한숨을 쉬었다.

비토리아는 말을 계속했다.

"르메트르가 처음 빅뱅 이론을 제안했을 때, 과학자들은 그건 전혀 말도 안 되는 소리라고 주장했어요. 물질은 무에서 창조될 수 없다고 과학은 말하니까요. 그래서 빅뱅이 정확하다는 것을 허블이 과학적으로 증명해서 세상에 충격을 주었을 때, 교회는 자기들의 승리라고 목소리를 높였지요. 성서가 과학적으로 정확하다는 것을 이 이론이 증명한다고 말입니다. 성서에 나온 말은 모두 신성한 진실이라는 뜻이죠."

비토리아의 말을 주의 깊게 들으며 랭던은 고개를 끄덕였다.

"물론 과학자들은 교회가 종교를 부흥시키기 위해 그들의 발견을 사용하는 게 못마땅했죠. 그래서 즉시 빅뱅 이론을 수학화해 모든 종교 색채를 제거해버렸답니다. 그리고 이 이론이 과학자들의 것이라고 주장했어요. 하지만 불행하게도 과학은 그들의 방정식에 심각한 결점을 오늘날까지 안고 있습니다. 교회가 지적하기 좋아하는 약점이 되어버린 거죠."

콜러가 퉁명스럽게 말을 내뱉었다.

"특이성."

콜러는 그 단어가 독약인 듯한 표정을 지었다.

비토리아가 입을 열었다.

"그래요, 특이성. 창조의 정확한 순간. 시간이 영(0)인 그 시간."

비토리아는 랭던을 바라보았다.

"오늘날까지도 과학자들은 창조의 최초 순간을 파악하지 못했어요. 우리의 방정식은 초기의 우주를 아주 효과적으로 설명하지만, 시간을 거슬러 올라가 시간이 영에 접근하면, 갑자기 수학식이 붕괴되면서 모든 것이 무의미해지고 말아요."

"정확한 얘기야. 교회는 이 결점을 기적과도 같은 신의 간섭의 증거로 내세우지. 그런데 자네의 요점이 뭔가?"

콜러의 목소리에 날이 섰다.

비토리아의 표정이 아득해졌다.

"제 요점은, 아버지는 항상 빅뱅에서 신의 개입을 믿었다는 점입니다. 과학이 창조의 신성한 순간을 이해할 수 없음에도 불구하고, 언젠가는 이해하게 될 것이라고 믿으셨죠."

비토리아는 베트라 박사의 작업대에 붙어 있는 레이저 출력용지를 슬프게 가리켰다.

"아버지는 제가 의심을 가질 때마다 제 얼굴 앞에 저 종이를 흔들어 보이셨어요."

랭던이 종이에 적힌 메모를 읽었다.

　　과학과 종교는 반대편이 아니다.
　　과학은 신을 이해하기에 단지 너무 어릴 뿐이다.

"아버지는 과학을 한층 높은 단계로 끌어올리려고 하셨어요. 과학이 신의 개념을 지지할 수 있는 단계로요."
감상에 젖은 듯, 비토리아는 긴 머리카락을 손으로 쓸어넘기며 내뱉었다.
"다른 과학자는 시도하려고 상상조차 않은 일에 착수하셨죠. 누구도 해내지 못한 그 일을."
다음 말을 어떻게 꺼내야 할지 몰라 망설이는지 비토리아는 잠시 말을 멈췄다.
"아버지는 창세기를 증명하는 실험을 구상했습니다."
랭던은 무슨 뜻인지 의아했다.
'창세기를 증명해? 빛이 있으라? 무에서 물질이 생겨났다는 얘기인가?'
콜러의 흐릿한 시선이 방을 가로질렀다.
"무슨 말인가?"
"아버지는 우주를 창조했어요…… 완전한 무에서."
고개를 홱 돌리며 콜러가 외쳤다.
"뭐라고!"
"이렇게 설명하는 편이 더 쉽겠군요. 아버지는 빅뱅을 재창조했다."
콜러는 펄쩍 뛰어오를 것처럼 보였다.
랭던은 무슨 말인지 전혀 이해하지 못했다.
'우주를 창조하다니? 빅뱅을 재창조해?'
이제 빠른 말투로 비토리아가 설명했다.

"물론 실험은 아주 작은 규모로 이루어졌어요. 그 과정은 너무나 간단하답니다. 아버지는 가속기 튜브 주위에서 두 개의 극세립자선을 반대방향에서 가속화시켰어요. 이 두 입자선이 엄청난 속도로 정면 충돌했을 때, 서로 파고들면서 모든 에너지가 한 개로 응축되었죠. 아버지는 엄청난 에너지 응집체를 얻는 데 성공했어요."

비토리아가 전문 용어로 빠르게 얘기하자, 소장의 눈이 휘둥그레졌다.

랭던은 비토리아의 말을 이해하려고 애썼다.

'그러니까 레오나르도 베트라는 에너지를 응집시키는 시뮬레이션을 실행했고, 그 응집된 에너지에서 우주가 튀어나왔다는 얘기로군.'

엄청난 뉴스의 중요성을 음미하듯 비토리아는 이제 천천히 말했다.

"그 결과는 경이로웠어요. 만일 이 실험이 발표되면, 현대 물리학의 근간이 뒤흔들릴 겁니다. 아무런 예고 없이, 에너지가 고도로 집중된 시점에서 가속기 튜브 안에 물질 입자들이 나타나기 시작했거든요."

콜러는 아무런 반응도 보이지 않고, 그저 바라보고만 있었다.

비토리아가 되풀이해서 말했다.

"물질이 정말 무에서 피어난 겁니다. 원자 구성요소의 불꽃놀이가 믿을 수 없게 펼쳐졌어요. 우주의 모형을 관찰할 수 있게 된 거죠. 아버지는 물질이 무에서 창조될 수 있다는 것뿐만 아니라, 빅뱅 이론과 창세기 모두 거대한 에너지 원천의 존재를 수용하면 간단히 설명할 수 있음을 증명하신 거예요."

"거대한 에너지의 원천이라면 신(神)을 의미하는 것인가?"

콜러가 물었다.

"신, 부처, 힘, 야훼, 특이성, 통일된 한 점. 글쎄, 무엇으로 불러도 상관없겠죠. 결과는 같으니까요. 과학과 종교는 동일한 진실을 지지합니다. 순수한 에너지가 창조의 아버지인 거죠."

콜러가 마침내 입을 열었을 때 그의 목소리는 우울하게 들렸다.

"비토리아, 나는 어찌할 바를 모르겠네. 자네는 지금 레오나르도 박사가 무에서…… 물질을 창조했다고 주장하는 건가?"

비토리아가 깡통들을 가리키며 말했다.

"그래요. 저기에 증거가 있어요. 저 안에는 아버지가 창조한 물질의 견본이 들어 있습니다."

콜러가 기침을 했다. 그러고는 본능적으로 뭔가 이상함을 직감한 의심 많은 동물이 주변을 배회하듯 깡통으로 다가갔다. 그가 입을 열었다.

"나는 확실히 전부를 이해하지는 못했네. 이 깡통들 속에 자네 아버지가 창조했다는 물질 입자가 들어 있다. 그런 주장을 어떻게 다른 사람에게 믿게 하겠다는 건가? 깡통 속의 물질은 어딘가에서 날아든 입자일 수도 있어."

확신에 찬 목소리로 비토리아가 말했다.

"실제로 그건 불가능해요. 이 입자들은 독특하거든요. 이것은 지구에 존재하는 물질의 유형이 아닙니다…… 그러므로 창조된 것이 분명하죠."

콜러의 표정이 어두워졌다.

"비토리아, 물질의 유형이라니, 어떤 유형을 말하는 건가? 세상에는 오직 한 가지 유형의 물질만이 있고, 그것은……"

콜러의 말이 도중에 끊겼다.

승리에 찬 표정을 지으며 비토리아가 끼어들었기 때문이다.

"소장님, 소장님도 그것에 대해 강의를 하셨어요. 우주에는 두 종류의 물질이 존재한다. 과학적인 사실이죠."

비토리아는 랭던을 향해 돌아섰다.

"랭던 씨, 성서가 천지 창조에 관해서 어떻게 말했나요? 신이 무엇을 창조했죠?"

질문에 대한 답이 무엇과 관계가 있는지 몰라, 랭던은 바보가 된 기분이었다.

"음, 신은…… 빛과 어둠을 창조했고, 천국과 지옥을……"

비토리아가 다시 끼어들었다.

"바로 그거예요. 신은 서로 상반되는 모든 것을 창조했습니다. 대칭. 완벽한 균형인 거죠."

비토리아는 콜러에게 돌아섰다.

"소장님, 과학은 종교와 마찬가지로 동일한 것을 주장합니다. 빅뱅이 우주의 모든 것을 창조했다는 거죠. 상반되는 모든 것을 포함해서 말입니다."

"물질 그 자체를 포함해서."

마치 자신에게 이야기하듯 콜러가 속삭였다.

비토리아가 고개를 끄덕였다.

"그리고 아버지가 실험을 시작했을 때, 그래요, 두 종류의 물질이 나타났어요."

랭던은 이게 무슨 말인지 궁금했다.

'레오나르도 베트라가 물질과 정반대되는 것을 만들었다는 이야기인가?'

콜러는 화가 난 것처럼 보였다.

"자네가 말하는 물질은 우주가 아닌 다른 곳에 존재하는 것일세. 확실히 이 지구상은 아니고, 심지어 우리 은하계 안에서도 가능한 존재가 아니야!"

"맞아요. 그게 이 안에 든 입자가 창조되었다는 증거예요."

비토리아가 대꾸했다.

콜러의 얼굴이 굳어졌다.

"비토리아, 저 안에 정말로 그 표본이 들어 있다는 말은 아니겠지?"

"아뇨."

비토리아는 자랑스럽게 깡통들을 응시했다.

"소장님, 소장님은 지금 세계 최초로 '반물질' 표본을 보고 계십니다."

20

'이 막.'

어두컴컴한 터널을 걸어가며 암살자는 생각했다.

사내의 손에 들린 횃불은 지나치게 밝았다. 그도 알고 있었다. 하지만 횃불은 효과적이다. 모든 것에 효과적이다. 사내는 두려움이 자신의 동지라는 것을 배웠다.

'두려움은 전쟁의 어떤 수단보다 상대를 빨리 무능하게 만든다.'

통로에는 자신의 변장을 감탄하며 바라볼 거울이 없었다. 하지만 펄럭이는 외투 그림자가 자기 모습이 완벽하다는 것을 느끼게 했다. 침투는 계획의 일부이다…… 그리고 그건 이 음모의 일부이다. 사내는 자신이 이런 역할을 하게 되리라고는 꿈에도 생각하지 못했다.

2주 전이었으면 지금 이 터널 끝에서 자기를 기다리는 임무가 불가능한 것이라고 여겼을 것이다. 자살과도 같은 사명. 벌거벗긴 채 사자 우리 속으로 들어가기. 이렇게 생각했을 것이다. 하지만 야누스는 불가능의 정의를 바꿔버렸다.

지난 2주 동안 야누스가 암살자와 공유한 비밀은 무수히 많았다. 이 터널도 그런 비밀 중 하나였다. 고대의 터널, 하지만 지금도 사람이 지나다닐 수 있는 통로다.

적에게 가까이 다가갈수록, 암살자는 안에서 자기가 해야 할 임무가 야누스의 약속처럼 쉬운 일일지 궁금했다. 야누스는 안쪽의 누군가가 필요한 도움을 줄 것이라고 그에게 다짐했다.

'내부에 공모자가 있다. 믿을 수 없어.'

자기의 임무를 생각하면 할수록 암살자는 그 일이 아이들 장난처럼 여겨졌다.

'와하드(wahad)…… 틴타인(tintain)…… 탈라타(thalatha)…… 아르바(arbaa)……'

터널 끝에 거의 다다랐을 때 암살자는 아랍 어로 숫자를 읊었다.

하나…… 둘…… 셋…… 넷……

21

"랭던 씨, 반물질에 대해서 들어보셨죠?"

비토리아가 랭던을 관찰하며 물었다. 그녀의 까무잡잡한 피부는 백색의 실험실 내부와 극명한 대조를 이루었다.

랭던은 고개를 들었다. 갑자기 바보가 된 기분이었다.

"네. 글쎄…… 어느 정도."

희미한 미소가 비토리아의 입술을 스치고 지나갔다.

"〈스타트렉〉 보셨죠?"

랭던의 얼굴이 달아올랐다.

"글쎄, 제 학생들은 즐겨보는 것 같습니다만……"

그는 얼굴을 찌푸렸다.

"U.S.S. 엔터프라이즈 호의 연료가 반물질 아닙니까?"

비토리아가 고개를 끄덕였다.

"훌륭한 과학영화는 훌륭한 과학에 뿌리를 두지요."

"그럼 반물질이 실제로 존재한다는 겁니까?"

"자연의 한 가지 사실이죠. 모든 것은 그에 반대되는 것을 가지고 있어요. 양자는 전자를 가지고 있고, 상위 쿼크는 하위 쿼크를 가지고 있죠. 원자를 구성하는 요소들의 단계에는 보편적인 상대성이 있답니다. 물질이 양(陽)이라면 반물질은 음(陰)인 셈이죠. 물리학적인 등식의 균형을 맞추고 있는 거예요."

랭던은 이중성에 대한 갈릴레이의 믿음이 떠올랐다.

비토리아가 계속 말했다.

"1918년 이후, 과학자들은 두 종류의 물질이 빅뱅에서 창조되었음을 알았어요. 하나는 바위와 나무와 사람을 이루고 있는, 우리가 지구에서 볼 수 있는 물질입니다. 다른 하나는 물질의 반대이죠. 구성입자가 반대의 전하(電荷)를 띤다는 점만 제외하면 물질과 모든 면에서 동일해요."

안개 속에서 나타난 것처럼 콜러가 입을 열었다. 그의 목소리는 무척 불안정해 보였다.

"하지만 실제로 반물질을 저장하려면 엄청난 기술적 장벽이 있네. 가령 중성화 문제는 어떤가?"

"아버지는 반물질이 자연붕괴하기 전에 가속기에서 반물질의 양전자를 끌어내는 상반된 극성진공장치를 개발하셨어요."

콜러는 얼굴을 찌푸렸다.

"하지만 진공은 물질도 끌어낼 수 있어. 입자들을 분리할 수 있는 방법은 없을 거야."

"아버지는 자기장을 응용하셨어요. 물질은 오른쪽으로 호를 그리고, 반물질은 왼쪽으로 호를 그리죠. 그 둘은 양(兩)극성을 띠니까요."

그 순간 콜러가 품은 의심의 벽에 금이 가는 것이 보였다. 분명히 놀란 얼굴로 콜러는 비토리아를 올려다보았다. 그후 예고도 없이 발작 같은 기침이 쏟아졌다.

"믿을…… 수 없어…… 하지만……"

입술을 훔치며 콜러가 내뱉었다. 소장의 논리는 아직도 비토리아의 설명에 저항하는 모양이었다.

"하지만 진공장치가 작동한다 해도, 보관용기는 물질로 만들어져 있네. 반물질은 물질로 만들어진 용기에 보관할 수 있는 존재가 아니야. 반물질이 물질과 접촉하면 즉시……"

"표본은 보관용기에 닿지 않습니다."

분명 그런 질문이 나올 것을 예상했다는 듯 비토리아가 대답했다.

"반물질은 부양(浮揚) 상태예요. 아버지와 저는 저 보관용기를 '반물질 트랩'이라고 불렀어요. 트랩이라는 말 그대로, 저 용기는 반물질을 중앙에 잡아두고 있어요. 보관용기 바닥과 둘레에서 안전한 거리만큼 반물질이 떨어져 있게 만들었거든요."

"부양? 하지만…… 어떻게?"

"교차하는 두 개의 자기장 사이예요. 자, 여기, 한번 보세요."

실험실을 가로질러간 비토리아가 커다란 전자기구 하나를 가져왔다. 랭던은 그 기묘한 장치를 보고 만화에 나오는 광선총을 떠올렸다. 기관총처럼 넓은 총신 위에는 조준망원경이 달렸고, 아래에는 여러 전자장치가 얽혀 있다. 비토리아는 기구의 조준망원경을 보관용기 하나에 맞췄다. 그리고 접안렌즈를 들여다보며, 몇몇 손잡이를 이리저리 조정했다. 그런 다음 뒤로 물러나서 콜러에게 들여다보라고 했다.

콜러는 난처한 표정을 지었다.

"실제로 볼 수 있을 만큼의 양을 모은 건가?"

비토리아가 대답했다.

"오천 나노그램. 수백만 개의 양전자를 함유한 액상의 플라스마예요."

"수백만? 하지만 어디에서건…… 누구나 고작해야 입자 몇 개만을 얻었을 뿐인데."

비토리아가 대수롭지 않게 답했다.

"크세논. 아버지는 전자를 벗겨내면서, 크세논 사출구를 통해 입자를 가속했어요. 아버지는 그 정확한 과정을 비밀에 붙여야 한다고 계속 고집하셨지요. 하지만 동시에 그 일은 가속기에 정제하지 않은 전자를 주입하는 것과 관련이 있었어요."

콜러와 비토리아의 대화가 과연 영어인지 의심이 들 정도로, 랭던은 그들이 무슨 말을 하는지조차 알 수 없었다.

콜러는 대꾸하지 않았다. 이마의 주름만 더욱 깊어졌다. 갑자기 격한 숨을 내쉬더니 몸이 총에 맞은 것처럼 축 늘어졌다.

"기술적으로는 상당히……"

비토리아가 고개를 끄덕였다.

"네. 많은 양을 얻었어요."

콜러는 앞에 놓인 보관용기로 시선을 돌렸다. 그는 불안한 표정으로 휠체어에서 몸을 일으켜, 접안렌즈에 눈을 갖다댔다. 콜러는 조용히 오랫동안 들여다보았다. 마침내 자리에 앉았을 때, 그의 이마는 땀으로 젖어 있었다. 얼굴의 주름이 사라졌다. 그는 속삭였다.

"세상에…… 자네가 정말로 해냈군."

비토리아가 고개를 끄덕였다.

"아버지가 해내신 거죠."

"나는…… 무슨 말을 해야 할지 모르겠네."

비토리아가 랭던에게 돌아섰다.

"보고 싶으세요?"

그녀는 전자기구를 가리켰다.

무엇을 보는 건지도 모른 채, 랭던은 앞으로 나아갔다. 60센티미터 떨어진 곳의 반물질 트랩은 투명한 깡통처럼 텅 비어 보였다. 안에 있는 것이 무엇이든지 아주 극미한 것이다. 랭던은 접안렌즈에 눈을 갖다댔다. 이미지에 집중하려면 약간의 시간이 걸렸다.

그런 뒤에 랭던은 보았다.

그의 생각처럼, 물체는 보관용기 바닥에 있지 않았다. 중앙에서 떠돈다는 표현이 맞을 것이다. 허공에 떠있었다. 액체 상태의 빛나는 수은 방울 같았다. 마치 마술의 힘으로 떠있는 것처럼 공중에서 물방울이 구르고 있었다. 물방울 표면에 금속성의 잔물결이 이는 것이 보였다. 부양한 액체방울은 랭던이 비디오에서 보았던 무중력 상태의 물방울을 연상시켰다. 보관용기 안의 액체방울은 현미경으로 들여다보아야 보일 만큼 미세했지만, 지금 랭던은 플라스마 방울이 공중에 떠서 천천히 구를 때의 모든 파동과 움직임을 보고 있었다.

"이게…… 떠다니고 있습니다."

랭던이 말했다.

비토리아가 말을 받았다.

"그렇게 떠다니는 것이 좋은 거예요. 반물질은 극도로 불안정한 존재입니다. 에너지 면으로 보자면, 반물질은 물질의 거울과도 같아요. 만일 물질과 반물질이 서로 접촉하면, 이 둘은 즉시 서로를 상쇄시키지요. 반물질을 물질과 분리하는 것, 이게 도전과제예요. 물론 지구상의 모든 것은 물질로 만들어져 있죠. 반물질은 무엇과도 접촉하지 않게 보관해야 한답니다. 심지어 공기와 접촉해서도 안 되죠."

랭던은 감탄했다.

'진공 상태에서 작업해야 한다는 얘기로군.'

"이것이 반물질 트랩인가?"

파리한 손가락으로 보관용기를 어루만지며 콜러가 불쑥 끼어들었다. 감탄한 표정이 역력했다.

"이것은 레오나르도 박사의 구상인가?"

비토리아가 대답했다.

"사실은 제가 만들어낸 겁니다."

콜러가 고개를 들었다.

비토리아의 목소리에 자랑스러워하는 기색은 없었다.

"아버지는 반물질의 첫 입자를 만들어냈지만, 어떻게 그것을 저장할 것인가 하는 문제에 봉착했어요. 그래서 제가 이것을 제안했죠. 양 끝에 서로 대립하는 전자석을 가진 밀폐된 나노합성 용기."

"아버지의 천재성이 자네에게도 이어진 것 같군."

"아니에요. 저는 이 아이디어를 자연에서 얻었어요. 고깔해파리는 전기 충전된 가시세포를 이용해서, 촉수 사이에 물고기를 가둬놓지요. 같은 원리를 이용한 겁니다. 각각의 트랩은 양쪽 끝에 하나씩 두 개의 전자석이 있어요. 서로 반대인 자기장이 트랩 안을 교차하면서, 그 중간에 반물질을 잡아두는 겁니다. 진공상태의 가운데에 머물게 하는 거죠."

랭던은 다시 보관용기를 쳐다보았다. 어느 것에도 접촉하지 않고 진공상태에서 떠도는 반물질. 콜러의 말이 옳았다. 그것은 천재적인 발상이었다.

"자석을 위한 파워 소스는 어디에 있나?"

콜러가 물었다.

비토리아가 손으로 가리켰다.

"트랩 밑의 기둥 속에요. 트랩은 아래의 기둥에 나사처럼 박혀 있어요. 그리고 트랩의 자성이 사라지지 않도록 계속해서 재충전되죠."

"만일 자기장이 사라지면?"

"분명한 것은 부양상태를 벗어난 반물질이 트랩 바닥에 부딪히겠죠. 그럼 우리는 소멸을 보게 되고요."

랭던은 귀를 곤추 세웠다.

"소멸?"

이 단어의 어감이 마음에 안 들었다.

비토리아는 태평해 보였다.

"그래요. 만일 반물질과 물질이 서로 접촉하면, 양쪽은 즉시 파괴되요. 물리학자는 그 과정을 '소멸'이라고 부르죠."

"네."

랭던은 고개를 끄덕였다.

"그건 자연의 가장 단순한 반응이에요. 물질의 입자와 반물질의 입자가 합쳐지면 두 개의 새로운 입자를 방출하는데, 광자(光子)라고 하는 거죠. 광자는 아주 작은 빛 뭉치라고 생각하면 될 거예요."

랭던은 빛의 입자인 광자에 대한 글을 전에 읽었다. 광자는 에너지의 가장 순수한 형태라고 했다. 랭던은 비토리아에게 〈스타트렉〉에 나오는 커크 사령관이 클린곤 제국을 공격할 때 광자 어뢰를 사용한 것에 대해서는 묻지 않기로 자제했다.

"그럼 만일 반물질이 바닥에 떨어지면, 우리는 작은 빛 뭉치를 보게 되는 겁니까?"

비토리아는 어깨를 움츠렸다.

"당신이 말하는 '작다' 라는 게 얼마나 작은 것이냐에 달렸죠. 여기, 제가 보여드리죠."

비토리아가 트랩으로 손을 뻗었다. 그러고는 충전기둥에서 트랩을 돌려 빼기 시작했다.

갑자기 콜러가 공포의 비명을 내지르며 몸을 앞으로 던졌다. 그리고 비토리아의 손을 쳐내면서 외쳤다.

"비토리아! 지금 미쳤나!"

22

믿을 수 없게, 말라비틀어진 허약한 두 다리를 흔들며 콜러가 순간 자리에서 일어섰다. 그의 얼굴은 공포로 하얗게 질려 있었다.

"비토리아! 트랩을 빼선 안 돼!"

소장의 갑작스런 패닉 상태에 당황하며 랭던은 상황을 지켜보았다. 콜러가 말했다.

"오백 나노그램! 만일 자기장이 사라진다면……"

"소장님. 이건 안전합니다. 모든 트랩은 이중 안전장치가 되어 있어요. 충전기둥에서 빼낼 경우를 대비해 백업 배터리가 트랩에 들어 있답니다. 제가 트랩을 기둥에서 빼내더라도, 표본은 부양 상태를 유지해요."

비토리아가 안심시켰다.

콜러는 안심한 표정이 아니었다. 그는 마지못해 휠체어에 도로 앉았다.

비토리아가 말했다.

"이 배터리는 자동으로 작동하게 만들었어요. 트랩을 충전기둥에서 빼내면 바로 작동하죠. 배터리는 이십사 시간용이에요. 잠수할 때 쓰는 가스 보관 탱크처럼요."

랭던의 불안을 알아차린 듯 비토리아가 그를 향해 돌아섰다.

"랭던 씨, 반물질은 아주 놀라운 특성이 있답니다. 그 특성이 반물질을 위험한 존재로 만들기도 하죠. 반물질 십 밀리그램은 모래 한 알 정도 크기랍니다. 모래 한 알 정도의 반물질이 현재 사용하는 로켓 연료의 이백 톤, 그러니까 이십만 킬로그램과 맞먹는 에너지를 보유한다는 게 학계의 가설이에요."

랭던은 머리가 핑 돌았다.

"반물질은 미래의 에너지원(源)이에요. 핵에너지보다 천 배는 강력하죠. 백 퍼센트 효율에 부산물도 없고, 방사능도 없습니다. 오염물질도 물론 없지요. 몇 그램의 반물질이 큰 도시의 한 주 동안의 전력 공급을 담당할 수 있답니다."

"그램이라고요?"

랭던은 불안하게 충전기둥에서 물러섰다.

비토리아가 말했다.

"걱정 말아요. 여기 있는 표본은 그램보다 훨씬 적은 양이니까. 그램의 수백만 분의 일이나 될까. 상대적으로 덜 위험한 편이죠."

비토리아는 다시 트랩에 손을 뻗어 충전기둥에서 나사처럼 돌려 빼냈다.

콜러는 몸을 뒤척였지만 간섭하지는 않았다. 트랩이 충전기둥에서 자유로워지자, 날카로운 신호음이 들렸다. 트랩 밑 부분의 작은 LED (Light Emitting Diode)화면이 작동하면서, 빨간 숫자가 깜박거렸다. 숫자는 24시간에서 아래로 초를 세어나갔다.

24:00:00……
23:59:59……
23:59:58……

랭던은 줄어드는 시간을 보며, 반물질 보관용기인 트랩이 불안한 시한폭탄처럼 생각되는 것을 막을 수가 없었다.

비토리아가 설명했다.

"배터리는 이십사 시간 동안 작동합니다. 충전기둥에 트랩을 다시 갖다놓으면 재충전할 수 있어요. 트랩의 충전 배터리는 안전장치로 만든 것이지만, 운반할 때도 편리하죠."

"운반?"

번개를 맞은 듯 놀란 표정으로 콜러가 쳐다보았다.

"이 물건을 실험실 밖으로 가지고 나간다고?"

"물론 그건 아니에요. 하지만 이동성은 우리가 연구하기 편하도록 해주죠."

비토리아가 랭던과 콜러를 실험실 끝으로 안내했다. 그녀가 커튼을 잡아당기자 창문이 드러났다. 창문 너머에 커다란 방이 있었다. 벽과 천장과 바닥 모두 강철판으로 덮여 있었다. 그 방은 랭던에게 석유 수송선의 석유탱크를 연상시켰다. 몸에 낙서처럼 그려진 한타 문신을 연구하러 파푸아뉴기니에 갈 때 그는 석유 수송선을 탔었다.

"이 방은 소멸 탱크입니다."

비토리아가 설명했다.

콜러가 올려다보았다.

"실제로 소멸을 관찰했나?"

"아버지는 빅뱅 물리학에 푹 빠져 계셨죠. 물질의 아주 작은 핵에서 방출되는 엄청난 양의 에너지."

비토리아는 창문 아래에 있는 강철 서랍을 끌어당겨, 서랍 안에 트랩을 넣고 닫았다. 그런 다음 서랍 밑에 있는 조종간을 당겼다. 잠시 후에 트랩이 유리창 반대편에 나타났다. 트랩은 크게 호를 그리며 금속 바닥을 부드럽게 굴러가다가, 방 중앙에 이르렀을 때야 멈춰 섰다.

비토리아는 긴장된 미소를 지어 보였다.

"여러분은 지금 반물질과 물질의 소멸을 처음으로 목격하시는 겁니다. 일 그램의 몇 백만 분의 일에 해당하는 양입니다. 상대적으로 극미한 표본이죠."

랭던은 거대한 방 안에 홀로 있는 반물질 트랩을 쳐다보았다. 콜러역시 불안한 표정으로 창문을 지켜보았다.

비토리아가 설명했다.

"보통은 배터리가 다 될 때까지 이십사 시간을 기다려야 합니다만, 이 방은 트랩의 자성을 덮어씌울 수 있는 자석이 바닥에 깔려 있습니다. 그래서 반물질을 부양상태에서 벗어나게 할 수가 있죠. 그리고 물질과 반물질이 서로 접촉할 때……"

"소멸."

콜러가 속삭였다.

비토리아가 말을 이었다.

"한 가지 더, 반물질은 순수에너지를 방출합니다. 질량을 백 퍼센트광자로 전환시키는 거죠. 그러니까 트랩을 똑바로 바라보지 마세요. 눈을 다칠 수도 있으니까."

랭던은 걱정스러웠지만 비토리아가 과장한다는 느낌을 받았다.

'트랩을 똑바로 보지 마라?'

트랩은 초강화 플렉시 유리 창문 너머로 27미터 이상 떨어졌다. 게다가 극히 미세한 트랩 속의 표본은 눈으로는 보이지도 않았다. 랭던은 생각했다.

'눈을 다칠 수도 있다고? 저 작은 것이 얼마나 많은 에너지를 방출하기에……'

비토리아가 버튼을 눌렀다.

즉각 랭던의 시력이 멀고 말았다. 트랩에서 뻗어나온 환한 빛이 사방으로 퍼지며 빛의 충격파 속에서 폭발했다. 그리고 벽력과도 같은 힘이 창문에 부딪혔다. 폭발이 실험실을 뒤흔들 때, 랭던은 뒤로 비틀거렸다. 순식간에 피어오른 환한 빛은 모든 것을 태우고, 마치 스스로 회귀하는 것처럼 곧바로 사그라들었다. 먼지처럼 소멸되어 아무것도 안 남았다. 랭던은 눈에 아픔을 느끼며, 눈을 몇 번 깜박거렸다. 그러고는 천천히 시력을 회복했다. 그는 눈을 가늘게 뜨고 까맣게 그을린 방을 둘러보았다. 바닥의 트랩 용기는 온데간데없이 사라졌다. 증발해버린 것처럼 흔적조차 없었다.

랭던은 경이로움에 그저 바라만 보았다.

"하…… 하느님."

비토리아가 슬프게 고개를 끄덕였다.

"제 아버지도 당신과 똑같은 말씀을 하셨죠."

23

방금 목격한 광경에 완전히 압도당한 콜러는 새카맣게 타버린 방을 가만히 응시하였다. 그 옆에 있는 랭던은 완전히 넋이 나간 얼굴이었다.

"아버지를 보고 싶어요. 여러분께 실험실을 보여드렸으니, 이제 아버지를 보고 싶어요."

비토리아가 요구했다.

콜러는 비토리아의 말을 제대로 듣지 않은 게 분명했다.

"비토리아, 왜 이렇게 지체한 건가? 자네와 레오나르도 박사는 이 발견에 대해 즉시 내게 알렸어야 했어."

비토리아는 콜러를 응시했다.

'얼마나 많은 이유를 원하나요?'

"소장님, 우리는 나중에라도 이 일에 대해 얘기할 수 있어요. 지금 당장은 아버지를 보고 싶어요."

"이 기술에 함축된 의미가 무엇인지 알고 있나?"

비토리아가 대답했다.

"물론이죠. CERN의 수입. 상당한 액수가 되겠죠. 이제 저는……"

"그게 비밀로 붙인 이유인가?"

콜러가 물었다. 그녀를 아버지가 아닌 다른 화제로 유인하려는 것이 분명했다.

"이사회와 내가 이 기술을 라이선스에 붙이는 투표를 할까봐 두려웠기 때문인가?"

콜러와 논쟁에 휩쓸리는 자신을 느끼며 비토리아는 되쏘았다.

"이 기술은 당연히 라이선스를 받아야 해요. 반물질은 중요한 기술입니다. 하지만 이것은 위험한 기술이기도 해요. 아버지와 저는 그 과정을 좀더 가다듬고, 안전하게 만들 시간이 필요했던 겁니다."

"다른 말로 하자면, 신중한 과학을 금전적인 탐욕 앞에 내세우려는 이사회를 믿지 못했다는 얘기로군."

비토리아는 콜러의 어조에 담긴, 개의치 않는 반응에 놀라며 응수했다.

"물론 다른 문제들도 있었습니다. 아버지는 반물질이 적절한 빛을 받을 수 있는 상황에서 이 기술을 알리기를 원했어요."

"무슨 뜻인가?"

'무슨 뜻이라고 생각해요?'

"에너지에서 물질이 만들어진다? 무에서 뭔가가 나온다? 이런 얘기는 창세기가 과학적 가능성을 바탕에 두고 씌어졌다는 실질적인 증거가 되니까요."

"그럼 레오나르도 박사는 자신의 발견에 담긴 종교적 암시가, 상업주의의 난도질에 훼손되기를 원치 않았다는 것인가?"

"요약하자면 그래요."

"그럼 자네는?"

아버지와는 모순되게, 비토리아의 관심은 다소 반대 입장이었다. 상업주의는 새로운 에너지원의 성공을 위해서 중요했다. 반물질 기술은 효율적이고 비오염 에너지원이라는 뛰어난 잠재성을 가졌지만, 세상에 성급하게 소개했다가는 핵과 태양열에너지를 죽인 정책과 홍보 부족이라는 재앙을 겪을 위험이 있었다. 핵에너지의 경우 안전성을 제대로 확인하기도 전에 원자력 발전소가 급격히 증가했고, 결국 사고가 잇따랐다. 태양열에너지도 효율성을 갖추기 전에 급히 늘어나다가 투자자의 돈만 거덜냈다. 두 기술 모두 나쁜 명성을 얻었고, 제대로 열매를 맺기도 전에 시들어버린 것이다.

"제 관심은 과학과 종교의 결합과는 약간 다른 거예요."

비토리아가 말했다.

"환경이로군."

알고 있다는 듯 콜러가 불쑥 내뱉었다.

"제한 없는 에너지. 광산을 더 이상 파낼 필요도 없고, 오염도 더 이상 없습니다. 방사능도 없고요. 반물질 기술은 지구를 구할 수 있습니다."

"아니면 파괴할 수도 있지. 누가 무슨 목적으로 그걸 사용하느냐에 달려있어."

콜러가 빈정댔다. 비토리아는 불편한 콜러의 몸에서 풍기는 냉기를 느꼈다. 콜러가 물었다.

"이 일에 관해 누가 알고 있나?"

"아무도 모릅니다. 이미 말씀드렸잖아요."

"그럼 아버지가 왜 살해되었다고 생각하나?"

비토리아의 근육이 긴장했다.

"잘 모르겠습니다. 소장님도 아시다시피, 아버지는 여기 CERN에도 적이 있었어요. 하지만 그건 반물질과는 아무런 관련이 없습니다. 아버지와 저는 준비가 될 때까지 몇 달 동안은 우리만의 비밀로 하자고 맹세했거든요."

"그러면 비토리아, 자네는 아버지가 침묵의 맹세를 지켰다고 확신하고 있나?"

이제 비토리아는 거의 미칠 지경이었다.

"아버지는 그보다 더한 맹세도 지켜오신 분이에요!"

"그럼 자네가 누구에게 말한 일은 없고?"

"물론 없습니다!"

콜러가 크게 숨을 내쉬었다. 그는 다음에 꺼낼 말을 신중하게 고르듯이 잠시 말을 멈췄다.

"누군가 알아냈다고 가정해보게. 그리고 실험실에 들어올 수 있는 방법을 알아냈다 치자고. 그들이 무엇을 찾으러 왔을까? 레오나르도 박사가 공책 같은 것을 여기에 두진 않았을까? 과정을 담은 기록이라든가?"

"소장님, 저는 지금까지 잘 참아왔어요. 하지만 이제는 답이 듣고 싶어요. 소장님은 계속해서 누가 실험실에 침입한 것처럼 말씀하시는데, 소장님도 망막 스캔을 보셨잖아요. 아버지는 비밀과 보안 유지에 계속 신경을 쓰셨어요."

"내 비위를 좀 맞춰주게."

비토리아를 놀래키며 콜러가 냉큼 말을 받았다.

"만일 뭐가 없어진다면, 어떤 것이 없어질 것 같나?"

"잘 모르겠어요."

비토리아는 화가 난 채로 실험실을 쓰윽 둘러봤다. 침입자라면 반물질 표본이 목적이었을 것이다. 하지만 아버지의 실험실은 흐트러짐이 없었다. 비토리아가 선언했다.

"아무도 여기에 들어오지 않았어요. 여기 위에 있는 것은 모두 괜찮아 보입니다."

콜러가 놀란 얼굴이 되었다.

"여기 위라고?"

비토리아는 당연하다는 듯 말했다.

"네, 여기는 위층 실험실이에요."

"그럼 아래층도 실험실로 사용한다는 말인가?"

"창고로요."

다시 기침을 하며 콜러는 비토리아에게 다가갔다.

"지금 위험물질 보관실을 창고로 사용했다고 했나? 무슨 창고로?"

'당연히 위험물질 보관창고지, 무슨 창고는!'

비토리아는 인내심을 잃고 말았다.

"반물질입니다."

콜러가 팔걸이 위로 몸을 들썩거렸다.

"아래층 실험실에 다른 표본이 있다는 겐가? 왜 그 얘기는 하지 않았나!"

비토리아도 맞받아쳤다.

"지금 방금 했잖아요! 그리고 소장님은 제게 말할 기회를 주시지 않았잖아요!"

"거기 있는 표본도 조사해봐야겠군. 지금 당장."

비토리아가 콜러의 말을 수정했다.

"아래층 실험실에 있는 반물질은 단 하나예요. 그리고 안전하고요. 아무도 거기에……"

"단 하나? 왜 여기 위층으로 올려놓지 않고?"

콜러가 머뭇거리며 물었다.

"아버지는 조심하려고 그 표본을 기반암 아래에 두셨어요. 그 표본은 다른 표본들보다 크거든요."

비토리아는 콜러와 랭던 사이에 오고 간 경계의 표정을 놓치지 않았다. 콜러가 다시 비토리아에게 휠체어를 몰고 갔다.

"오백 나노그램보다 큰 표본을 만들었다는 얘기인가?"

비토리아는 변명하듯 말했다.

"필요했기 때문이에요. 아버지와 저는 투입, 산출의 분기점을 안전하게 넘어설 수 있는지 증명해야 했거든요."

새로운 연료에 대한 질문은 항상 투입 대 산출의 문제라는 것을 비토리아는 알고 있었다. 연료를 얻기 위해 얼마나 많은 돈을 쏟아부어야 하는가? 단 1배럴의 석유를 얻기 위해 유전 굴착장치를 건설하는 것은 노력의 손실이었다. 하지만 같은 굴착장치로 최소한의 비용을 들여서 수백만 배럴의 석유를 얻을 수 있다면, 그것은 사업이 되는 것이다. 반물질도 같은 식이다. 조그마한 반물질 표본을 구하기 위해 26킬로미터짜리 가속기에 불을 붙이려면, 실험 결과인 반물질이 함유하는 에너지보다 많은 에너지를 소비해야 했다. 반물질이 효과적이고 실용적이라는 것을 증명하기 위해서는 누군가 많은 양의 반물질 표본을 생산할 수 있어야 하는 것이다.

아버지는 큰 반물질 표본 창조를 주저했지만, 비토리아가 강력하게 밀어붙였다. 세상이 반물질을 진지하게 받아들이게 하려면 두 가지를 증명해야 한다고 주장했다. 첫째, 비용 대비 효과가 높은 양이 생산될 수 있어야 한다. 둘째, 반물질을 안전하게 보관할 수 있어야 한다. 결국 그녀는 아버지를 설득했고, 베트라 박사는 자신의 판단을 접고 비토리아의 의견을 따랐다. 하지만 비밀과 보안 유지에 관해서 확고한 가이드라인이 없었던 것은 아니다. 베트라 박사는 반물질을 위험물질 보관실에 보관해야 한다고 고집을 부렸다. 위험물질 보관실은 지하로 23미터 더 내려간 곳에 있는 작은 화강암 공동(空洞)이었다. 큰 표본은 그들의 비밀이었고, 오직 두 사람만이 안으로 들어갈 수 있었다.

긴장된 목소리로 콜러가 물었다.

"비토리아? 레오나르도 박사와 자네는 얼마나 큰 표본을 만들어낸 건가?"

비토리아는 자기 안에서 교활한 즐거움을 느꼈다. 아래층 실험실 표본은 위대한 막시밀리안 콜러라 할지라도 쓰러지고 말 크기임을 알고 있었다. 비토리아는 아래층에 있는 반물질을 그려 보았다. 놀라운 광경이었다. 트랩 속에 떠있는 작은 반물질 구슬은 맨눈으로도 완벽하게 볼 수 있었다. 이 구슬은 트랩 속에서 춤을 추듯 움직였다. 이것은 현미경으로 들여다보아야 하는 작은 조각이 아니었다. 작은 비비탄 총알만 했다.

비토리아는 숨을 깊이 들이마셨다.

"사분의 일 그램입니다."

콜러의 얼굴에서 핏기가 사라지며 기침이 쏟아졌다.

"뭐라고! 사분의 일 그램? 그건 거의…… 오 킬로톤에 맞먹는 거잖아!"

'킬로톤이라.'

비토리아는 이 단어를 싫어했다. 아버지와 그녀가 절대 쓰지 않는 단어였다. 1킬로톤은 TNT 1천 톤과 같은 양이다. 킬로톤은 무기류에 쓰이는 말이고, 폭탄을 탑재할 때 그 용량을 나타내는 말이다. 이 단어에는 파괴적인 힘을 과시하는 냄새가 났다. 그녀와 아버지는 건전한 에너지 산출용어인 전자볼트와 줄(Joule)로 말했다.

"그 정도의 반물질 양이라면 말 그대로 반경 팔백 미터 내의 모든 것을 초토화시킬 수 있는 양일세!"

콜러가 소리쳤다.

"그렇죠. 즉시 소멸된다면. 하지만 아무도 그런 짓은 못해요!"

비토리아가 되받았다.

"모르는 게 약인 사람을 제외하고는 그렇겠지. 아니면 여기 전원이 꺼지기라도 한다면!"

콜러는 이미 엘리베이터로 향하고 있었다.

"그래서 아버지는 예비 전력과 충분한 보안시스템이 갖춰진 위험물질 보관실에 두신 거예요."

희망적인 얼굴이 되어 콜러가 돌아보았다.

"위험물질 보관실에 추가적인 보안장치를 해놓았다는 소린가?"

"그럼요. 두 번째 망막 스캔."

콜러는 단 두 마디만 했다.

"당장 아래층으로."

화물엘리베이터는 바위처럼 빠르게 내려갔다.

지하로 23미터 더 내려가야 했다.

엘리베이터가 깊이 내려가자, 비토리아는 두 남자가 뭔가 두려워한다는 것을 감지했다. 보통 때는 감정이 없는 콜러의 얼굴이 뻣뻣하게 굳어 있었다. 비토리아는 생각했다.

'그 표본의 양이 어마어마하다는 것은 나도 알아, 하지만 우리는 충분히 주의를 기울여……'

엘리베이터가 바닥에 닿았다.

문이 열리자, 비토리아는 희미한 빛이 비치는 복도로 그들을 안내했다. 복도 안쪽은 거대한 강철문으로 막혀 있었다.

　　위험물질 보관실

위층 실험실 문에 붙은 것과 동일한 망막스캔 장치가 여기에도 있었다. 비토리아는 문으로 다가가서, 조심스럽게 렌즈에 눈동자를 맞췄다.

비토리아가 뒤로 물러섰다. 뭔가 잘못되었다. 보통 때는 먼지 하나 없이 깨끗한 렌즈에 뭔가 묻어 있다…… 물방울이 튄 것처럼 보이는데……

'피?'

당황하며 비토리아는 두 남자에게 돌아섰다. 하지만 그녀의 시선에 닿은 것은 딱딱하게 굳은 남자들의 얼굴이었다. 콜러와 랭던, 두 사람 모두 얼굴이 하얗게 질려서, 그녀 발치의 바닥에 시선을 고정시키고 있었다.

비토리아의 눈이 그들의 시선을 따라…… 아래로 움직였다.

"안 돼!"

비토리아에게 다가가며 랭던이 고함쳤다. 하지만 너무 늦었다.

비토리아의 시선이 바닥에 있는 물체에 사로잡혔다. 그 물체는 비토리아에게 너무나 낯설고도, 아주 익숙한 것이었다.

단 한순간밖에 걸리지 않았다.

그 다음 공포가 밀려오고, 비토리아는 깨달았다. 바닥에서 자신을 쳐다보는 것, 한 조각의 쓰레기처럼 버려진 그것은 눈동자였다. 그녀는 눈동자 어딘가에 개암나무색 그늘이 져 있음을 보았다.

24

보안기술요원은 사령관이 어깨 위로 몸을 숙이자 숨을 멈추었다. 사령관은 그들 앞에 있는 보안 모니터를 조사하였다. 1분이 흘렀다.

사령관의 침묵은 예상했던 것이라고 요원은 자신을 달랬다. 사령관은 엄격한 규율의 사나이였다. 세계 제일의 보안 팀에게 명령을 내리는데, 먼저 말하고 나중에 생각하는 식의 사람이 아니었다.

'그는 무엇을 생각하는 것일까?'

화면에 보이는 물체는 일종의 깡통처럼 보였다. 둘레가 투명한 깡통. 이 부분은 쉬웠다. 나머지가 어려웠다.

깡통 안에는 특수효과를 쓴 것처럼 금속성 액체로 보이는 작은 방울이 떠다녔다. 자동으로 깜박이는 디지털 LED의 빨간 불빛 때문에 액체방울이 보였다 안 보였다 했다. 단호하게 내려가는 LED의 숫자 때문에 오싹한 기분이 들었다.

"명암 대비를 높게 할 수 있겠나?"

갑자기 사령관이 묻는 바람에 요원은 깜짝 놀랐다.

요원은 주의를 기울이며 지시에 따랐다. 이미지가 다소 밝아졌다. 상관은 몸을 앞으로 내밀었다. 눈을 가늘게 뜨고 깡통 아랫부분에 적힌 뭔가를 가까이 들여다보았다.

　요원도 상관의 시선을 따라갔다. LED 옆에 희미하게 인쇄된 것은 하나의 머리글자였다. 간헐적으로 반짝이는 빛 속에서 네 개의 대문자가 희미하게 모습을 드러냈다.

　사령관이 명령을 내렸다.

　"여기 있게. 아무 말도 하지 말고. 이 일은 내가 처리하겠네."

25

위험물질 보관실. 지하 50미터.

비토리아는 비틀거리다가 망막스캔 장치로 쓰러질 뻔했다. 도와주러 달려온 미국인이 자신을 부축하고, 지탱해준다는 느낌이 들었다. 발 아래에서는 아버지의 눈동자가 그녀를 쳐다보고 있었다. 폐의 공기가 몽땅 빠져나가는 듯했다.

'살인자가 아버지의 눈을 도려냈다!'

그녀의 세계가 뒤틀렸다. 콜러가 뭔가를 얘기하며 뒤에서 가까이 다가왔고, 랭던이 비토리아를 이끌었다. 마치 꿈속에 있는 듯 비토리아는 망막스캔을 들여다보는 자신을 발견했다. 기계가 소리를 냈다.

문이 미끄러지며 열렸다.

도려내진 아버지의 눈동자에 대한 공포가 아직 영혼에 남아 있었지만, 비토리아는 문 안쪽에서 기다리고 있을 또 하나의 공포를 예감했다. 그녀가 흐릿한 시선으로 방 안을 살폈을 때, 악몽의 다음 장은 이미 시작되었음이 분명해졌다. 그녀 앞의 충전기둥 위에는 아무것도 없었다.

트랩이 사라진 것이다. 살인자는 트랩을 훔치기 위해 아버지의 눈을 도려냈다. 암시가 너무 빨라, 그녀는 완전히 이해할 수가 없었다. 모든 것이 어긋났다. 반물질은 안전하고 실용적인 에너지원이라는 걸 증명하려던 표본을 도난당한 것이다.

'하지만 어느 누구도 이 표본의 존재를 알지 못해!'

그러나 진실을 부정할 수는 없었다. 누군가 알아낸 것이다. 비토리아는 그게 누구인지 상상할 수가 없었다. 사람들은 콜러가 CERN의 모든 것을 안다고 이야기했다. 하지만 콜러조차 그들의 프로젝트에 관해서는 전혀 몰랐다.

그녀의 아버지가 죽었다. 그의 천재성 때문에 살해된 것이다.

슬픔이 그녀의 가슴을 맹폭격하고, 새로운 감정이 그녀의 양심으로 밀고 들어왔다. 이 감정은 슬픔보다 훨씬 나빴다. 그녀를 깔아뭉개고 찌르는 감정. 그것은 죄책감이었다. 통제가 안 되는 무자비한 죄책감. 표본을 창조하자고 아버지를 설득한 사람은 비토리아 자신이었다. 아버지의 올바른 판단에 대항했던 것이다. 그 때문에 결국 아버지가 살해되었다.

'사분의 일 그램……'

불, 화약, 연소엔진, 다른 어느 기술처럼 반물질도 나쁜 자의 손에 있으면 치명적일 수밖에 없다. 매우 치명적인 무기다. 강력하고 누구도 막을 수 없는 무기. 일단 CERN의 충전기둥에서 제거된 이상, 반물질 트랩의 카운트다운은 냉혹하게 시작되었을 것이다. 폭주하는 기관차처럼.

그리고 시간이 다 되면……

눈을 멀게 하는 빛. 천둥의 포효. 자체 소멸. 그저 번쩍하는 순간이면 끝이다…… 그리고 남는 것은 빈 분화구. 아주 커다란 분화구 자국만 지상에 남을 것이다.

아버지의 천재성이 파괴의 용도로 사용된 장면이 비토리아의 혈관 속에 독약처럼 퍼져나갔다. 반물질은 테러리스트 최고의 무기라고 할 수 있었다. 반물질에는 금속 성분이 없으므로 아무 문제 없이 금속탐지기를 통과할 수 있다. 수색견이 추적할 수 있는 화학 냄새가 나는 것도 아니다. 설사 수사당국이 트랩의 위치를 확인한다 해도, 폭약처럼 해체할 수 있는 선이나 퓨즈가 있는 것도 아니다. 카운트다운은 시작되었다……

랭던은 어떻게 해야 할지 몰랐다. 그는 손수건을 꺼내, 바닥에 떨어진 레오나르도 베트라의 눈알을 덮었다. 비토리아는 이제 텅 빈 위험물질 보관실의 문가에 서 있었다. 그녀의 표정은 슬픔과 공포로 얼룩졌다. 랭던은 본능적으로 그녀에게 다가가려 했지만, 콜러가 끼어들었다.

"랭던 씨?"

콜러의 얼굴은 무표정했다. 그는 랭던에게 조용히 대화할 수 있는 곳으로 나가자고 몸짓했다. 랭던은 비토리아를 혼자 있게 내버려두고, 마지못해 콜러를 따라갔다. 속삭이는 어조로 콜러가 말했다.

"당신은 전문가요. 나는 이 빌어먹을 일루미나티 놈들이 반물질을 가지고 무엇을 할 작정인지 알고 싶군요."

랭던은 집중하려고 애썼다. 그를 둘러싼 주변의 미친 상황에도 불구하고 그의 첫 반응은 논리적이었다. 학문적인 거부감. 콜러는 여전히 일루미나티의 짓이라고 여겼지만 그것은 불가능했다.

"일루미나티는 사라졌습니다, 소장님. 그것은 제가 보장합니다. 이 범죄는 다른 사람의 소행일 수도 있습니다. 어쩌면 CERN의 누군가가 베트라 박사의 새 발견을 알아냈고, 이 프로젝트를 진행하는 것이 너무 위험하다고 생각했을지도 모르죠."

콜러는 얻어맞은 표정을 지어 보였다.

"랭던 씨, 당신은 이게 도의적인 범죄라고 생각합니까? 말도 안 되오. 레오나르도를 죽인 사람이 누구든 간에, 그자가 원한 것은 한 가지요. 반물질 표본. 그리고 살인자가 그것에 대한 계획을 가지고 있다는 것은 의심할 여지가 없어요."

"테러리즘을 의미하는 겁니까?"

"드러난 바로는 그렇소."

"하지만 일루미나티는 테러리스트가 아닙니다."

"그 점을 레오나르도 베트라 박사에게 말해보시오."

랭던은 콜러의 말 속에 든 날카로운 진실을 알아차렸다. 레오나르도 베트라는 일루미나티의 상징이 가슴에 찍히는 고문을 당하고 살해되었다. 그 상징은 어디에서 온 것일까? 누군가 자신의 흔적을 감추고, 의심의 눈초리를 다른 곳으로 돌리려는 속임수로 신성한 낙인을 이용한다는 것은 믿기 어려웠다. 다른 설명이 필요하다.

랭던은 납득하기 힘든 콜러의 가정에 대해 다시 생각을 가다듬었다. '만일 일루미나티가 아직 활동중이고 그들이 반물질을 훔쳐갔다면, 그 의도는 무엇일까? 그들이 목표로 하는 대상은 어디일까?'

즉시 뇌리에 답이 떠올랐다. 하지만 그 생각을 재빨리 지워버렸다. 일루미나티가 공공연한 적을 가졌다는 건 사실이다. 하지만 그 적에 대한 광범위한 규모의 테러리스트 공격은 받아들이기 어려웠다. 그것은 전적으로 일루미나티의 성격과도 어울리지 않았다. 그렇다, 일루미나티도 사람들을 죽였다. 하지만 신중히 선택한 개개인이 목표였다. 어쨌거나 대량파괴는 지나친 생각이다. 랭던은 잠시 멈칫거리다가 다시 돌이켜보았다. 이 일에는 좀더 거대한 설명이 필요하다. 사라진 과학계의 궁극적인 성취인 반물질이 소멸을 목적으로……

랭던은 앞뒤가 맞지 않는 생각을 더 끌고 싶지 않았다. 그가 불쑥 말했다.

"테러리즘보다 논리적인 설명이 있을 겁니다."

콜러는 랭던을 응시하며 설명을 기다렸다.

랭던은 생각을 정리하려고 안간힘을 썼다. 일루미나티는 항상 금전적인 수단을 통해 거대한 힘을 휘둘러왔다. 그들은 은행을 통제했고, 금덩어리를 소유했다. 심지어 단일 보석으로는 지상에서 가장 가치 있는 보석을 소유하고 있다는 소문도 돌았다. '일루미나티의 다이아몬드'라는 완벽한 다이아몬드였다. 랭던이 입을 열었다.

"돈입니다. 반물질은 금전적 이득 때문에 도난당했을 수도 있습니다."

콜러는 회의적인 표정이었다.

"금전적인 이득? 누가 반물질 한 방울을 어디에다 판다는 말이오?"

랭던이 반박했다.

"표본을 말하는 것이 아닙니다. 기술이죠. 분명히 반물질에 관한 기술은 거액의 가치가 있습니다. 아마 누군가 분석하고 연구 개발하기 위해서 훔쳐갔을 겁니다."

"산업 스파이 활동을 말하는 거요? 하지만 표본이 든 트랩은 스물네 시간의 여유만을 제공할 뿐이오. 훔쳐간 자들은 뭔가를 알아내기도 전에 트랩과 함께 날아가버릴 거요."

"폭발하기 전에 충전할 수도 있겠지요. 범인들은 여기 CERN에 있는 것과 비슷한 호환용 충전기둥을 만들었을지 모릅니다."

콜러가 반박했다.

"스물네 시간 안에? 범인이 설계도를 훔쳤다 해도, 기술자가 저런 충전기를 만드는 데는 수개월이 걸릴 거요. 몇 시간이 아니라!"

"소장님 말씀이 옳아요."

비토리아의 목소리는 부서질 듯이 가늘었다.

두 남자가 동시에 돌아봤다. 비토리아가 그들에게 다가왔다. 그녀의 걸음걸이는 목소리만큼이나 위태로웠다.

"소장님 말씀이 옳아요. 누구도 충전기를 분해해서 제시간에 모방할 수 없어요. 인터페이스 하나만 해도 수주가 걸리죠. 유출여과기, 서보 코일, 파워조절 합금, 이 모든 것들은 현장의 특수한 에너지 등급에 맞춰서 조정해야 해요."

랭던은 눈살을 찌푸렸다. 비토리아의 요점은 알아들었다. 반물질이 담긴 트랩은 간단히 소켓에 꽂는 것으로 충전되는 물건이 아니라는 뜻이다. 일단 CERN에서 옮겨졌다면, 트랩은 소멸로 향하는 24시간의 편도 여행을 시작한 것이다.

유일하게 남은 결론은 매우 심란했다.

"인터폴에 알려야 해요. 경찰이든 어디든 적절한 기관에 전화해야 겠어요. 지금 당장."

비토리아가 주장했다. 그녀에게조차 자신의 목소리가 아득하게 느껴졌다.

콜러가 머리를 저었다.

"절대 안 되네."

그 말은 비토리아를 흔들고도 남았다.

"안 된다고요? 무슨 뜻이죠?"

"자네와 레오나르도 박사는 나를 아주 어려운 지경에 빠뜨렸어."

"소장님, 우리는 도움이 필요해요. 누군가 다치기 전에 트랩을 찾아서, 여기로 다시 가져와야 한다고요. 우리에게는 책임이 있어요!"

딱딱한 목소리로 콜러가 말했다.

"우리에게는 고민할 책임이 있네. 이 상황은 CERN에 매우, 매우 심각한 반향을 몰고 올 거야."

"소장님은 지금 CERN의 명성을 걱정하고 계세요? 그 트랩이 도시로 가면 무슨 일이 벌어질지 아시잖아요? 반경 팔백 미터는 날려버릴 거예요! 도시의 아홉 개 블록 정도는 거뜬히!"

"표본을 만들기 전에, 자네와 레오나르도 박사는 그 점을 고려하지 않았겠지."

비토리아는 칼에 찔린 듯한 기분이었다.

"하지만…… 아버지와 저는 모든 주의를 기울였어요."

"분명히 충분하지 않았네."

"하지만 어느 누구도 반물질에 대해서는 몰랐다고요."

물론 이제는 근거 없는 주장이 되어버렸다는 것을 비토리아는 깨달았다. 누군가는 알았다. 그리고 찾아낸 것이다.

비토리아는 누구에게도 말하지 않았다. 그렇다면 남은 설명은 두 가지다. 그녀에게는 말없이, 아버지가 누군가에게 발설했을지도 모른다는 것. 하지만 이 가정은 이치에 안 맞았다. 비밀을 지키자고 다짐한 사람은 정작 그녀의 아버지였기 때문이다. 다른 또 하나의 설명은 그녀와 아버지가 감시당했다는 것. 어쩌면 휴대전화? 비토리아는 자신이 여행을 가 있는 동안, 아버지와 몇 번 전화 통화한 기억이 났다. 두 사람이 너무 많은 것을 얘기했을까? 가능한 일이다. 그리고 부녀 간의 전자우편도 있었다. 하지만 두 사람은 신중했다, 안 그랬던가? CERN의 보안 시스템은? 모르는 사이 두 사람은 감시당했던 것일까? 비토리아는 이제 그것은 더 이상 문제가 아님을 깨달았다. 이미 물은 엎질러졌다.

'아버지가 살해당했다.'

그 생각이 비토리아로 하여금 행동을 취하게 만들었다. 그녀는 반바지 주머니에서 휴대전화기를 꺼내들었다.

심하게 기침을 하면서 콜러가 급히 비토리아에게 다가갔다. 그의 눈은 분노로 번쩍였다.

"누구에게…… 전화하려는 건가?"

"CERN의 전화교환원이요. 인터폴과 연결해줄 거예요."

"생각을 좀 하라고!"

비토리아 앞에서 휠체어가 급정거를 하느라 쇳소리가 났다. 콜러는 목이 멘 소리로 말했다.

"자네는 정말 그렇게 순진한가? 지금쯤 그 트랩은 세계 어디에든 있을 수 있어. 지구상의 어떤 정보기관도 그걸 찾으려고 제때에 동원되지 못할걸세."

"그럼 우리는 아무것도 하지 말자는 말씀이세요?"

비토리아는 이렇게 허약한 건강을 가진 남자에게 대드는 것에 양심의 가책을 느꼈다. 하지만 소장은 정상적인 궤도에서 이탈해 있었고, 더 이상 그를 파악할 수도 없었다.

콜러가 당부했다.

"현명하게 행동해야 돼. 어쨌든 도움도 안 될 수사당국을 끌어들여, CERN의 명성을 추락시킬 위험을 감수할 수는 없네. 아직은 아니야. 생각 없이 움직여서는 안 되지."

비토리아는 콜러의 주장에 나름대로 논리가 있음을 인정했다. 하지만 그 논리에는 도덕적 책임이 결여되었다는 것도 알고 있었다. 그녀의 아버지는 도덕적 책임을 위해 일생을 살아왔다. 사려 깊은 과학, 책임, 인간에게 내재된 선에 대한 믿음. 비토리아 역시 그런 것을 믿었다. 하지만 그녀는 인과응보라는 관점에서 그것들을 보았다. 콜러에게 돌아서면서 비토리아는 휴대전화기를 열었다.

"그만두게."

콜러가 말했다.

"저를 막아보시죠."

콜러는 움직이지 않았다.

잠시 후에 비토리아는 콜러가 자신을 막지 않은 이유를 깨달았다. 지하 깊은 곳에서 그녀의 휴대전화기는 먹통이었던 것이다.

약이 오를 대로 오른 그녀는 엘리베이터로 향했다.

26

암살자는 돌로 만들어진 터널 끝에 서 있었다. 그가 들고 있는 횃불
은 아직 환하게 타올랐다. 횃불에서 피어오른 연기가 터널 안의 탁한
공기, 이끼 냄새와 섞였다. 길을 가로막은 철문은 터널만큼이나 오래
되고 녹슬었지만 여전히 굳건했다. 암살자는 믿음을 가지고 어둠 속
에서 기다렸다.

시간이 다 되었다.

야누스는 문 안쪽에서 누군가 문을 열어줄 것이라고 약속했다. 암
살자는 이 배반의 행위에 경악을 금치 못했다. 임무를 수행하기 위해
서라면 그는 이 문에서 밤새도록이라도 기다렸을 것이다. 하지만 그
럴 필요가 없을 것 같다는 예감이 들었다. 그는 굳은 결심을 한, 단호
한 사람들을 위해 일하는 것이다.

몇 분 후, 정확히 약속 시간에 문 건너편에서 무거운 열쇠꾸러미가
찰랑거리는 소리가 났다. 자물쇠가 풀리면서 금속이 금속을 긁는 소
리였다. 한 번에 하나씩 거대한 자물쇠 세 개가 열리고 있었다. 자물
쇠는 수백 년 동안 사용을 안 했는지 귀에 거슬리는 소리를 냈다. 마
침내 세 개 모두 풀렸다.

그 뒤 정적만이 남았다.

암살자는 지시받은 대로, 정확히 5분 간을 끈기 있게 기다렸다. 그 후 피에 전류가 흐르는 느낌으로 돌진했다. 거대한 문이 활짝 열렸다.

27

"비토리아, 난 허락할 수 없네!"

위험물질 보관실의 엘리베이터가 위로 향할 때, 콜러의 호흡은 점점 고통스러워지고 거칠어졌다.

비토리아는 콜러의 말을 못 들은 척했다. 그녀는 안식처를 갈구했다. 집처럼 여겨지던 실험실이 이제는 친숙한 장소가 아니다. 그럴 수 없다는 것을 그녀도 알고 있다. 지금 당장은 고통을 삼키고 행동을 취할 때다.

'전화를 걸어야 해.'

로버트 랭던은 평소처럼 말없이 비토리아 옆에 있었다. 비토리아는 이 남자가 누구인지 궁금해하던 것을 포기했다.

'전문가?'

콜러가 이렇게 모호한 답변을 한 적이 있었나?

'랭던 씨는 자네 아버지의 살인자를 찾는 일을 도와줄 거야.'

그러나 랭던은 전혀 도움이 안 되었다. 그의 온정과 친절은 진실해 보였지만, 분명히 뭔가를 숨기고 있었다. 두 남자 모두 그랬다.

콜러가 다시 비토리아를 말렸다.

"CERN의 소장으로서 나는 과학의 미래를 책임지고 있네. 만일 자네가 이 일을 국제적 사건으로 확대시키고, CERN이 겪을 혼란을……."

"과학의 미래?"

비토리아가 콜러에게 돌아섰다.

"소장님은 반물질이 CERN에서 나왔다는 것을 인정하지 않고, 정말 책임을 회피하실 작정이세요? 우리가 위험에 빠뜨린 사람들의 생명을 무시하실 거냐고요?"

콜러가 되받았다.

"우리가 아니라 자네지. 자네와 자네 아버지."

비토리아는 멍한 표정이 되었다.

콜러가 말을 이었다.

"반물질은 생명을 위험에 빠뜨리지. 하지만 반물질이 공헌하고자 하는 것도 인간의 생명일세. 비토리아, 반물질 기술이 지구의 삶에 얼마나 많은 것을 시사하는지 자네도 잘 알 거야. 만일 CERN이 파산하거나 스캔들로 무너진다면 우리 모두가 패배하는걸세. 인간의 미래는 내일의 문제를 풀기 위해 일하는 CERN과 자네, 그리고 레오나르도 박사와 같은 과학자들의 손에 달려있어."

비토리아는 예전에 '신(神)으로서의 과학'이라는 콜러의 강의를 들었다. 하지만 그다지 새겨듣지는 않았다. 과학은 과학이 해결하고자 노력하는 문제의 절반 정도는 스스로 자초한 것이기 때문이다. '진보'는 어머니인 지구에게 궁극적인 해악일 수도 있었다.

콜러가 주장했다.

"과학의 발달은 위험을 수반하게 마련일세. 또 항상 그래왔고. 우주 프로그램, 유전학 연구, 의약. 과학은 어떤 비용을 감수해서라도 실책을 딛고 살아남아야 해. 모두의 안녕을 위해서."

비토리아는 과학을 떼놓고 도덕적인 문제의 무게를 재는 콜러의 능력에 감탄했다. 콜러의 지성은 그의 영혼에서 차갑게 분리된 산물 같았다.

"소장님은 CERN이 지구의 미래에 너무 중요해서, 우리가 도덕적인 책임을 면제받을 수 있다고 생각하시는 거예요?"

"도덕을 가지고 나와 논쟁하려들지 말게. 자네가 그 표본을 만들었을 때, 자네는 이미 선을 넘었네. 그리고 연구소 전체를 위험에 빠뜨렸어. 나는 여기에서 일하는 삼천 명의 과학자들의 일자리를 보호하려는 것뿐만 아니라, 자네 아버지의 명성을 구하려고 노력하는 것일세. 자네 아버지 같은 사람이 대량 살상무기 창조자의 이름으로 기억되는 것은 부당하기 때문이야."

비토리아는 콜러가 자신의 정곡을 찔렀다는 것을 알았다.

'그 표본을 만들자고 아버지를 설득한 사람은 나였다. 이건 모두 내 잘못이야!'

엘리베이터 문이 위층 실험실에서 열렸을 때, 콜러는 여전히 말하는 중이었다. 비토리아는 문 밖으로 나와 휴대전화기를 꺼내들고 다시 통화를 시도했다.

여전히 신호음이 들리지 않았다.

'빌어먹을!'

비토리아는 문으로 향했다.

"비토리아, 멈추게."

속력을 내서 비토리아를 쫓아가는 콜러는 이제 천식에 걸린 소리를 냈다.

"진정하라고. 우리는 얘기를 좀 해야 하네."

"얘기는 충분히 했어요!"

콜러가 다그쳤다.

"아버지를 생각해보라고. 레오나르도 박사라면 이 상황에서 어떻게 행동할 것 같은가?"

비토리아는 계속 걸어갔다.

"비토리아, 사실 자네에게 솔직하지 못했네."

비토리아는 자기도 모르게 걸음이 느려졌다.

콜러가 말했다.

"내가 무엇을 생각하는지 나도 모르겠네. 난 그저 자네를 보호하고 싶을 뿐이야. 자네가 뭘 원하는지 말해보게나. 우리는 문제를 함께 해결해야 돼."

비토리아는 실험실을 절반쯤 가로질러가서야 걸음을 멈췄다. 하지만 돌아보지는 않았다.

"저는 반물질을 되찾고 싶어요. 그리고 누가 아버지를 죽였는지 알고 싶고요."

말을 마친 후 답변을 기다렸다.

콜러가 한숨을 쉬었다.

"비토리아, 우리는 누가 자네 아버지를 죽였는지 이미 알고 있어. 미안하네."

그제야 비토리아가 돌아섰다.

"소장님, 뭐라고요?"

"자네에게 어떻게 말해야 할지 난감했네. 너무 어려운······"

"누가 아버지를 죽였는지 알고 계신다고요?"

"그렇다네. 우리에게는 아주 좋은 생각이 있어. 살인자가 뚜렷한 흔적을 남기고 갔거든. 그게 내가 랭던 씨를 부른 이유일세. 살인자가 속한 집단은 랭던 씨의 전문 분야이기 때문이야."

"집단? 테러리스트 집단인가요?"

"비토리아, 그들은 사분의 일 그램의 반물질을 훔쳐갔네."

비토리아는 방 건너편에 서 있는 로버트 랭던을 쳐다봤다. 모든 것이 이제야 맞아떨어졌다.

'숨긴 비밀의 일부가 이렇게 설명되는군.'

비토리아는 미처 생각을 못했다는 게 놀라웠다. 결국 콜러는 수사당국에 연락을 취한 것이다. 관계기관. 이제 모든 것이 분명해졌다. 로버트 랭던은 미국인이다. 말쑥하고 보수적인 외모에 매우 날카로운 사람 같았다. 이런 사람이 누구겠는가? 비토리아는 처음부터 추측했어야 했다. 랭던 쪽을 향해 선 비토리아는 새로운 희망이 싹틈을 느꼈다.

"랭던 씨, 누가 아버지를 죽였는지 알고 싶습니다. 그리고 당신네 정보부가 반물질을 찾아낼 수 있는지도 알고 싶어요."

랭던은 어리둥절한 표정을 지었다.

"우리 정보부?"

"당신은 미국 정보부 사람 아닌가요? 제 말이 맞죠?"

"사실은…… 아닐세."

콜러가 끼어들었다.

"랭던 씨는 하버드 대학교 예술사 분야의 교수일세."

비토리아는 얼음물을 뒤집어쓴 듯했다.

"미술 선생?"

콜러가 한숨을 쉬었다.

"랭던 씨는 우상 기호학의 전문가일세. 비토리아, 우리는 자네 아버지가 악마 숭배 집단에게 살해된 거라고 믿고 있네."

비토리아는 콜러의 말을 분명히 듣기는 했지만 이해할 수 없었다.

'악마 숭배.'

"자기들 짓이라고 주장한 집단은 자기 자신을 '일루미나티'라고 부른다네."

비토리아는 콜러를 쳐다보았다가 다시 랭던을 쳐다보았다. 이게 무슨 심술궂은 농담인지 궁금해하면서 말이다.

"〈바이에른의 일루미나티 : 신세계 질서〉. 스티브 잭슨의 컴퓨터 게임. 여기 연구소의 연구원들 절반 가량도 인터넷에서 그 게임을 즐기고 있어요. 하지만 저는 이해를 못하겠군요……"

비토리아의 목소리가 갈라졌다.

콜러가 난감한 얼굴로 랭던을 쏘아보았다.

랭던은 고개를 끄덕이며 말했다.

"인기 있는 게임입니다. 고대 조직이 세상을 접수한다. 절반 정도는 역사와 들어맞지만 나머지는 허구죠. 그 게임이 유럽에도 있는 줄은 몰랐습니다."

비토리아는 당황했다.

"무슨 얘기를 하시는 거죠? 일루미나티? 그건 컴퓨터 게임이에요!"

콜러가 말했다.

"비토리아, 일루미나티는 레오나르도 박사를 살해한 게 자기들이라고 주장하는 집단일세."

비토리아는 눈물이 솟구치는 것을 막기 위해 모든 용기를 그러모았다. 눈물을 참아내며, 현재의 상황을 논리적으로 평가해보자고 자기에게 강요했다. 하지만 마음을 집중하면 할수록 점점 이해가 안 되었다. 아버지가 살해되었다. CERN의 보안 체계에 커다란 구멍이 뚫렸다. 그녀의 책임인 폭탄은 어딘가에서 카운트다운을 하고 있을 것이다. 그리고 콜러 소장은 악마주의자들의 집단이라는 가공의 조직을 찾는 일에 조력자로서 미술 선생을 지명했다.

비토리아는 갑자기 허탈해졌다. 돌아서서 가려고 했지만 콜러가 그녀의 길을 막았다. 콜러는 뭔가를 찾아 주머니에 손을 넣었다. 그리고 구겨진 팩스 종이 한 장을 꺼내, 비토리아에게 내밀었다.

비토리아의 시선이 팩스에 담긴 모습을 본 순간, 공포에 몸을 떨었다.

콜러가 내뱉었다.

"그들이 낙인을 찍었네. 박사의 가슴에다 빌어먹을 낙인을 찍었단 말이야."

28

비서인 실비 바우델로크는 공황상태에 빠졌다. 그녀는 소장의 빈 사무실 문 밖에서 천천히 왔다 갔다 했다.

'대체 소장님은 어디 계신 거야? 어떻게 하지?'

이상한 하루였다. 물론 막시밀리안 콜러와 함께 일하는 날치고, 어느 하루도 이상하지 않은 날은 없었다. 하지만 콜러가 오늘같이 행동하는 이런 날은 드물었다.

"레오나르도 베트라 박사를 내게 데려오게!"

오늘 아침에 실비가 사무실에 도착하자 콜러는 이렇게 지시했다.

의무적으로 실비는 레오나르도 베트라의 무선호출기로 호출을 하고, 전화를 걸고, 전자우편을 보냈다.

아무런 응답도 없었다.

그러자 콜러는 몸소 베트라를 찾으러 바람처럼 사무실을 나섰다. 몇 시간 후에 휠체어를 굴리며 돌아왔을 때, 콜러는 불안정한 표정이었다…… 평소에도 그는 편안해 보이지 않았지만, 오늘 아침에는 더 나빠 보였다. 사무실에 틀어박힌 채 모뎀과 팩시밀리, 전화를 사용하는 소리가 들렸다. 콜러는 다시 사무실 밖으로 나갔는데, 그후 돌아오지 않았다.

실비는 이게 콜러 식의 또 다른 희곡이라고 생각하고, 그의 행동을 무시하려고 작정했다. 하지만 매일 맞는 주사시간에 맞춰 콜러가 돌아오지 않자, 슬슬 걱정이 되기 시작했다. 소장의 건강은 규칙적인 조치가 필요했다. 콜러가 자신의 건강을 운에 맡겼을 때, 결과는 늘 위험했다. 호흡 쇼크, 기침 발작이 이어졌다. 그때마다 의무실 직원들이 미친 듯이 달려왔다. 실비는 때때로 막시밀리안 콜러가 죽음을 원한다는 인상마저 받았다.

실비는 투약 시간을 알려주려고 콜러에게 무선호출을 보낼까도 궁리했다. 하지만 콜러의 자존심이 동정심은 용납하지 않는 것 또한 알고 있었다. 지난주에 콜러를 방문한 어떤 과학자는 그에게 안됐다는 동정심을 보였다가, 머리에 클립보드를 맞는 수모를 겪기도 했다. 격분한 콜러가 발끝을 딛고 일어서서 남자의 머리에 클립보드를 던져버린 것이다. CERN의 왕인 콜러는 화가 나면 놀랍도록 민첩해졌다.

하지만 이 순간, 소장의 건강을 염려하는 것은 뒷전이었다…… 훨씬 골치 아픈 문제가 그녀를 짓눌렀다. 5분 전에 CERN의 전화교환대에서 전화가 걸려와, 다급한 목소리로 소장을 찾는 긴급전화가 있다고 했다.

실비가 말했다.

"소장님은 지금 안 계시는데요."

그러자 CERN 전화교환원은 누가 전화를 걸었는지 실비에게 말했다.

실비는 거의 크게 웃고 말았다.

"지금 농담이죠, 그렇죠?"

귀를 기울이던 실비의 얼굴이 설마, 하는 불신으로 흐려졌다.

"그럼 전화를 건 사람의 신분이……"

실비는 눈살을 찌푸렸다.

"알겠어요. 좋아요. 무슨 용건인지 물어보……"

실비는 한숨을 내쉬었다.

"아니오. 됐습니다. 끊지 말고 기다려달라고 얘기해주세요. 지금 즉시 소장님을 찾아오겠어요. 네, 알겠습니다. 서두를게요."

하지만 실비는 소장을 못 찾았다. 세 번이나 콜러의 휴대전화기에 전화를 걸었지만, 매번 같은 메시지만 들려왔다.

"지금 전화를 거신 분의 고객은 전화를 받을 수 없는 지역에 있습니다."

'전화를 받을 수 없는 지역에 있다고? 그 몸으로 얼마나 멀리까지 간 거지?'

이번에는 실비는 콜러의 무선호출기로 연락을 시도했다. 두 번이나. 하지만 응답이 없었다. 전혀 콜러답지 않았다. 심지어 그녀는 콜러의 무선컴퓨터에 전자우편까지 보냈다. 역시 아무런 응답이 없었다. 소장은 마치 지구에서 사라져버린 것 같았다.

'그럼 이제 어떻게 하나?'

실비는 걱정했다.

CERN의 전 구역을 혼자서 찾는다는 것은 어림도 없다. 소장의 주의를 끌 수 있는 유일한 방법은 하나밖에 없다. 콜러는 그 방법을 좋아하지 않을 것이다. 하지만 소장과 통화를 기다리는 남자는 마냥 계속 기다리게 놔둘 수 있는 존재가 아니다. 그리고 소장이 지금 전화를 받을 수 없다는 대답을 들을 기분도 아닌 것 같다.

자신의 대담함에 놀라면서 실비는 결정을 내렸다. 그녀는 콜러의 사무실로 들어가, 책상 뒷벽에 있는 금속상자로 다가갔다. 그리고 상자의 뚜껑을 열고, 여러 버튼을 응시하다 원하는 버튼을 찾아냈다.

그런 다음 실비는 깊이 숨을 들이쉬고, 마이크를 잡았다.

29

지상으로 향하는 엘리베이터를 어떻게 탔는지 비토리아는 기억이 나지 않았다. 하지만 그들은 안에 있었다. 엘리베이터는 올라가는 중이었다. 콜러는 비토리아 뒤에 있었다. 그의 호흡소리가 고통스러워 보였다. 랭던의 걱정스런 시선이 유령처럼 비토리아를 훑고 지나갔다. 랭던은 팩스 종이를 비토리아의 손에서 빼내, 그녀의 시선이 미치지 않는 자기 재킷 주머니 속으로 집어넣었다. 하지만 이미지는 그녀의 기억 속에서 아직도 활활 타올랐다.

엘리베이터가 올라가는 동안, 비토리아의 세계는 암흑으로 휘말렸다.

'아빠!'

마음속에서 비토리아는 레오나르도 베트라에게 다가갔다. 단지 잠깐이었지만, 추억의 오아시스에서 비토리아는 그와 함께 있었다. 그녀는 아홉 살이었고, 에델바이스가 가득한 언덕을 구르고 있었다. 머리 위에서는 스위스의 하늘이 빙글빙글 돌았다.

"아빠! 아빠!"

레오나르도 베트라는 그녀 곁에서 환하게 웃고 있었다.

"무슨 일이니, 우리 천사?"

그에게 얼굴을 들이밀며 비토리아는 키득거렸다.

"아빠! 뭐가 문제(matter)냐고 제게 물어보세요!"

"하지만 너는 행복해 보이는걸. 우리 공주님. 뭐가 문제냐고 왜 아빠가 물어야 하지?"

"그냥 물어보세요."

베트라 박사는 어깨를 으쓱했다.

"뭐가 문제니?"

그녀는 웃기 시작했다.

"뭐가 문제(matter)냐고요? 문제(matter)는 모든 것이 물질(matter)이라는 거예요! 바위도! 나무도! 원자도! 심지어 개미핥기도! 모든 게 다 물질이에요!"

베트라 박사도 웃었다.

"그걸 이해했구나?"

"저 똑똑하죠, 네?"

"우리 작은 아인슈타인."

그녀가 얼굴을 찡그렸다.

"아인슈타인은 머리 모양이 우스꽝스럽잖아요. 사진을 봤어요."

"하지만 아인슈타인은 똑똑한 두뇌를 가졌단다. 그가 무엇을 증명했는지 너한테 알려주었지, 그렇지?"

그녀의 눈이 두려움으로 커졌다.

"아빠! 안 돼요! 약속했잖아요!"

"E=MC²! E=MC²!"

베트라 박사는 장난을 치며 비토리아를 놀렸다.

"수학은 안 돼요! 말했잖아요! 나는 수학이 싫어요!"

"네가 수학을 싫어해서 다행이로구나. 여자아이는 수학을 공부하면 안 되니까."

비토리아는 갑자기 동작을 멈췄다.

"여자아이는 안 돼요?"

"물론 안 되지. 모두가 알고 있단다. 여자아이는 인형을 가지고 놀고, 남자아이는 수학을 가지고 놀지. 여자아이를 위한 수학은 없단다. 아빠가 수학에 관해서 어린 소녀들에게 말하는 것조차 허용되지 않아."

"뭐예요! 그건 공평하지 않잖아요!"

"규칙은 규칙이지. 어린 소녀를 위한 수학은 절대로 없단다."

비토리아의 얼굴이 분노에 질렸다.

"하지만 인형놀이는 지루해요!"

그녀의 아버지가 말했다.

"미안하구나. 네게 수학을 가르쳐줄 수는 있단다. 하지만 그러다 걸리기라도 하면……"

한적한 언덕을 둘러보며 레오나르도 베트라는 겁먹은 표정을 지었다.

비토리아는 그의 시선대로 따라 움직였다. 그리고 가만히 속삭였다.

"괜찮아요. 나한테만 조용히 가르쳐주세요."

엘리베이터의 움직임이 그녀를 깜짝 놀라게 했다. 비토리아는 눈을 떴다. 그러자 아버지가 사라졌다.

싸늘한 냉기가 현실을 일깨웠다. 비토리아는 랭던을 쳐다봤다. 콜러의 싸늘한 분위기 속에서 랭던의 시선에 담긴 순수한 염려는 수호천사의 온기처럼 느껴졌다.

비토리아에게는 이제 오직 하나의 생각만이 무자비하게 달려들었다.

'반물질은 어디에 있을까?'

이것에 대한 두려운 대답은 잠시 후에 알게 되었다.

30

"막시밀리안 콜러 소장님. 사무실로 즉시 연락해주시기 바랍니다."

엘리베이터 문이 열리고 일행이 중앙 홀로 나왔을 때, 환한 태양빛이 랭던의 눈동자로 밀려들었다. 인터콤 방송의 여운이 머리 위에서 가시기도 전에, 콜러의 휠체어에 달린 모든 전자장치가 동시에 삑삑대고 윙윙거렸다. 콜러의 호출기. 전화. 전자우편. 콜러는 당황한 표정으로 깜박이는 불빛들을 내려다보았다. 하지만 이내 평정을 되찾고, 아무렇지도 않은 표정으로 돌아왔다.

"콜러 소장님, 사무실로 연락주시기 바랍니다."

확성기에서 자기 이름이 들리자 콜러는 놀란 눈치였다.

그는 화난 표정으로 인터콤을 올려다보다가, 걱정스런 표정으로 변했다. 랭던과 콜러의 시선이 마주치고, 다시 비토리아의 눈과 마주쳤다. 그들 사이의 모든 긴장이 같은 예감으로 통한 듯, 세 사람은 일순간 움직이지 않고 그대로 정지했다.

콜러가 팔걸이에서 휴대전화기를 꺼냈다. 다이얼을 누르고, 다시 터져나오려는 기침을 간신히 억눌렀다. 비토리아와 랭던은 기다렸다.

"여기는…… 콜러 소장이오."

헐떡이며 콜러가 말했다.

"그래요? 나는 지하, 그러니까 통화 영역 밖에 있었소."

귀를 기울이는 콜러의 회색 눈동자가 점점 커졌다.

"누구? 그래, 연결해줘요."

잠시 침묵이 흘렀다.

"여보세요? 제가 CERN의 소장, 막시밀리안 콜러입니다. 누구십니까?"

콜러가 귀를 기울이는 동안 비토리아와 랭던은 조용히 지켜보았다.

끝내 콜러가 말했다.

"전화로 이런 얘기를 하는 것은 현명한 행동이 아닙니다. 즉시 제가 그리로 가겠습니다."

콜러가 다시 기침을 했다.

"레오나르도 다 빈치 공항에서…… 만나지요. 사십 분 후에."

콜러는 이제 숨조차 쉬기 힘들어 보였다. 발작과 같은 기침을 쏟아내고, 겨우 말을 짜냈다.

"트랩을 즉시 찾아내시오…… 내가 가겠소."

그후 전화기를 껐다.

비토리아가 콜러 옆으로 달려갔지만, 콜러는 더 이상 말을 할 수가 없었다. 랭던은 비토리아가 그녀의 휴대전화기를 꺼내, CERN의 의무실을 호출하는 것을 지켜보았다. 랭던은 자기 자신이 폭풍의 가장자리에 접어든 한 척의 배 같았다…… 이리저리 흔들리다 혼자 떨어진 기분이었다.

'레오나르도 다 빈치 공항에서 만나지요.'

콜러의 말이 메아리쳤다.

오전 내내 불확실한 그림자가 랭던의 마음에 안개를 드리웠다. 그러다 어느 순간에 불안감은 확실한 모습으로 굳어졌다. 혼란의 소용돌이에 서 있는 동안, 랭던은 자기 내부의 문이 열린 느낌이었다……

뭔가 미지의 문지방을 막 넘어선 듯했다.

'앰비그램. 살해된 과학자이자 사제. 반물질. 그리고 이제…… 목표.'

레오나르도 다 빈치 공항은 단 하나만을 의미했다. 완전히 깨달았을 때 랭던은 자신이 막 강을 건넜다는 것을 알았다. 그는 이제 믿기로 정한 것이다.

'오 킬로톤. 거기에 빛이 있으라.'

하얀 가운을 입은 두 명의 의료진이 장비를 끌고, 중앙 홀을 질주하듯 달려왔다. 의료요원들은 콜러 옆에 무릎을 꿇고, 산소마스크를 그의 얼굴에 씌웠다. 홀에 있던 과학자들이 걸음을 멈추고 뒤로 비켜섰다.

콜러가 두 번 길게 숨을 들이쉬더니 마스크를 한쪽으로 치웠다. 그리고 여전히 산소마스크가 필요해 보이는 목소리로 비토리아와 랭던을 올려다보며 말했다.

"로마."

비토리아가 물었다.

"로마? 반물질이 로마에 있나요? 누가 전화한 거죠?"

콜러의 얼굴이 뒤틀리며 회색 눈에 눈물이 흘러내렸다.

"스위스……"

콜러가 다시 질식해 말을 잇지 못하자, 의료진이 그의 얼굴에 마스크를 씌웠다. 의료진이 소장을 데려갈 준비를 하는 동안, 콜러는 손을 뻗어 랭던의 팔을 붙잡았다.

랭던은 고개를 끄덕였다. 그는 예상하고 있었다.

마스크 아래에서 콜러가 헐떡이며 말했다.

"가시오…… 가서…… 내게 전화하시오……"

의료진이 콜러의 휠체어를 밀고 갔다.

비토리아는 콜러가 이동하는 것을 바라보며 바닥에 붙박인 사람처럼 서 있었다. 그녀가 랭던에게 돌아섰다.

"로마? 그리고…… 스위스는 무슨 얘기죠?"

랭던은 비토리아의 어깨에 손을 얹고, 간신히 들릴 만한 소리로 속삭였다.

"스위스 근위병. 바티칸 시국에 충성을 맹세한 근위병을 말하는 겁니다."

31

하늘로 치솟은 X-33 비행선이 로마를 향해 남쪽으로 호를 그리며 날았다. 비행기 객실 안에서 랭던은 침묵 속에 앉아 있었다. 지난 15분 간이 기억에서 흐릿했다. 이제 막 비토리아에게 일루미나티와 바티칸에 대항하는 그들의 맹세에 관해 짤막한 얘기를 해준 참이었다. 랭던은 지금 이 상황이 어떤 것인지 마음속에 감지되었다.

'내가 여기서 대체 뭘 하는 걸까? 기회가 있을 때 집으로 돌아갔어야 했어!'

랭던은 의아했다. 하지만 좌석에 깊이 눌러앉으며, 자신은 그 기회가 왔다 하더라도 결코 돌아가지 않았을 거라고 생각했다.

이성은 그에게 보스턴으로 돌아가라고 외쳤다. 하지만 학문적 호기심이 신중함을 눌렀다. 일루미나티가 사라졌다고 믿어온 모든 것이 갑자기 허황된 거짓처럼 보였다. 그는 내심 증거를 갈망했다. 확인이 필요했다. 또한 거기에는 양심의 문제도 걸려 있었다. 앓고 있는 콜러와 자신의 문제로 괴로워하는 비토리아. 만일 일루미나티에 대한 그의 지식이 어떤 식으로든 이들에게 도움이 된다면, 랭던은 지금 상황에서 도덕적인 의무감을 가져야 한다고 마음을 다잡았다.

하지만 이 상황에서 신경쓰이는 문제는 따로 있었다. 인정하기는 부끄러웠지만, 반물질이 바티칸에 있다고 들었을 때 그가 느낀 최초의 공포는 바티칸 시국에 있는 생명뿐만 아니라 다른 것도 위험하다는 것이었다.

'예술.'

세계에서 가장 큰 예술 소장품들이 지금 시한폭탄 위에 앉아 있는 꼴이다. 바티칸 박물관은 1,407개의 방에 값을 매길 수 없는 6만여 점 이상의 작품을 소장하고 있다. 미켈란젤로, 다 빈치, 베르니니, 보티첼리. 비상시 모든 예술품을 바티칸에서 대피시킬 수 있는지 궁금했다. 랭던은 불가능하다는 것을 알고 있다. 많은 작품이 무게가 몇 톤씩 나가는 조각품이다. 말할 것도 없이 가장 가치 있는 보물은 건축물 그 자체였다. 시스티나 소성당, 산 피에트로 대성당, 바티칸 박물관으로 이어지는 미켈란젤로의 유명한 나선형 계단. 이 모든 작품이 가치를 매길 수 없는 인간의 창조적인 천재성에 대한 증거품이다. 랭던은 트랩에 얼마의 시간이 남았는지 궁금했다.

"동행해줘서 고마워요."

차분한 목소리로 비토리아가 감사를 표했다.

랭던은 공상에서 깨어나 고개를 들었다. 비토리아는 통로 건너편에 앉아 있었다. 객실의 휑한 형광불빛 아래에서도 그녀의 침착한 분위기가 느껴졌다. 자석처럼 모든 것을 받아들이려는 분위기였다. 그녀의 호흡은 한결 깊어진 것 같았다. 마치 자기 보존이라는 감정의 불꽃과 정의와 복수를 위한 갈망이…… 아버지에 대한 사랑을 연료 삼아 그녀 내부에서 타오르는 듯했다.

비토리아는 짧은 반바지와 민소매 옷을 갈아입을 시간이 없었다. 기내의 차가운 공기 때문에 그녀의 황갈색 다리에는 소름이 돋았다. 본능적으로 랭던은 재킷을 벗어 비토리아에게 건넸다.

"미국식 기사도인가요?"

조용히 감사의 눈길을 보내며 비토리아가 재킷을 받았다.

비행기가 기류를 만나 이리저리 흔들리자, 랭던은 두려워졌다. 객실에 창문이 하나도 없어서 밀실에 갇힌 기분이었다. 그는 확 트인 공간에 있는 자신을 상상하려고 노력했지만, 그 상상은 모순이라는 것을 깨달았다. 옛날에 사고가 났을 때, 그는 트인 공간에 있었다.

'어둠을 깨부수기.'

랭던은 그 기억을 마음에서 몰아냈다.

'과거 이야기일 뿐이야.'

비토리아는 랭던을 지켜보았다.

"랭던 씨, 당신은 신을 믿나요?"

비토리아의 질문은 그를 놀라게 했다. 그녀의 목소리에 깔린 솔직함은 질문이라기보다는 상대방을 무장 해제시키는 것이다.

'내가 신을 믿었던가?'

비행기 여행을 잊기 위해서는 좀더 가벼운 대화 주제가 나을 터였다.

랭던은 생각했다.

'정신적인 수수께끼. 친구들은 나를 그렇게 부르지.'

수년 동안 종교를 연구했지만, 랭던 자신은 종교적인 인간이 아니었다. 그는 믿음의 힘, 교회의 자비로움, 종교가 많은 사람들에게 가져다준 힘을 존경했다…… 하지만 진심으로 '믿으려면' 어중간한 지성을 믿을 수 없고, 이 불신은 학문적 정신에 커다란 장애였다. 랭던은 이렇게 대답하는 자기 목소리를 들었다.

"믿고 싶습니다."

비토리아의 질문은 어떤 판단이나 도전도 없었다.

"그러면 왜 믿지 않으세요?"

랭던은 너털웃음을 흘렸다.

"글쎄요. 그게 그렇게 쉬운 일이 아닙니다. 믿음을 갖는다는 것은 믿음의 도약을 요구합니다. 순결한 개념과 신의 신성한 개입, 기적을 머리로 받아들여야 하죠. 그리고 믿음에는 행위의 규약이 있습니다. 성서, 코란, 불교의 경전…… 그들 모두 비슷한 요구사항과 비슷한 형벌이 있습니다. 경전은 특수한 규약대로 살지 않으면, 지옥에 가게 된다고 주장하죠. 저는 그런 식으로 지배하는 신을 상상할 수가 없을 뿐입니다."

"수업시간에 학생들이 당신 질문에 그렇게 뻔뻔하고 교묘하게 빠져나가지 않기를 바라겠어요."

랭던은 비토리아의 뜻을 이해하지 못했다.

"뭐라고요?"

"랭던 씨. 저는 신에 관해서 사람들이 말한 것을 당신이 믿는지에 대한 질문이 아니었어요. 당신이 신을 믿는지를 물은 거죠. 거기에는 차이가 있어요. 성서는 이야기죠…… 의미를 찾아 이해하려는 인간 자신의 욕구에 따른 전설이자 원정의 역사예요. 그 이야기에 대한 당신의 판단을 물은 것이 아니라고요. 당신이 신을 믿는지, 그걸 물은 겁니다. 별빛 아래에 누웠을 때 신성함을 느끼나요? 신의 손으로 이루어진 작품을 바라본다는 게 느껴지나요?"

랭던은 비토리아의 말을 오랫동안 생각했다.

"제가 꼬치꼬치 캐물었군요."

비토리아가 사과했다.

"아니오. 나는 그저……"

"분명 랭던 씨는 수업시간에 믿음을 주제로 토론하겠죠."

"끝이 없죠."

"그럼 당신은 악마의 옹호자 편에서도 토론하시겠군요. 토론에 기름을 붓기 위해서."

랭던은 미소를 지으며 답했다.

"당신도 선생임이 분명합니다."

"아뇨. 난 스승에게서 배웠어요. 제 아버지는 뫼비우스 띠의 양쪽

면에서 토론하실 줄 알았죠."

〈뫼비우스의 띠〉라는 예술 공예품을 떠올리며 랭던은 웃었다. 기술적으로 오직 한 면만 있는 뒤틀린 종이 고리가 뫼비우스의 띠다. 랭던은 이 뫼비우스의 띠를 M.C. 에셔의 작품에서 처음 보았다.

"베트라 양, 한 가지 물어봐도 되겠습니까?"

"비토리아라고 부르세요. 베트라 양이라고 부르면 나이가 든 것 같거든요."

갑자기 자기 나이를 의식하면서 랭던은 속으로 한숨을 쉬었다.

"비토리아, 내 이름은 로버트입니다."

"질문이 있다고 했죠?"

"그래요. 과학자이자 가톨릭 사제의 딸로서 당신은 종교를 어떻게 생각합니까?"

눈가에 흘러내린 머리카락을 쓸어올리며 비토리아는 잠시 침묵을 지켰다.

"종교는 언어나 옷과 같아요. 자신이 자란 곳의 습관에 자연히 이끌리지요. 하지만 결국 같은 것을 주장한답니다. 삶은 의미가 있다는 것. 우리를 창조한 힘에 감사한다는 것."

랭던은 자극받았다.

"그러면 당신은 기독교인이건 이슬람교도건 간에 단순히 어디에서 자랐느냐에 달려있다는 겁니까?"

"분명하지 않나요? 지구상에 분포한 종교의 확산을 보세요."

"그럼 믿음은 무작위적이다?"

"그렇다고 볼 수는 없죠. 믿음은 보편적인 거예요. 믿음을 이해하는 우리의 방법이 임의적인 거죠. 우리 중 일부는 예수에게 기도하고, 또 일부는 메카로 가요. 일부는 원자의 입자를 연구하기도 하고요. 결국 우리 모두는 그저 자신보다 위대한 진실을 찾는 중인 거죠."

랭던은 자기 학생들도 자신의 의사를 이렇게 분명하게 표현할 수 있기를 바랐다. 제기랄, 자기 또한 이렇게 명확하게 자기 자신을 표현할 수 있었으면 좋겠다. 랭던이 물었다.

"그러면 신을? 당신은 신을 믿습니까?"

비토리아는 오랫동안 침묵했다.

"과학은 제게 신은 반드시 존재한다는 것을 말해주죠. 그러나 지성은 내가 결코 신을 이해하지 못할 거라고 말하고요. 그리고 제 가슴은 신을 이해하고 싶지 않다고 하지요."

'참으로 간명한 요점 정리군.'

랭던은 감탄했다.

"그럼 당신은, 신은 사실이라고 믿지만, 우리는 그를 결코 이해하지 못할 거라는 뜻이군요."

"그녀를."

웃으면서 비토리아가 말했다.

"본래 미국 사람인 당신네 아메리칸 인디언이 말은 제대로 했죠."

랭던은 너털웃음을 흘렸다.

"어머니인 지구 말이군요."

"가이아. 행성은 유기체이다. 우리 모두는 다른 목적을 가진 세포들이다. 하지만 우리는 다른 세포들과 함께 엮여 있다. 서로 도우며 전체를 위해 봉사하는 것이다."

비토리아를 바라보며 랭던의 내부에서는 오랫동안 느끼지 못했던 뭔가가 솟구쳤다. 그녀의 눈동자에는 사람을 황홀하게 만드는 투명함이…… 목소리에는 순수함이 묻어났다. 랭던은 비토리아에게 끌리는 자신을 느꼈다.

"랭던 씨, 질문을 하나 더 할게요."

"로버트요."

랭던이 말했다.

'랭던 씨는 나이 든 기분을 느끼게 한단 말이오. 그런데 나는 정말

나이가 들었어!'

"로버트, 제 물음에 답하는 것이 괜찮다면 대답해주세요. 당신은 어떻게 일루미나티를 알게 되었죠?"

랭던은 회상했다.

"사실 그건 돈 때문이었습니다."

비토리아가 실망한 표정을 지었다.

"돈이요? 컨설팅의 대가를 말씀하시는 건가요?"

자기 대답이 어떻게 들렸을지 깨닫고 랭던은 웃었다.

"아닙니다. 화폐 단위인 돈 말입니다."

랭던은 바지주머니에 손을 넣어, 약간의 돈을 꺼냈다. 그리고 거기에서 1달러짜리 지폐를 골랐다.

"미국 화폐가 일루미나티의 상징으로 덮여 있음을 처음 알게 되었을 때, 그 조직에 매력을 느꼈습니다."

랭던의 얘기를 진지하게 받아들일지 말지 결정하지 못한 채, 비토리아의 눈동자가 가늘어졌다.

랭던이 비토리아에게 1달러를 건넸다.

"뒷면을 보세요. 왼쪽에 국새라고 적힌 것이 보이죠?"

비토리아는 지폐를 뒤집었다.

"피라미드를 말하는 건가요?"

"피라미드. 피라미드가 미국 역사와 어떤 관계가 있는지 압니까?"

비토리아가 어깨를 으쓱했다.

"맞아요. 아무 관계도 없습니다."

랭던이 말했다.

비토리아가 눈살을 찌푸렸다.

"그렇다면 왜 피라미드가 미국 국새의 주요 상징인 거죠?"

"등골이 오싹한 역사의 일부죠. 피라미드는 위로 올라가면서 하나로 모아지는 것, 즉 계몽의 궁극적인 원천을 나타내는 신비스러운 상징입니다. 피라미드 위에 뭐가 있는지 보입니까?"

비토리아는 지폐를 유심히 관찰했다.

"삼각형 속에 눈이 있군요."

"그건 '트리나크리아'라고 합니다. 다른 데서 삼각형 안에 들어 있는 눈을 못 봤습니까?"

비토리아는 잠시 생각하다 말했다.

"사실은, 봤어요. 하지만 확실하지는 않아요……"

"이건 전 세계의 프리메이슨 지부에 새겨져 있습니다."

"이 상징이 프리메이슨의 것이라고요?"

"사실은 프리메이슨의 것이 아니라 일루미나티의 것입니다. 그들은 이 상징을 '빛나는 델타'라고 불렀어요. 개화된 변화를 지칭하는 말이었습니다. 그 눈은 모든 것에 침투하고, 모든 것을 지켜보는 일루미나티의 능력을 나타내는 것이죠. 빛나는 삼각형은 계몽을 뜻하고, 삼각형은 그리스 문자로 델타라고 하죠. 수학 기호로는……"

"변화. 전환을 의미하죠."

랭던은 미소를 지었다.

"과학자와 대화중이라는 것을 깜박 잊었군요."

"그럼 당신은 미국 지폐의 국새가, 개화되고 만물의 변화를 본다는 얘기인가요?"

"어떤 사람들은 그것을 '신(新)세계 질서'라고 부르죠."

비토리아는 놀란 눈치였다. 그녀는 다시 지폐를 내려다보았다.

"피라미드 아래에 글자가 있는데, Novus…… Ordo……"

랭던이 말했다.

"Novus Ordo Seclorum. '새로운 현세의 질서(New Secular Order)'를 뜻하는 말입니다."

"현세라면 비종교적인 면에서의 세계를 말하는 건가요?"

"그렇습니다. 그 구절은 일루미나티의 목표를 명확하게 언급할 뿐만 아니라 뻔뻔하게도 그 옆에 있는 구절, '우리가 믿는 신 안에서'라는 글귀와 모순을 이루죠."

비토리아는 곤혹스런 표정을 지었다.

"하지만 어떻게 이런 기호들이 세상에서 가장 강력한 화폐에 등장할 수 있었죠?"

"대부분의 학자들은 그 일이 미국의 부통령이던 헨리 월리스를 통해서 이루어졌다고 믿습니다. 그는 프리메이슨 조직의 고위 인사였고, 분명히 일루미나티와 유대가 있었죠. 회원으로서 이런 일을 한 것인지, 조직의 영향하에 한 것인지는 아무도 모릅니다. 하지만 대통령에게 국새의 디자인을 판 사람은 월리스였죠."

"어떻게? 그리고 왜 대통령은 동의를……"

"대통령은 프랭클린 D. 루스벨트였습니다. 월리스는 간단하게 대통령에게 이렇게 말했습니다. 'Novus Ordo Seclorum'은 뉴딜(New Deal)을 의미한다고 말입니다."

비토리아는 믿기 힘든 눈치였다.

"그럼 루스벨트는 재무부에서 지폐를 찍기 전에 그 상징을 다른 사람에게 보여주지 않았나요?"

"그럴 필요가 없었습니다. 그와 월리스는 형제나 같았으니까요."

"형제?"

랭던이 미소를 지으며 말했다.

"역사책을 한번 살펴보세요. 프랭클린 D. 루스벨트는 유명한 프리메이슨 단원이었습니다."

32

X-33 비행선이 로마의 레오나르도 다 빈치 국제공항에 내릴 때 랭던은 숨을 참았다. 건너편에 앉은 비토리아는 안정을 찾으려고 애쓰는 듯 눈을 감고 있었다. 지면에 닿은 비행기는 개인 격납고로 돌진했다.

"비행시간이 길어서 죄송합니다."

조종실에서 모습을 드러낸 조종사가 사과했다.

"속도를 줄여야만 했답니다. 인구과잉지역 위라 소음 규제가 있어서요."

랭던은 시계를 보았다. 그들은 하늘에 고작 37분 떠있었다.

조종사가 바깥문을 열었다.

"누구든 무슨 일이 진행되는지 말씀해주실 수 있습니까?"

비토리아도 랭던도 대답하지 않았다.

조종사가 몸을 스트레칭을 하며 포기했다.

"좋습니다. 에어컨, 그리고 좋아하는 음악과 함께 저는 조종실에나 있겠습니다. 저와 가스, 둘만 말이죠."

격납고 바깥에서는 오후의 햇살이 이글거렸다. 랭던은 트위드 재킷을 팔에 걸쳤다. 비토리아는 하늘을 쳐다보며 공기를 깊이 들이마셨다. 마치 태양광선이 신비로운 충전에너지로 전환되어 그녀에게 주입되는 것 같았다.

'지중해 기후로군.'

벌써 땀을 흘리며 랭던은 생각했다.

"만화 디자인을 차기에는 나이가 좀 많지 않아요?"

눈을 뜨지 않고 비토리아가 물었다.

"무슨 말인지?"

"손목시계 말이에요. 비행기에서 봤어요."

랭던은 슬며시 얼굴을 붉혔다. 자기 손목시계를 변명하는 일은 랭던에게 익숙했다. 수집가 애장용으로 만들어진 미키마우스 시계는 어린 시절 부모에게서 받은 선물이었다. 미키의 쭉 뻗은 손이 시계바늘 노릇을 하는 우스꽝스러운 시계지만, 랭던의 유일한 시계다. 방수기능에다 어두운 곳에서 볼 수 있는 조명기능도 있어서, 수영을 하거나 불 꺼진 시간에 대학 복도를 걸을 때 제격이었다. 학생들이 랭던의 패션 감각을 의심할 때면, 마음의 젊음을 유지하도록 일깨워주는 존재로서 미키를 차고 다닌다고 말한다.

"여섯 시로군요."

랭던이 말했다.

여전히 눈을 감은 채 비토리아가 고개를 끄덕이며 말했다.

"여기에서 비행기를 갈아탈 것 같네요."

랭던은 멀리서 윙윙대는 소리를 듣고 위를 쳐다보았다. 북쪽에서 다가오는 헬리콥터를 보고 그의 기분은 축 처지고 말았다. 헬리콥터는 활주로를 건너 낮게 하강했다. 나스카 모래사막 위의 그림을 보려고, 안데스 산맥의 팔파 계곡에서 헬리콥터를 한 번 타봤지만 조금도 즐겁지 않았다.

'날아다니는 신발상자를 보냈군.'

아침부터 비행기를 탄 후라, 랭던은 바티칸에서 자동차를 보내주기를 내심 희망했지만 마음에 안 든다고 투정 부릴 상황이 아니었다.

헬리콥터는 머리 위에서 천천히 선회하며 잠시 상공에 머물다가, 그들 앞에 있는 활주로로 내려왔다. 하얀 동체의 측면에는 문장(紋章)이 그려져 있었다. 서로 교차하는 두 개의 열쇠와 교황의 왕관이었다. 랭던은 이 상징을 잘 안다. 교황청의 신성한 상징이자 바티칸 시국의 '신성한 좌석'을 의미한다. 말 그대로 신성한 좌석은 성 피에트로의 고대 왕좌를 나타낸다.

기체가 착륙하는 것을 지켜보며 랭던은 신음했다.

'교황청의 헬리콥터로군.'

랭던은 바티칸이 이런 헬리콥터를 소유하고 있다는 것을 잊고 있었다. 교황이 공항으로 가거나 회의장소로 이동할 때, 그리고 교황의 여름 거처인 간돌포로 갈 때 헬리콥터를 이용했다. 랭던은 확실히 자동차가 더 좋았다.

헬리콥터 조종석에서 뛰어내린 조종사가 활주로를 가로질러 그들에게 성큼성큼 걸어왔다.

이제 불편한 표정을 짓고 있는 사람은 비토리아였다.

"저 사람이 우리의 헬리콥터 조종사인가요?"

랭던은 그녀의 걱정을 나눠 가졌다.

"나느냐, 날지 않느냐. 그것이 문제로다."

헬리콥터 조종사는 셰익스피어의 희곡에 등장하는 사람처럼 보였다. 잔뜩 부푼 상의 튜닉에는 선명한 파란색과 황금색 줄이 수직으로 그어져 있고, 상의와 어울리는 바지에는 무릎까지 올라오는 양말을 신었다. 발에는 슬리퍼처럼 보이는 뒤축이 없고 낮은 검은 구두를 신었고, 머리에는 펠트로 만든 검은 베레모를 썼다.

랭던이 설명했다.

"전통적인 스위스 근위병의 복장입니다. 미켈란젤로가 디자인한 거죠. 미켈란젤로가 노력을 덜 기울인 작품 가운데 하나라는 게 내 생각입니다."

남자가 가까이 다가오자 랭던은 주춤했다.

화려한 복장에도 불구하고, 랭던은 남자에게서 사무적인 용건만을 느꼈다. 조종사는 미국 해군의 위엄과 견고함을 풍기며 그들에게 다가왔다. 엘리트 스위스 근위병이 되기 위해서는 혹독한 선발 조건을 거쳐야 한다는 것을 랭던은 과거에 수차례나 읽었다. 스위스의 가톨릭 주(州) 네 곳에서 뽑힌 지원자들은 열아홉 살에서 서른 살 사이의 스위스 남자여야 했다. 그리고 적어도 168센티미터의 키에 스위스 군대의 훈련을 받고 독신이어야 했다. 세상에서 가장 충성스럽고, 가장 철통 같은 수비를 자랑하는 교황청의 군대를 다른 나라의 정부는 부러워했다.

"CERN에서 오셨습니까?"

그들 앞에 도착한 근위병이 물었다. 그의 목소리는 강철 같았다.

"네, 그렇습니다."

랭던이 대답했다.

"정말 빨리 오셨군요."

X-33에 수상쩍은 시선을 보내며 근위병은 비토리아를 향해 돌아섰다.

"다른 옷가지가 더 있습니까?"

"무슨 말씀이신지?"

남자는 비토리아의 다리를 가리켰다.

"짧은 바지는 바티칸 시국 안에서 허용되지 않습니다."

랭던은 비토리아의 다리를 흘끗 내려다보고 눈살을 찌푸렸다. 깜박 잊고 있었다. 바티칸 시국은 무릎 위로 다리가 보이는 것을 엄격하게 금한다. 남자든 여자든 마찬가지다. 이 규제는 신성한 신의 도시에 존경을 표하는 하나의 방식이다.

비토리아가 말했다.

"입고 있는 게 전부예요. 서둘러야 했거든요."

곤란하다는 표정으로 근위병은 고개를 끄덕였다. 다음은 랭던 차례였다.

"무기를 소지하고 계십니까?"

'무기? 갈아입을 속옷조차 못 챙겼다고!'

랭던은 머리를 저었다.

근위병은 랭던의 발치로 몸을 숙이더니, 양말부터 랭던의 몸을 더듬기 시작했다.

'사람을 믿자.'

랭던은 생각했다. 그의 다리를 수색하던 근위병의 강한 손은 불편하게 허벅지까지 다가왔고, 마침내 가슴과 어깨까지 조사를 마쳤다. 랭던이 깨끗하다는 것에 만족하며, 근위병은 비토리아에게 돌아섰다. 근위병의 눈이 그녀의 다리와 상반신을 훑었다.

비토리아가 눈을 부라렸다.

"꿈도 꾸지 마세요!"

근위병은 위협하는 시선으로 비토리아를 노려봤지만 그녀는 꿈쩍도 하지 않았다.

"저게 뭡니까?"

바지주머니에 살짝 부풀어오른 사각 모양을 가리키며 근위병이 물었다.

비토리아는 초소형 휴대전화기를 꺼냈다. 근위병은 전화기를 가져가 전원을 켜고, 신호음이 울리기를 기다렸다. 전화기 외에 아무것도 아님을 확인하고서야 근위병은 만족했다. 전화기를 돌려받은 비토리아는 다시 바지주머니에 넣었다.

"빙 돌아보시죠."

근위병이 지시했다.

비토리아는 근위병이 시키는 대로 팔을 앞으로 내밀고 360도 회전했다.

근위병은 주의 깊게 비토리아를 관찰했다. 랭던이 보기에 몸에 딱 달라붙은 바지와 상의는, 당연히 나올 곳은 빼놓고 어느 한 군데 부풀어오른 곳이 없었다. 분명 근위병도 같은 결론을 내린 모양이다.

"고맙습니다. 이쪽으로 가시죠."

랭던과 비토리아가 다가갈 때 스위스 근위병의 헬리콥터는 기어가 중립 상태로 돌아갔다. 비토리아는 노련한 탑승객처럼 윙윙 돌아가는 헬리콥터에 먼저 올라탔다. 회전날개 아래를 지날 때에도 거의 몸을 안 숙였다. 랭던은 잠시 주춤했다.

"자동차를 탈 수는 없습니까?"

조종석으로 올라타는 스위스 근위병에게 반은 농담하는 심정으로 랭던이 외쳤다.

근위병은 대답이 없었다.

랭던은 광적인 로마의 운전사들 때문에 어쨌거나 비행이 더 안전하다는 건 알고 있었다. 그는 숨을 깊이 들이마셨다. 그리고 회전날개 밑을 지날 때는 조심스럽게 몸을 숙이고 헬리콥터에 올라탔다.

조종사가 엔진을 올리자 비토리아가 외쳤다.

"보관용기를 찾았나요?"

어리둥절한 표정으로 조종사는 어깨 너머로 돌아보았다.

"뭐요?"

"보관용기 말이에요. 그것 때문에 CERN에 전화한 거 아닌가요?"

근위병은 어깨를 들썩였다.

"무슨 말씀을 하시는지 전혀 모르겠군요. 오늘은 우리에게 아주 바쁜 날입니다. 사령관님이 당신들을 공항에서 데려오라고 지시하셨고,

그게 제가 아는 전부입니다."

비토리아는 랭던에게 불안한 표정을 지어 보였다.

"안전벨트를 착용해주시기 바랍니다."

엔진을 올리며 조종사가 말했다.

랭던은 안전벨트에 손을 뻗어 몸을 고정시켰다. 헬리콥터의 작은 동체가 그를 향해 좁혀오는 느낌이었다. 잠시 후 굉음과 함께 튀어오른 헬리콥터는 곧장 로마의 북쪽을 향했다.

'로마…… 카풋 문디(caput mundi)*.' (카풋 문디 : 세계의 수도라는 뜻.)

시저가 한때 다스리고, 성 피에트로가 십자가에 못박힌 곳. 현대 문명의 요람. 그리고 그 중심에…… 재깍거리는 시한폭탄이 있다.

33

공중에서 바라본 로마는 하나의 미로였다. 건물과 호수, 부서질 듯한 잔해 사이로 고대의 길이 나있는 해독 불가능한 미로.

낮게 뜬 헬리콥터는 차량 정체 때문에 생긴 스모그가 낀 대기층을 통과해 북서쪽으로 날았다. 아래에는 발동기 달린 자전거, 관광버스, 그리고 모형 같은 피아트 세단 무리가 모든 방향에서 로터리 주변으로 빵빵거리며 움직였다.

'코야니스콰시(Koyaanisqatsi).'

랭던은 '균형을 잃은 삶'이라는 뜻의 호피 족* 용어를 떠올렸다.(호피 족 : 애리조나 북부에 살던 인디언 부족.)

비토리아는 랭던 옆자리에 조용히 앉아 있었다.

헬리콥터가 심하게 흔들거리며 날았다.

구토기가 들어 랭던은 시선을 먼 곳으로 향했다. 그의 눈동자가 무너져내리는 로마 콜로세움의 잔해를 발견했다. 랭던은 늘 콜로세움이 역사의 위대한 모순 중 하나라고 생각했다. 지금은 인간의 문화와 문명 봉기의 장엄한 상징으로 받아들여지지만, 콜로세움은 수백 년 간 야만적인 행사를 위해 지어진 대경기장이다. 굶주린 사자가 죄수를 갈기갈기 찢어발기고, 노예 군단은 목숨을 걸고 전투를 벌였다. 먼 나라에서 잡혀온 이국 처녀를 윤간하는 일도 이곳에서 벌어졌다. 이뿐만이 아니다. 공개 참수형과 거세가 이루어진 곳도 여기다. 콜로세움의 건축양식이 하버드 대학교 경기장의 청사진이 되었다는 것은 모순이다. 아니, 어쩌면 잘 들어맞는지도 몰랐다. 대학의 풋볼 경기장은 야만적인 고대 전통이 매년 가을마다 부활하는 곳이다…… 하버드와 예일의 전투에서 광적인 팬들은 피를 보기를 바라며 비명을 질러댄다.

헬리콥터가 북쪽을 향하자 랭던은 포로 로마노를 볼 수 있었다. 포로 로마노는 기독교 이전 시대, 로마의 중심이었던 광장이다. 부서지는 기둥들이 공동묘지의 쓰러질 듯한 묘석처럼 보였다. 이 유적지는 광장을 둘러싼 거대도시 속으로 삼켜지는 것을 간신히 피했다.

서쪽으로는 넓은 테베레 강이 도시를 가로지르며 뱀처럼 구불구불 흘러갔다. 공중에서 보아도 수심이 깊어 보였다. 소용돌이치는 물살은 심한 폭우로 거품과 미세한 모래들이 가득 차 갈색이었다.

"바로 정면에 있습니다."

헬리콥터를 좀더 올리며 조종사가 알려주었다.

랭던과 비토리아는 창밖으로 목적지를 보았다. 아침 안개를 가르는 산처럼 거대한 둥근 돔이 안개를 헤치고 솟아 있었다. 바로 산 피에트로 대성당이다.

랭던이 비토리아에게 말했다.

"이제야 미켈란젤로가 제대로 해낸 것을 보는군요."

랭던이 공중에서 산 피에트로 대성당을 본 것은 처음이다. 오후 햇살에 건물의 대리석 외관이 불꽃처럼 빛났다. 140명의 성인과 순교자들, 그리고 천사의 조상(彫像)으로 치장된 장엄한 건축물은 넓이가 축구 경기장 두 개, 길이는 무려 경기장 여섯 개를 이어놓은 것과 같다. 동굴 같은 대성당 내부는 6만 명 이상을 수용할 수 있다…… 이 숫자는 세상에서 가장 작은 국가인 바티칸 시국 인구의 100배 이상에 달

한다.

한 가지 놀라운 점은 이 장엄한 건물이 바로 앞에 있는 광장을 전혀 왜소하게 만들지 않는다는 것이다. 화강암 바닥이 쫙 펼쳐진 산 피에트로 광장은 로마의 혼잡 속에서 아찔할 정도로 확 트인 공간이다. 고전적인 의미의 센트럴 파크라고 할 수 있다. 대성당 앞에 네 줄로 세워진 284개의 기둥이 거대한 원형 행랑을 이루며 광장을 에두르는데, 광장 중심에서 보면 그 크기가 점점 작아지는 것처럼 보인다…… 광장의 웅장한 분위기를 강조하기 위해 트롱프뢰유* 건축법을 이용했다.(트롱프뢰유 : 언뜻 보기에 현실로 착각하게 만드는 효과가 있는 입체기법.)

랭던은 눈앞의 장엄한 성지를 응시하며, 성 피에트로가 지금 여기에 살아 있다면 어떤 생각을 할지 궁금했다. 피에트로는 바로 이 지점에서 십자가에 거꾸로 매달려 못박히는 끔찍한 죽음을 당했다. 이제 성인(聖人)은 가장 신성한 무덤에서 쉬고 있다. 피에트로의 무덤은 대성당 중앙, 큐폴라 바로 아래 지하 5층 깊이에 묻혀 있다.

"바티칸 시국입니다."

담담한 말투로 조종사가 말했다.

랭던은 돌로 지은 성채를 내려다보았다. 바티칸 시국 안의 건물들을 에워싼, 외부 침투가 불가능해 보이는 성곽이다…… 비밀과 힘, 그리고 신비로운 정신세계를 방어하는 벽이 매우 지상적인 물건이라는 게 야릇했다.

"저걸 봐요!"

비토리아가 갑자기 랭던의 팔을 붙잡고, 그들 바로 밑에 있는 산 피에트로 광장을 흥분해서 가리켰다. 랭던은 얼굴을 창에 대고 내다보았다.

"저기."

손으로 가리키며 비토리아가 말했다.

랭던도 보았다. 10여 대의 트레일러 차량이 광장 뒤편의 주차장 같

은 곳에서 북적댔다. 모든 차량의 지붕에는 거대한 위성접시 안테나
가 고개를 들어 하늘을 향했고, 안테나 접시에는 낯익은 이름들이 적
혀 있었다.

유럽 텔레비전 방송
이탈리아 텔레비전
BBC
UPI 통신

반물질에 관한 뉴스가 벌써 새어나갔는지 의아해 랭던은 갑자기 혼
란을 느꼈다.
비토리아 역시 몹시 긴장한 눈치였다. 그녀가 조종사에게 물었다.
"왜 방송사들이 여기에 모여 있지요? 무슨 일이 있나요?"
조종사가 이상하다는 표정을 지으며 어깨 너머로 돌아봤다.
"무슨 일이 있느냐고요? 두 분은 모르십니까?"
"모르는데요."
비토리아가 재빨리 응수했다. 그녀의 억양은 허스키하면서 강했다.
조종사가 답했다.
"교황 선거회의입니다. 약 한 시간 정도 후면 바티칸은 봉쇄됩니다.
전 세계가 지금 지켜보고 있지요."

'교황 선거회의.'
이 단어가 오랫동안 랭던의 귓속에 울리다, 벽돌처럼 그의 배를 내
리쳤다.
'교황 선거회의. 바티칸의 교황 선거회의.'
어떻게 이걸 잊고 있었을까? 이 일은 최근의 뉴스거리다.

186

보름 전, 대중의 지대한 인기를 모으며 12년 간 통치하던 교황이 세상을 떠났다. 세상의 모든 신문들은 자는 동안 치명적인 뇌일혈을 일으킨 교황에 관한 뉴스를 실었고, 많은 사람들은 교황의 갑작스런 죽음이 의심스럽다고 수군거렸다. 하지만 신성한 전통에 따라 교황의 서거 보름 후에 바티칸은 교황 선거회의를 개최하기로 했다. 세계의 165명의 추기경들이 모이는 신성한 회의다. 기독교계에서 가장 힘있는 사람들이 새로운 교황을 뽑기 위해 바티칸 시국으로 모이는 것이다.

'지상의 모든 추기경이 오늘 이곳에 와 있다.'

헬리콥터가 산 피에트로 대성당 위를 지날 때 랭던은 고심했다. 바티칸 시국의 광대한 내부가 그의 아래에 펼쳐졌다.

'로마 가톨릭 교회의 모든 힘의 구조가 시한폭탄 위에 앉아 있는 꼴이로군.'

34

모르타티 추기경은 시스티나 소성당의 호화로운 천장을 올려다보았다. 그리고 잠시 반추의 시간을 가지려고 애썼다. 프레스코화로 장식된 벽에는 지구상의 각 나라에서 온 추기경들의 목소리가 메아리쳤다. 촛불을 밝힌 성당 안에서 사람들은 흥분한 목소리로 속삭이고, 여러 가지 언어로 의논하면서 서로 밀치고 다녔다. 보편적으로 들리는 언어는 영어와 이탈리아 어, 그리고 스페인 어였다.

하늘에서 내리는 광선처럼 어둠을 가르며 쏟아지는 성당의 불빛은 긴 햇살 같았다. 보통 때는 이 빛이 숭고하게 여겨졌지만 오늘은 그렇지가 않았다. 관습대로 비밀의 이름 아래, 성당의 모든 창문에는 검은 벨벳이 드리워졌다. 이것은 성당 안에 있는 사람은 어떤 식으로든 바깥세계에 신호를 보내거나, 바깥세계와 통할 수 없음을 확인시키는 의미다. 그 결과 성당 안은 오직 양초로만 불을 밝힌 심오한 어둠이 깔렸다…… 아른아른하게 빛나는 촛불은 불빛에 닿은 모든 이들을 정화시키고, 사람들을 유령처럼 보이게 만들었다…… 마치 성인(聖人)들처럼.

모르타티는 생각했다.

'내게 이 신성한 일을 감독할 권한이 주어지다니 얼마나 큰 영광인가.'

여든 살 이상의 추기경은 선거에 참여하기에는 고령이기 때문에, 교황 선거회의에 참석하지 않는다. 그래서 일흔아홉 살인 모르타티가 여기에 모인 추기경 중에서 가장 연장자이고, 회의 과정을 감독하도록 지명을 받았다.

전통에 따라 추기경들은 선거회의 두 시간 전에 모여들었다. 그리고 친구들을 만나 마지막 몇 분 간 토론을 하느라 정신이 없었다. 저녁 7시 정각에 서거한 교황의 궁무처장이 도착할 것이고, 미사를 집전한 뒤 떠날 것이다. 그럼 스위스 근위병들이 성당의 문을 봉쇄하고, 모든 추기경을 이 안에 가둘 터였다. 그때가 바로 세상에서 가장 오래 되고, 가장 신성한 정치 의식이 시작되는 순간이다. 추기경들은 그들 중 누가 차기 교황이 될 것인지 결정짓기 전에는 방에서 나오지 못한다.

교황 선거회의(Conclave). 심지어 그 명칭마저 비밀스럽다. '콘클라베'는 말 그대로 '열쇠로 잠그다'라는 의미다. 추기경들은 바깥세상과 어떤 형태로든 접촉이 금지되었다. 전화 통화를 포함해 메시지를 주고받거나, 창문을 통해 서로 속삭이는 일도 금지되었다. 교황 선거회의는 바깥세상의 어떤 영향에서도 자유로운 진공상태여야 한다. 이것이 추기경들에게 '솔룸 둠 프라에 오쿨리스(Solum Dum prae oculis)' …… 즉, 그들 눈앞에 오직 신만 존재하게 만드는 방법이다.

물론 시스티나 소성당 밖에서는 언론이 이를 지켜보며 기다리고 있다. 10억에 가까운 전 세계의 가톨릭 신자를 다스리는 지도자가 누가 될 것인지 추측하면서 말이다. 선거회의는 긴장감이 넘쳤고, 정치적으로 달아오른 분위기를 만들었다. 수백 년을 거치면서 선거회의는 심하게 변모했다. 독살과 주먹싸움, 심지어는 살인까지 신성한 벽 안에서 행해지기도 했다.

모르타티는 생각했다.

'고대의 역사는 그랬지. 하지만 오늘 밤 선거회의는 통일된 의견으로 즐거운 회의가 될 거야. 어느 때보다도…… 짧은 회의가 되겠지.'

이게 모르타티 추기경의 추측이었다.

하지만 예기치 못한 문제가 발생했다. 이상하게도 네 명의 추기경이 시스티나 소성당에 나타나지 않는 것이다. 모르타티는 바티칸 시국의 모든 출구를 근위병들이 지킨다는 점을 알고 있었다. 사라진 추기경들이 멀리 가지는 않았을 것이다. 하지만 개막 미사가 시작되려면 한 시간도 채 안 남았는데, 모르타티는 마음이 불안해졌다. 무엇보다도 사라진 네 명의 추기경들은 평범한 추기경들이 아니었다.

발탁된 네 사람.

선거회의의 감독자로서 모르타티는 적당한 채널을 통해 스위스 근위병에게 추기경들의 부재를 알리는 메시지를 이미 보냈다. 하지만 아직까지 답신이 없다. 이제 다른 추기경들도 네 명의 후보자가 오지 않았음을 눈치챈 것이 틀림없었다. 수상쩍은 속삭임이 일었다. 이 네 사람만큼은 제시간에, 이 자리에 있어야 한다! 모르타티 추기경은 결국 이 선거회의가 긴 밤이 될지도 모른다는 공포를 느꼈다.

그는 어떻게 해야 할지 막막했다.

35

바티칸의 헬리콥터 착륙장은 안전과 소음 방지를 이유로 바티칸 시국의 북서쪽 끄트머리에 자리잡았다. 산 피에트로 대성당에서 최대한 멀리 떨어진 곳이다.

"도착했습니다."

헬리콥터가 땅에 내리자 조종사가 알려주었다. 조종사는 좌석에서 빠져나가 랭던과 비토리아를 위해 문을 열어주었다.

헬리콥터에서 먼저 내린 랭던은 비토리아가 내리는 것을 도와주러 돌아섰다. 하지만 그녀는 이미 별 어려움 없이 땅으로 내려섰다. 그녀의 모든 근육은 오직 한 가지 목표─끔찍한 유산을 낳기 전에 반물질을 찾으려는 목표─를 향한 것 같았다.

조종석 창문에 태양광선을 차단시키는 타르 방수천을 쳐놓은 후, 조종사는 두 사람을 착륙장 근처에서 대기중인 대형 전동 골프카트로 이끌었다. 카트는 그들을 바티칸 시국의 서쪽 경계를 따라 조용히 실어 날랐다. 바티칸 시국의 경계는 15미터 높이의 시멘트 성곽으로, 탱크의 공격을 막아낼 수 있을 정도로 두꺼웠다. 성곽 안쪽을 따라 50미터 간격으로 스위스 근위병이 내부를 살피며 주의를 기울이고 있었다. 골프카트는 오른쪽으로 휙 돌아서 관측소 길로 향했다. 모든 방향에는 표지판이 붙어 있었다.

바티칸 시국 정부 청사
에티오피코 대학
산 피에트로 대성당
시스티나 소성당

그들은 잔디가 잘 다듬어진 길을 올라가, '바티칸 방송국(Radio Vatican)'이라는 표지가 붙은, 납작하게 웅크린 건물을 지나쳤다. 바티칸 라디오 방송은 지구상의 수백만 청취자들에게 신의 복음을 전파하며 세상에서 가장 높은 청취율을 자랑하는 가톨릭 방송의 중추이다.

"조심하십시오."

로터리를 재빨리 돌아나가면서 조종사가 말했다.

골프카트가 로터리를 돌아갈 때, 랭던은 그의 시야에 들어온 전망을 믿을 수가 없었다. '바티칸의 정원'이라고 짐작했다. 바티칸 시국의 심장. 바로 그 앞에는 산 피에트로 대성당의 후면이 솟아 있었다. 대부분의 사람들이 보기 어려운 광경이다. 오른쪽에는 집정관의 궁전이 자리하고 있었는데, 바로크 양식의 청정한 교황의 주거지는 오직 베르사이유 궁전만이 견줄 만한 상대다. 바티칸 시국의 행정을 관장하는 진지한 외관의 정부 청사 건물은 이제 그들 뒤에 있었다. 왼쪽 위로는 사각형의 육중한 바티칸 박물관이 자리했다. 랭던은 이번 여행길에서는 박물관을 방문할 시간이 없을 것이라고 생각했다.

"모두들 어디에 있죠?"

한적한 잔디밭과 길을 둘러보며 비토리아가 물었다.

근위병은 검은색 스톱워치 군용시계를 들여다보았다. 부풀어오른 소맷자락 아래에 드러난 구식 스타일의 손목시계는 복장과 기이한 조화를 이루었다.

"추기경들께서는 시스티나 소성당에 소집하셨습니다. 불과 한 시간
도 안 남았군요. 교황 선거회의가 시작되려면 말입니다."

랭던이 고개를 끄덕거렸다. 어렴풋이 기억이 났다. 선거회의가 시작
되기 전, 추기경들은 시스티나 소성당에서 전 세계에서 몰려온 다른
동료 추기경과 서로 조우하고 조용히 숙고하는 두 시간을 보낸다. 그
시간 동안 오랜 우정을 다지고, 열기가 부족한 선거 분위기를 달군다.

"그럼 다른 거주자와 직원들은?"

"선거회의가 종결될 때까지 비밀 보안을 위해 모두 바티칸 시국 밖
으로 나갔습니다."

"그럼 선거회의는 언제 끝나요?"

근위병이 어깨를 으쓱했다.

"신만이 아시죠."

기묘하지만 말 그대로이다.

근위병은 산 피에트로 대성당 뒤에 있는 넓은 잔디밭에 카트를 주
차했다. 그리고 랭던과 비토리아를 성당의 뒤쪽, 대리석 광장으로 이
어지는 급경사진 돌길로 안내했다. 그들은 광장을 가로질러 삼각형의
안뜰을 지나 성당의 담을 따라갔다. 그러자 벨베데레 길이 나왔고, 길
을 가로질러 세 사람은 건물들이 밀집한 곳으로 들어갔다. 랭던의 예
술사 지식은 그에게 이탈리아 어를 어지간히 배우게 했고, 덕분에 그
는 바티칸 인쇄소와 태피스트리 복원연구실, 우체국, 그리고 성(聖)
앤의 교회 등의 표지판을 읽을 수 있었다. 그들은 다른 작은 광장을
가로질러 목적지에 도착했다.

감시청에 인접한 스위스 근위대 사무실은 산 피에트로 대성당에서
정확히 북동쪽에 있었다. 이 사무실은 작달막한 석조 건물이었다. 두

명씩 짝을 지은 근위병들이 돌로 만든 조상처럼 양쪽 입구를 지키고 서 있었다.

이 근위병들은 외양만큼 그렇게 만만하지 않다는 것을 랭던은 인정했다. 이들 역시 파란색과 황금색 제복을 입었지만, 둘다 전통적인 '바티칸의 장검(長劍)'을 들고 있었다. 바티칸의 장검은 매우 날카로운 낮이 달린 240센티미터의 창이다. 15세기에 십자군을 보호하면서 그 창으로 수많은 이슬람교도의 목을 벴다는 소문이 나돌았다.

랭던과 비토리아가 다가가자 두 근위병이 긴 창으로 입구를 엇갈려 막으며 한 발자국 앞으로 나섰다. 그 중 한 사람이 곤란한 표정으로 조종사를 쳐다봤다. 그리고 비토리아의 반바지를 가리키며 말했다.

"바지."

조종사가 근위병들에게 손을 저으며 말했다.

"사령관님께서 즉시 만나고 싶어하시는 분들이다."

근위병들이 눈살을 찌푸렸다. 그들은 마지못해 한쪽으로 비켜섰다.

실내 공기가 차가웠다. 랭던이 상상한 행정보안 사무실 같은 구석은 어디에도 없었다. 화려한 장식의 흠 잡을 데 없는 가구들로 꾸며진 복도에는 세계 어느 미술관이라도 기꺼이 그들의 화랑에 두고 싶어할 만한 그림들이 걸려 있었다.

조종사는 아래로 향한 가파른 계단을 가리켰다.

"내려가십시오."

하얀 대리석 계단에는 벌거벗은 남자 조상들이 양옆으로 늘어서 있었다. 랭던과 비토리아는 조상들의 태형을 받으며 지나는 기분이었다. 각각의 조상은 피부색보다 밝은 무화과 잎사귀를 달고 있었다.

'위대한 거세로군.'

랭던은 생각했다.

이 무화과 잎사귀는 르네상스 예술에서 가장 끔찍한 비극 중의 하나이다. 1857년에 교황 피우스 9세는 남자 성기의 사실적인 표현이 바티칸 내부에 색욕을 불러일으킬지도 모른다고 확신했다. 그래서 피우스 9세는 끌과 망치로, 바티칸 시국에 있는 모든 남자 조상의 성기를 난도질해버렸다. 교황은 미켈란젤로, 브라만테, 베르니니의 작품을 훼손시켰다. 그 손상을 감추기 위해 석고로 만든 무화과 잎사귀들이 사용되었고, 수백 점의 조상이 거세를 당했다. 랭던은 종종 바티칸 어딘가에, 조상에서 떼어낸 남자 성기로 가득 찬 커다란 궤짝이 있는 건 아닌지 궁금했다.

"여기입니다."

근위병이 말했다.

그들은 계단 바닥으로 내려왔고, 그들 앞에는 육중한 강철문이 버티고 있었다. 근위병이 비밀번호를 누르자 문이 스르르 열렸다. 랭던과 비토리아는 안으로 들어갔다.

문지방 너머는 완전히 아수라장이었다.

36

스위스 근위대 사무실.

그들 앞에 벌어진 세기의 충돌을 관찰하며 랭던은 문가에 서 있었다.

'완전히 짬뽕이로군.'

사무실은 상감 세공을 한 책장과 동양산 카펫, 다채로운 태피스트리들로 가득한 르네상스 시대의 도서관처럼 한껏 멋을 부렸다…… 그리고 북적대는 하이테크 장비들이 사무실을 채웠다. 한 줄로 늘어선 컴퓨터, 팩시밀리, 바티칸 시국을 나타내는 전자 지도, 그리고 CNN에 채널이 맞춰진 텔레비전들. 화려한 색의 바지를 입은 남자들이 열심히 컴퓨터에 뭔가를 기록하고, 초현대적인 헤드폰을 머리에 쓰고는 주의 깊게 귀를 기울였다.

근위병이 말했다.

"여기에서 기다리십시오."

랭던과 비토리아는 근위병이 방을 가로질러 진한 파란색 군복을 입은 남자에게 다가가는 것을 지켜보았다. 남자는 보기 드물게 키가 크고 강인한 인상이었다. 그는 휴대전화로 얘기하고 있었다. 그가 몸을 곧추 세우자 쳐다볼 때 몸이 거의 뒤로 젖혀질 정도였다. 근위병이 남자에게 뭔가를 보고하자, 남자는 랭던과 비토리아에게 힐끔 시선을 던졌다. 그러고는 고개를 끄덕인 후에 두 사람에게 등을 돌리고 전화 통화를 계속했다.

근위병이 돌아왔다.

"올리베티 사령관님께서는 잠시 후에 오실 겁니다."

"고맙습니다."

근위병은 자리를 떠나 계단 위로 향했다.

랭던은 방 건너편의 올리베티 사령관을 관찰했다. 사령관은 한 국가의 군대 총괄자의 분위기를 풍겼다. 사무실 풍경을 구경하며 비토리아와 랭던은 기다렸다. 밝고 화려한 옷차림의 근위병들이 이탈리아 어로 소리 높여 지시를 내리느라 소란스러웠다.

"계속 시도해봐!"

한 사람이 전화기에 대고 고함을 질렀다.

"박물관도 찾아봤어?"

다른 사람이 물었다.

보안센터가 현재 심각한 수색 상황으로 돌입했다는 것을 알아차리는 데 유창한 이탈리아 어 실력은 필요 없었다. 이 상황은 좋은 소식이다. 나쁜 소식이라면 이들이 아직 반물질을 못 찾아냈다는 것이다.

"괜찮습니까?"

랭던이 비토리아에게 물었다.

피곤한 미소로 비토리아가 어깨를 으쓱했다.

마침내 사령관이 통화를 마치고 방을 가로질러왔다. 걸음을 내딛을 때마다 사령관의 키가 더 자라는 것처럼 보였다. 랭던도 키가 큰 편이었기에 사람을 올려다보는 일이 익숙하지 않았다. 하지만 올리베티 사령관은 랭던조차 올려다보아야 했다. 랭던은 사령관이 숱한 난관을 뚫고 여기까지 오른 사람이라는 것을 금세 감지했다. 남자는 강철처럼 단단한 노익장을 과시했다. 사령관의 짙은 머리카락은 여느 군인처럼 아주 짧았고, 눈동자는 강도 높은 훈련을 통해서만 얻을 수 있는 군건한 의지로 타올랐다. 사령관은 정확한 보폭으로 움직였고, 한쪽 귀 뒤로는 눈에 띄지 않게 수신기를 달고 있었다. 그의 모습은 스위스 근위병이라기보다는 오히려 미국 첩보기관의 요원 같았다.

사령관은 억양이 들어간 영어로 자신을 소개했다. 그의 목소리는 건장한 몸집에 비해 아주 조용했다. 속삭이는 것 같았다. 하지만 그게 오히려 긴장감 있고 군인다운 효과를 자아냈다. 사령관이 인사했다.

"안녕하시오. 나는 스위스 근위대 총사령관, 올리베티요. 당신네 소장에게 전화를 건 사람이 나입니다."

비토리아가 시선을 들었다.

"저희를 만나주셔서 고맙습니다, 사령관님."

사령관은 응답하지 않았다. 그러더니 두 사람에게 따라오라는 몸짓을 해보였다. 그리고 전자장비 사이를 지나, 사무실 한쪽 벽에 있는 문으로 이끌고 갔다. 두 사람에게 문을 열어주면서 사령관이 말했다.

"들어가시오."

안으로 들어간 랭던과 비토리아는 자신들이 어두컴컴한 통제실에 있음을 알게 되었다. 통제실 벽에는 비디오 모니터들이 바티칸 시국의 이미지를 흑백 화면으로 천천히 계속 방송하고 있었다. 한 젊은 근위병이 그 화면을 주의 깊게 지켜보며 앉아 있었다.

"나가 있게."

올리베티가 지시했다.

젊은 근위병이 짐을 챙겨 밖으로 나갔다.

올리베티는 한 화면으로 걸어가 손가락으로 가리켰다. 그런 다음 손님들에게 돌아섰다.

"이 이미지는 바티칸 시국 어딘가에 숨겨진 무선 카메라에서 수신되는 것이오. 이게 뭔지 설명을 듣고 싶소."

랭던과 비토리아는 화면을 쳐다보고 동시에 숨을 들이켰다. 그 이미지는 분명했다. 의심할 여지가 없었다. 화면 안의 물건은 CERN의 반물질 트랩이었다. 깜박거리는 LED 디지털시계의 불빛을 받아, 트랩 안에 둥실 떠있는 금속성 액체 방울이 불길한 빛을 발산하였다. 컴컴한 방이나 옷장에 들어 있는지, 트랩 주변은 음산할 정도로 어두웠다. 화면 위에는 다음과 같은 자막이 나왔다.

생중계—카메라 #86

비토리아는 트랩 밑동에서 깜박이는 디지털시계의 남은 시간을 확인했다. 얼굴이 굳어진 비토리아가 랭던에게 속삭였다.

"여섯 시간도 안 남았어요."

랭던은 시계를 확인했다.

"그럼……"

위가 꽉 죄는 느낌에 랭던은 말을 멈췄다.

"자정까지예요."

움츠러진 표정으로 비토리아가 말했다.

'자정이라. 극적인 효과를 위해 정말 빈틈이 없군.'

랭던은 되뇌었다. 지난밤에 트랩을 훔친 자가 누구든지간에, 분명 시간 하나는 완벽하게 맞추었다. 랭던은 현재 아무런 단서가 없다는 것을 깨닫고, 밀려드는 불길한 예감을 떨칠 수가 없었다.

올리베티의 속삭임은 한층 더 낮아졌다.

"이 물건이 당신네 연구소의 것이 맞습니까?"

비토리아가 고개를 끄덕였다.

"네, 그렇습니다. 우리가 도난당한 것입니다. 이 보관용기는 반물질이라고 불리는 극도로 타기 쉬운 가연성 물질을 담고 있어요."

올리베티는 꿈쩍도 하지 않았다.

"베트라 양, 나는 발연성 물질은 꽤 잘 압니다만, 반물질이라는 것은 처음 들었소."

"그건 신기술입니다. 즉시 이 보관용기를 찾아내든지, 아니면 바티칸 시국을 다른 곳으로 소개(疏開)시켜야 해요."

올리베티는 천천히 눈을 감았다가 떴다. 비토리아를 다시 쳐다보면, 방금 들은 얘기가 달라지기라도 할 것처럼 말이다.

"소개시킨다고? 오늘 밤 여기에서 무슨 일이 진행되는지 알고나 있소?"

"네, 알고 있습니다. 그리고 추기경들의 목숨이 위험하다는 것도요. 우리에게는 지금 여섯 시간 정도의 시간이 있습니다. 저 트랩을 찾아내는 수색에 어떤 진전이라도 있나요?"

올리베티는 머리를 저었다.

"아직 찾아보지도 않았소."

비토리아는 숨이 막혔다.

"뭐라고요? 하지만 여기 근위병들이 수색에 관해 얘기하는 것을 분명히 들었……"

올리베티가 비토리아의 말을 끊었다.

"수색이라, 그렇소. 하지만 당신네 깡통을 찾는 수색이 아니오. 내 부하들은 당신네 문제가 아닌 다른 것을 찾고 있소."

비토리아의 목소리가 갈라졌다.

"트랩 찾는 일을 아직 시작하지도 않았다고요?"

올리베티의 동공이 그의 머릿속으로 쑥 들어간 것처럼 보였다. 그는 감정이 없는 곤충 같은 표정으로 말했다.

"베트라 양? 맞소? 설명을 해드리리다. 당신네 연구소 소장은 전화상으로 이 물건에 대한 자세한 얘기를 하려들지 않았소. 이 깡통을 즉시 찾아야 한다는 말만 하고서는 말이오. 우리는 오늘 평상시와 달리 무척 바쁜 날이오. 구체적인 사실을 접수하기 전까지는, 내가 파악하지도 못한 상황에 인력을 차출할 만큼 호사를 누리고 있지도 않소."

비토리아가 말했다.

"이 순간에는 오직 한 가지 진실만이 중요해요. 앞으로 여섯 시간 후면 저 장치가 바티칸 시국 전체를 날려버린다는 것이죠."

올리베티는 움직이지 않았다.

"베트라 양, 당신이 알아두어야 할 게 있소."

그의 어조에는 상대방을 구슬리려는 의도가 배어 있었다.

"바티칸 시국의 외관은 무척이나 고풍스럽지만, 공식적인 입구든 비공식적인 입구든 모든 출입구에는 최첨단 기계들이 장착되어 있소. 만일 누군가 어떤 종류이든 발화장치를 가지고 들어오려 한다면, 그 즉시 적발될 거요. 우리는 방사성 동위원소 스캐너에다 가연성물질과 독소의 희미한 화학 냄새를 감지하기 위해 미국 마약단속국이 개발한 후각여과 장치도 가지고 있소. 또한 최첨단 금속탐지기와 X-레이 스캐너도 사용중이오."

"매우 감동적이군요."

올리베티의 냉정한 태도를 따라하듯 비토리아도 차갑게 비꼬았다.

"하지만 불행하게도 반물질은 방사능 물질이 아니라 화학적으로 순수한 수소일 뿐입니다. 그리고 보관용기 자체는 플라스틱이죠. 바티칸 시국이 보유한 어떤 장비로도 감지해낼 수 없어요."

깜박이는 LED를 가리키며 올리베티가 말했다.

"하지만 저 장치는 에너지원을 가지고 있소. 아주 작은 니켈-카드뮴의 흔적이라도 우리는 감지……"

"배터리 또한 플라스틱입니다."

올리베티의 인내심은 분명히 바닥나고 있었다.

"플라스틱 배터리?"

"테플론*이 들어 있는 전해질 중합체 젤이에요." (테플론 : 열에 강한 합성수지.)

신장의 우위를 강조하려는 듯 올리베티가 비토리아 쪽으로 몸을 기울였다.

"아가씨, 바티칸은 한 달에도 수십 번씩 폭탄 테러의 과녁이 되는 곳이오. 내가 직접 모든 스위스 근위병들에게 현대 폭발 기술에 대해 훈련시켰소. 지금 당신이 야구공 크기의 핵을 가진 핵탄두에 관해서 논하는 것이 아니라면, 당신이 묘사한 대로 바티칸을 날려버릴 만큼 엄청난 파괴력을 지닌 물질은 이 세상에 없다고 알고 있소."

비토리아는 격렬한 눈빛으로 올리베티를 쏘아보았다.

"자연은 우리가 아직 밝히지 못한 많은 신비를 가지고 있어요."

올리베티가 비토리아 쪽으로 더 심하게 몸을 기울였다.

"정확히 당신이 누구인지 물어봐도 되겠소? CERN에서 당신 지위가 뭐요?"

"저는 연구부서의 선임연구원입니다. 그리고 이 위기 때문에 연락자로 바티칸에 왔습니다."

"내가 무례했다면 사과하오. 하지만 정말로 위험하다면, 내가 왜 당신네 소장이 아닌 당신하고 일을 해야 하는 거요? 그리고 그런 반바지 차림으로 바티칸 시국에 들어온 당신의 불손한 의도는 뭐요?"

랭던은 신음했다. 이런 상황에서 사령관이 옷차림을 가지고 잔소리꾼 노릇을 할 줄은 몰랐다. 만약 돌로 만든 남자 성기가 바티칸 거주자들에게 색욕을 불러일으킬 위험이 있다면, 짧은 반바지를 입은 비토리아는 확실히 국가 안보에 위협이 될 수밖에 없다고 생각했다.

두 번째 폭탄이 막 터질 듯한 상황을 타개하기 위해 랭던이 끼어들었다.

"올리베티 사령관님. 저는 로버트 랭던입니다. 저는 미국에서 종교를 연구하는 교수입니다. 그리고 CERN과 어떤 친분 관계도 없습니다. 저는 반물질의 폭발 시연을 보았기 때문에, 반물질이 극도로 위험하다는 베트라 양의 주장을 보증합니다. 저희는 바티칸의 교황 선거 회의를 붕괴하고 싶어하는 반종교 단체 때문에, 저 반물질 트랩이 바티칸 내부에 있다고 믿고 있습니다."

랭던을 훑어보며 올리베티가 돌아섰다.

"여기 반바지 차림의 여자는 액체 한 방울이 바티칸 시국을 날려버릴 것이라고 협박하고, 또 여기 있는 미국인 교수님은 어떤 반종교 단체가 바티칸을 과녁으로 삼았다는 얘기를 지금 떠들고 있소. 당신들이 원하는 게 정확히 뭐요?"

비토리아가 말했다.

"트랩을 찾아야 해요. 그것도 지금 당장."

"불가능한 일이오. 그 장치는 어디에든 있을 수 있소. 바티칸 시국은 아주 넓소."

"여기 카메라는 GPS(Global Positioning System) 추적장치가 없나요?"

"일반적으로 바티칸의 카메라가 도난당하는 일은 없소. 사라진 카메라를 찾는 일은 며칠 정도 시간이 걸릴 거요."

비토리아가 강경하게 말했다.

"우리에게는 며칠이란 시간이 없어요. 불과 여섯 시간이 남았을 뿐입니다."

"베트라 양, 어떻게 되기까지 여섯 시간이오?"

올리베티의 목소리가 갑자기 높아졌다. 그는 화면을 가리켰다.

"이 숫자들이 카운트다운될 때까지? 바티칸 시국이 사라질 때까지? 날 믿으시오. 나는 사람들이 우리 보안 시스템에 쓸데없이 참견을 하도록 내버려둘 만큼 너그럽지 않소. 내가 지키는 담장 안에서 이상한 기계 장치를 보는 것도 좋아하지 않고. 물론 걱정하고 있소. 걱정하는 것이 내 직업이니까. 하지만 당신들이 지금 한 얘기들은 받아들이기 어렵소."

랭던은 자기도 모르게 입을 열고 말했다.

"혹시 일루미나티라고 아십니까?"

얼음처럼 차가운 사령관의 표정이 흔들렸다. 그의 눈이 막 공격을 시작하려는 상어처럼 하얗게 변했다.

"경고하겠소. 당신과 노닥거릴 만큼 한가하지 않소."

"그러니까 일루미나티를 아시는군요?"

올리베티의 시선이 총검처럼 사람을 찔렀다.

"나는 가톨릭 교회에 맹세한 파수꾼이오. 물론 일루미나티에 대해 들어보았소. 그 조직은 이미 수십 년 전에 사라졌소."

랭던은 주머니에 손을 넣어, 낙인 찍힌 레오나르도 베트라의 이미지가 담긴 팩스 용지를 꺼냈다. 그리고 팩스를 올리베티에게 건넸다. 사령관이 사진을 보는 동안 랭던이 설명했다.

"저는 일루미나티를 연구하는 학자입니다. 저 역시 일루미나티가 아직 존재한다는 것을 받아들이기 어려웠습니다. 하지만 일루미나티가 바티칸 시국에 대적하는 유명한 서약을 했다는 사실과 이 낙인을 조합해보고, 생각이 바뀌었습니다."

"컴퓨터로 꾸민 속임수요."

랭던에게 팩스를 돌려주며 올리베티가 말했다.

랭던은 회의적인 기분으로 상대방을 응시했다.

"속임수요? 이 대칭을 보십시오! 다른 사람은 몰라도 사령관님만은 이게 일루미나티의 분명한 상징이라는 것을 알아차릴 수……"

"분명함은 당신에게 부족한 것이오. 아마 베트라 양이 당신에게 아직 알려주지 않은 모양이구려. CERN의 과학자들은 수십 년 동안 바티칸의 정책을 비난해왔소. 그들은 정기적으로 바티칸에 천지 창조 이론을 철회하라는 청원을 넣고 있소. 갈릴레이와 코페르니쿠스에 대해 공식적인 사과를 요구하며, 위험하고 비도덕적인 연구에 대한 바티칸의 비판을 취소하라는 요구도 하고 있소. 사백 년이나 나이를 먹은 오래 된 악마 숭배집단이 대량 살상을 목적으로 진보된 무기를 들고 다시 표면에 떠올랐다, 아니면 CERN의 몇몇 장난꾸러기가 잘 꾸며낸 사기극으로 신성한 바티칸의 행사를 망치려고 한다, 이 두 가지

중 어떤 시나리오가 당신에게는 더 그럴듯해 보입니까?"

끓어넘치는 용암 같은 목소리로 비토리아가 말을 토해냈다.

"그 사진에 나온 사람은 제 아버지입니다. 살해되셨죠. 사령관님은 아직도 제가 농담하는 것처럼 보이시나요?"

"잘 모르겠소, 베트라 양. 하지만 확실히 해줄 수 있는 대답은 타당한 이유를 찾을 때까지 경보를 울리는 일은 없을 거라는 점이오. 경계와 신중함은 내 의무요…… 그런 정신적인 문제들은 이곳에서 흔히 일어나는 일이오. 많은 날들 중에 오늘 역시 그런 날일 뿐이오."

랭던이 말했다.

"적어도 행사를 연기시켜주십시오."

"연기하라고?"

올리베티의 입이 떠억 벌어졌다.

"이렇게 오만하다니! 교황 선거회의는 비가 내린다고 취소하는 미국의 야구경기 같은 게 아니오. 엄격한 규약과 과정에 따라 진행되는 신성한 행사란 말이오. 새 지도자를 기다리는 바깥세상의 십억 가톨릭 신자들은 상관없소. 바깥세상의 언론도 상관없고. 이 행사의 규약은 신성한 것이오. 감히 인간이 조정할 수 있는 주제가 아니란 얘기오. 1179년 이래, 교황 선거회의는 지진과 기근, 심지어 전염병을 겪고도 지켜냈소. 신만이 알 수 있는 저 깡통 속의 액체 한 방울과 살해된 과학자 때문에, 이 행사가 취소될 수는 없소."

"저를 책임자에게 데려다주세요."

비토리아가 요구했다.

올리베티가 눈을 부라렸다.

"책임자는 여기 있소."

비토리아가 말했다.

"아니요. 성직에 있는 분 말입니다."

올리베티의 이마에 혈관이 보이기 시작했다.

"성직자들은 떠났소. 스위스 근위대를 제외하면 이 시간에 바티칸 시국에 남은 이들은 추기경단뿐이오. 그리고 그분들은 지금 시스티나 소성당에 계시오."

"궁무처장님은 어디에 계십니까?"

랭던이 지나가는 말처럼 언급했다.

"누구?"

"서거한 교황의 궁무처장님 말입니다."

기억이 자신을 구해주기를 바라며 랭던은 말을 반복했다. 교황 서거 이후, 바티칸 권력에 대한 기이한 협약을 한 번 읽은 기억이 났다. 기억이 맞다면 서거한 교황과 새로 선출되는 교황 사이의 공백기에 바티칸의 자치권은 일시적으로, 서거한 교황의 개인 조수이자 추기경인 궁무처장에게 이양되었다. 추기경들이 새로운 교황을 뽑을 때까지 궁무처장이 선거회의를 감독하는 것이다.

"지금은 궁무처장님이 모든 책임을 총괄하는 분으로 생각됩니다만."

"궁무처장님?"

올리베티는 얼굴을 찌푸렸다.

"궁무처장님은 단지 여기 바티칸의 사제일 뿐이오. 그분은 서거하신 교황님의 종복이었소."

"하지만 이곳에 계시겠죠. 그리고 사령관님은 그분께 복종해야 하고요."

올리베티는 팔짱을 꼈다.

"랭던 씨, 바티칸의 규칙에 따라 선거회의 기간에 궁무처장님이 대표 임무를 맡는다는 것은 사실이오. 하지만 그건 오로지 교황 자리에 오를 수 없는 궁무처장의 신분이 편견 없는 선거를 보장해주기 때문이오. 이건 당신네 나라 대통령이 죽으면, 그의 보좌관들 중 한 명이 일시적으로 백악관 집무실에 앉는 것과 마찬가지요. 궁무처장님은 젊은데다가 바티칸의 안보에 대한 이해나 그밖의 다른 문제에 대한 이해도 부족하오. 모두의 의지와 목적을 위해, 내가 책임자나 마찬가지요."

비토리아가 말했다.

"우리를 궁무처장님께 데려다주시죠."

"불가능하오. 선거회의는 사십 분 후면 시작하오. 궁무처장님은 교황 집무실에서 준비하고 계실 거요. 보안 문제로 그분을 방해하고 싶은 생각은 전혀 없소."

비토리아는 입을 열어 대꾸하려고 했지만 문을 두드리는 소리에 때를 놓치고 말았다. 올리베티가 문을 열었다.

제복을 완벽하게 차려입은 근위병 한 명이 시계를 가리키며 밖에 서 있었다.

"사령관님, 시간 다 되었습니다."

올리베티는 시계를 확인하더니 고개를 끄덕였다. 두 사람의 운명을 심사숙고하는 판사처럼 사령관은 랭던과 비토리아에게 돌아섰다.

"나를 따라오시오."

그는 두 사람을 모니터실 밖으로 데리고 나와, 보안센터를 가로질러 뒤쪽 벽에 달린 작은 방으로 안내했다.

"내 사무실이오."

올리베티는 두 사람을 안으로 재촉했다. 방에는 특별한 것이 없었다. 어질러진 책상, 파일 캐비닛, 접을 수 있는 의자들, 정수기.

"십 분 후에 돌아오겠소. 이 시간을 당신들이 앞으로 어떻게 행동할지 결정하는 데 쓰기 바라오."

비토리아가 빙글 돌아섰다.

"이렇게 그냥 떠나시면 안 돼요! 그 트랩은……"

올리베티는 열받은 표정이었다.

"나는 이런 일에 낭비할 시간이 없소. 어쩌면 이렇게 기회가 될 때, 당신들을 선거회의가 끝날 때까지 여기에 구금하는 편이 낫겠군."

근위병이 자기 손목시계를 다시 가리키며 재촉했다.

"사령관님. 소탕하러 가시죠."

올리베티가 고개를 끄덕이고 떠날 준비를 했다.

비토리아가 물었다.

"소탕하러 가시죠? 성당을 소탕하러 간다고요?"

올리베티가 돌아섰다. 그의 눈동자는 지겹다는 듯이 비토리아를 쳐다보았다.

"베트라 양, 우리가 소탕하려는 것은 전자 도청장치 같은 물건이오. 신중함에 신중함을 더하는 거지."

그리고 사령관은 비토리아의 다리를 가리켰다.

"당신이 이해하기를 기대하는 것은 아니오."

그 말을 끝으로 사령관은 육중한 유리가 흔들거릴 정도로 문을 쾅 닫았다. 그리고 유연한 동작으로 열쇠를 꺼내 잠갔다. 묵직한 자물쇠가 채워진 것이 보였다.

비토리아가 고함을 질렀다.

"머저리! 우리를 여기에 이렇게 가둬둘 수는 없어요!"

유리창을 통해 올리베티가 근위병에게 뭔가 지시하는 것이 보였다. 근위병은 고개를 끄덕였다. 올리베티가 방에서 성큼성큼 걸어나가자, 근위병이 홱 돌아서서 팔짱을 끼고 유리창으로 다가왔다. 근위병의 엉덩이에 커다란 권총이 달려있는 게 보였다.

랭던은 속으로 투덜거렸다.

'완벽하군. 더럽게도 완벽해.'

37

비토리아가 문 밖에 있는 스위스 근위병 보초에게 눈을 부라렸다. 위협적인 표정과는 어울리지 않게 화려한 제복을 입은 보초 역시 비토리아에게 눈을 부라렸다.

"낭패로군."

비토리아는 생각했다.

'파자마를 입은 무장 보초에게 인질로 잡히다니.'

랭던은 침묵에 빠졌다. 비토리아는 랭던이 하버드 교수로서의 두뇌를 이용해 이 난국에서 탈출할 방법을 찾아내기를 희망했다. 하지만 표정으로 보아 랭던이 충격에 빠졌음을 감지했다. 그녀는 미국인 교수를 끌어들인 것을 후회했다.

비토리아가 맨 처음 해낸 생각은 휴대전화기로 콜러에게 알리는 것이다. 하지만 이 시도는 어리석은 일이라는 걸 금세 깨달았다. 우선 보초병이 안으로 들어와 휴대전화를 압수해갈 수도 있다. 다음은 아침에 본 콜러의 건강 상태였다. 추측하건대, 아마 소장의 건강은 아직 회복되지 못했을 터였다. 이게 문제가 아니라…… 올리베티는 지금 이 순간 어느 누구의 말도 귀담아들을 것 같지가 않았다.

비토리아는 자기 자신에게 말했다.

'기억하자! 난관에 해답이 있음을 기억하자!'

기억은 불교 철학의 기법이다. 잠재적으로 불가능해 보이는 도전에 답을 찾도록 마음에게 요구하는 것이 아니라, 어딘가에 답이 있음을 마음이 자각하도록 만드는 방법이다. 일단 답을 알고 있다는 가정은 반드시 답이 존재한다는 사고방식을 만든다…… 그래서 쓸데없고 잘못된 과정을 제거해나가는 것이다. 비토리아는 종종 과학적인 난국을 해결하기 위해 이 방법을 이용했다…… 대부분의 사람들이 해답이 없다고 좌절하는 문제를 풀기 위해서.

하지만 이 순간, 그녀의 기억요법은 그저 멍하기만 했다. 비토리아는 자기가 선택할 수 있는 것과 자기가 하려는 것을 살펴보았다…… 그녀는 누군가에게 경고해야 한다. 바티칸의 누군가가 그녀의 얘기를 진지하게 들어줘야 한다. 하지만 누가? 궁무처장? 어떻게? 그녀는 출구가 하나밖에 없는 유리상자에 갇혀 있다.

비토리아는 자신에게 다짐했다.

'도구를 써야 해. 항상 도구가 있게 마련이야. 주위 환경을 잘 살펴봐.'

본능적으로 그녀는 어깨의 힘을 풀고 눈동자의 긴장을 풀었다. 그리고 깊은 숨을 세 번 들이마셨다. 심박동이 느려지고 근육이 풀리는 것이 느껴졌다. 혼란스럽던 마음의 공포도 잦아들었다. 비토리아는 계속 생각했다.

'좋아. 마음을 자유롭게 풀어줘. 무엇이 이 상황을 긍정적으로 바꿀 수 있을까? 무엇이 내 장점일까?'

일단 마음이 가라앉자 비토리아의 기억요법은 강력한 힘이 되었다. 몇 초 안에 그녀는 그들이 감금된 상황이 사실은 탈출할 수 있는 열쇠라는 사실을 깨달았다.

"전화를 걸어야겠어요."

비토리아가 불쑥 말했다.

랭던이 고개를 들었다.

"그렇지 않아도 콜러 소장에게 전화를 걸라고 제안할 참이었소. 하지만……"

"콜러 소장이 아니에요. 다른 사람."

"누구?"

"궁무처장님이요."

랭던은 완전히 넋이 나간 표정을 지었다.

"궁무처장님한테 전화를 걸겠다고요? 어떻게?"

"올리베티 사령관이 궁무처장님은 교황의 집무실에 있다고 했어요."

"좋아요. 그러면 교황 집무실의 전화번호를 알고 있소?"

"아니오. 하지만 내 전화로 걸겠다는 게 아니에요."

그녀는 올리베티의 책상에 있는 하이테크 전화시스템을 눈짓으로 가리켰다. 전화는 단축다이얼 버튼으로 수수께끼나 다름없었다.

"보안센터 사령관의 사무실에는 반드시 교황의 집무실과 연결되는 직통 라인이 있을 거예요."

"사령관은 백팔십 센티미터 떨어진 곳에 총을 가진 역도 선수를 심어놓았소."

"그리고 우리는 갇혀 있지요."

"내 말이 그거요."

"제 뜻은 저 보초병 역시 밖에서 여기로 들어올 수 없다는 거예요. 이 방은 올리베티의 개인 사무실이에요. 다른 사람이 사무실 열쇠를 가지고 있지는 않을 거예요."

랭던은 보초병을 내다보았다.

"이 유리창은 꽤나 얇습니다. 그리고 저자가 갖고 있는 총은 꽤 큰데."

"그가 뭘 어쩌겠어요? 내가 전화기를 사용한다고 해서 나를 쏘기라도 할까요?"

"도대체 누가 그걸 알겠소! 여긴 아주 이상한 곳이오. 그리고 일이 되어가는 꼴을 보니……"

비토리아가 끼어들었다.

"그게 아니면 우리는 다섯 시간 사십팔 분을 바티칸의 감옥에서 보내겠지요. 적어도 반물질이 폭발할 때 우리는 맨 앞줄에 있게 되겠죠."

랭던의 안색이 창백해졌다.

"하지만 당신이 수화기를 집어든 순간 저 보초가 사령관을 데려올 겁니다. 게다가 전화기에는 스무 개나 되는 버튼이 있어요. 어느 게 어느 것인지 난 도통 모르겠소. 운이 좋아 딱 걸리기를 바라며 모두 시험해볼 참이오?"

전화기로 성큼성큼 걸어가며 비토리아가 말했다.

"아니요. 딱 하나만 누를 거예요."

비토리아는 수화기를 집어들더니 제일 위의 버튼을 눌렀다.

"일 번. 이 일 번이 교황 집무실이라는 데, 당신 주머니의 일루미나티 미국 달러를 걸죠. 스위스 근위대 사령관에게 가장 중요한 것이 교황말고 뭐겠어요?"

랭던은 대답할 시간을 갖지 못했다. 밖에 있는 보초병이 총 끝으로 유리창을 톡톡 두드린 것이다. 보초병은 비토리아에게 수화기를 내려놓으라는 시늉을 해보였다.

비토리아가 보초병에게 윙크했다. 보초병은 화가 치미는 모양이었다.

랭던은 문에서 떨어져 비토리아에게 돌아섰다.

"좀더 점잖게 굴 수 없겠소. 저 사람은 전혀 즐거운 표정이 아니오."

"제기랄! 녹음기예요."

수화기에 귀를 기울이던 비토리아가 말했다.

랭던이 물었다.

"녹음기? 교황 집무실의 자동응답기가 받았다는 얘기요?"

전화를 끊으며 비토리아가 말했다.

"교황 집무실이 아니었어요. 바티칸 구내식당의 메뉴를 안내하는
녹음이었어요."

랭던은 밖에 서 있는 보초병에게 유약한 미소를 지었다. 보초병은
무전기로 올리베티를 부르면서 화가 난 눈빛으로 쏘아보았다.

38

바티칸 전화국은 바티칸 우체국 뒤편의 통신 사무소 안에 있었다. 전화국은 여덟 개 회선의 코렐코 141 전화교환대를 사용하는 비교적 작은 방이다. 교환대는 하루에 2천 통화 이상을 처리했고, 대부분의 회선은 자동으로 녹음정보 시스템에 연결되었다.

오늘 밤에 일하는 전화교환원은 조용히 앉아서 카페인이 든 차를 홀짝거렸다. 직원은 자신이 오늘 같은 밤에 바티칸 시국 안에 있도록 허가받은 유능한 직원들 중 하나라는 것이 자랑스러웠다. 물론 그 명예는 전화국 바깥에서 서성이는 스위스 근위병들 때문에 다소 옅어진 감도 없지 않았다. 교환원은 생각했다.

'화장실에 갈 때도 호위를 받아야 하다니. 아, 신성한 선거회의의 이름으로 우리가 참아야 하는 모욕이로다.'

다행히 오늘 밤에 걸려오는 전화는 적었다. 아니, 그게 오히려 다행이 아닐 수도 있었다. 바티칸에서 열리는 행사에 세상의 관심은 지난 몇 년 새 점점 줄어들고 있다. 언론사에서 걸려오는 전화마저 줄었고, 심지어 미친 놈들의 전화도 뜸했다. 바티칸 보도국에서는 오늘 밤의 행사가 좀더 즐거운 축제의 분위기가 되기를 바랐다. 하지만 산 피에트로 광장을 가득 메운 언론사 트럭들은 슬프게도 대개 이탈리아 언론이거나 유럽 언론이다. 그리고 세계의 모든 네트워크를 담당하는 몇몇 방송사뿐…… 이들이 세계 각국의 지역 방송국과 언론사에 2차로 뉴스를 보내는 것이 틀림없었다.

교환원은 잔을 쥐고 오늘 밤 행사가 얼마나 걸릴지 궁금했다.

'자정이나 그 무렵이면 끝나겠지.'

교환원은 추측했다. 요즘에는 대부분의 소식통들이 선거회의가 소집되기 전에 누가 교황이 될 것인지 미리 예상하였다. 그래서 선거회의 과정은 실제로 선거라기보다는 서너 시간 걸리는 하나의 의식에 가까웠다. 물론 마지막에 추기경들 사이의 의견 차이로 의식이 새벽까지 길어질 수도 있다…… 아니면 그 이상으로. 1831년의 선거회의는 54일 간이나 지속되었다.

'오늘 밤은 아닐 거야.'

교환원은 혼잣말을 했다. 사실 이번 선거회의는 '허수아비 선거'라는 소문이 돌았다.

그런 사념은 전화교환대의 내부 라인에 불이 들어오면서 날아가버렸다. 교환원은 깜박이는 빨간 불빛을 바라보며 머리를 긁적였다.

'그것 참 이상하군. 영(0) 번이라. 오늘 같은 밤, 바티칸 내부에서 누가 교환원 안내를 받으려고 영 번을 거는 거지? 누가 바티칸 안에 있는 거야?'

"바티칸 시국입니다. 누구세요?"

수화기를 집어든 교환원이 말했다.

전화선 안의 목소리는 빠른 이탈리아 어였다. 교환원은 그 억양이 스위스 근위병 말투와 비슷하다는 것을 어렴풋이 깨달았다. 프랑스-스위스 계통의 억양이 묻어 있는 유창한 이탈리아 어였다. 하지만 전화를 건 사람은 결코 스위스 근위병이 아니었다.

교환원은 여자 목소리를 듣고 벌떡 일어서다 차를 엎지를 뻔했다.

그는 전화선을 재빨리 내려다보았다. 잘못 본 게 아니다.

'구내전화다.'

전화를 건 사람은 바티칸 내부에 있는 것이다. 교환원은 생각했다.

'뭔가 잘못된 게 틀림없어! 바티칸 시국 안에 여자가? 오늘 밤에?'

여자는 빠르고 화난 투로 쏟아부었다. 교환원은 어떤 전화가 미치광이가 건 전화인지 충분히 식별할 수 있는 세월을 이 교환대에 앉아서 보냈다. 여자는 미친 것 같지는 않았다. 급하기는 했지만 이성적이었다. 차분하고 조리 있게 말을 풀어갔다. 교환원은 여자의 말에 귀를 기울이다 당황했다.

"궁무처장님이요?"

전화가 어디에서 걸려온 것인지 파악하려고 애쓰며 교환원이 되물었다.

"연결해드릴 수는 없습니다…… 네, 저도 궁무처장님께서 교황 집무실에 계시다는 것은 알고 있습니다만…… 누구시라고 했죠? 그러니까 당신은 그분께 경고하고 싶다는……"

귀를 기울이던 교환원은 점점 용기를 잃어갔다.

'모두가 위험에 처해 있다고? 어떻게? 그리고 이 여자는 어디에서 전화를 거는 거지?'

"어쩌면 스위스 근위대를 연결하는 것이……"

교환원은 즉시 말을 멈추고 말았다.

"지금 어디에 계신다고 했죠? 어디라고요?"

교환원은 충격에 휩싸여 얘기를 듣다가 결정했다.

"끊지 말고 기다려주십시오."

여자가 뭐라고 대답하기 전에 기다리라고 해놓고서, 교환원은 올리베티 사령관의 직통전화를 눌렀다.

'이 여자가 정말로 거기에 있을 리 없어……'

직통전화는 즉시 연결됐다.

익숙한 여자 목소리가 교환원에게 소리쳤다.

"*신의 사랑을 위해!* 빌어먹을 전화 좀 연결시켜달라고요!"

스위스 근위대 보안센터의 문이 쉿 소리를 내며 열렸다. 올리베티 사령관이 로켓처럼 방으로 들어오자 근위병들이 쫙 갈라섰다. 구석을 돌아 자기 사무실로 걸어가면서 올리베티는 보초병이 무전기로 보고한 것을 재확인했다. 비토리아 베트라가 자신의 책상에서 개인 전화기를 들고 있었던 것이다.

'이건 정말 만용이로군!'

사령관은 생각했다.

노발대발한 올리베티가 문으로 돌진해 열쇠를 자물쇠에 쑤셔넣었다. 그리고 문을 열면서 물었다.

"지금 뭐하는 거요?"

비토리아는 사령관을 무시했다. 그녀는 수화기에 대고 말했다.

"네. 그리고 저는 반드시 경고를……"

올리베티가 그녀의 손에서 수화기를 뺏어 자기 귀로 가져갔다.

"도대체 누구와 얘기를 하는 거야!"

아주 짧은 순간이 지난 후 올리베티의 경직된 자세는 수그러들었다.

"네, 궁무처장님……"

올리베티가 말했다.

"그렇습니다, 궁무처장님…… 하지만 안보에 관한 질문은…… 물론 아닙니다…… 제가 여자를 여기에 잡아둔 이유는…… 그렇습니다. 하지만……"

사령관은 듣기만 했다. 마침내 올리베티가 입을 열었다.

"네, 알겠습니다. 즉시 이들을 데려가겠습니다."

39

로마 교황의 궁은 바티칸 시국 북동쪽, 시스티나 소성당 근처에 있는 여러 건물들의 집합체이다. 산 피에트로 광장이 내다보이는 궁에는 교황의 아파트와 집무실이 있다.

비토리아와 랭던은 올리베티 사령관이 안내하는 대로 침묵 속에 로코코 양식의 긴 회랑을 따라갔다. 사령관의 목 근육은 분노로 펄떡거렸다. 그들은 세 채의 계단을 오른 후 희미하게 불을 밝힌 넓은 복도로 들어섰다.

랭던은 벽에 걸린 예술작품들을 믿을 수가 없었다. 갓 만든 것처럼 보존상태가 뛰어난 흉상, 태피스트리, 벽의 조각장식들. 모두 수십만 달러는 나갈 것 같았다. 복도를 3분의 2쯤 지나갔을 때, 일행은 설화석고로 만든 분수를 지나쳤다. 올리베티는 왼쪽으로 꺾어, 우묵한 곳으로 들어갔다. 그곳에는 랭던이 이제까지 본 문들 중에서 가장 커다란 문이 버티고 있었다.

"교황님의 집무실이오."

비토리아에게 신랄한 표정을 지어 보이며 사령관이 말했다. 비토리아는 꿈쩍도 하지 않았다. 그녀는 올리베티를 지나 시끄럽게 문을 노크했다.

'교황의 집무실.'

랭던은 지금 자신이 종교적으로 가장 신성한 방 가운데 하나인 교황의 집무실 앞에 서 있음을 받아들이기가 어려웠다.

"들어오십시오!"

안에서 누군가 소리쳤다.

문이 열리자 랭던은 눈을 감아야만 했다. 햇빛이 그의 눈을 장님으로 만들었다. 그러고는 천천히 초점이 맞춰지면서 모습이 들어왔다.

교황의 집무실은 사무실이라기보다는 무도회장 같았다. 붉은 대리석 바닥이 벽까지 사방으로 뻗어 있고, 선명한 프레스코화가 벽을 치장하였다. 머리 위에는 거대한 샹들리에가 있고, 아치 모양의 창문은 햇살을 듬뿍 머금은 광장의 멋진 풍경을 선사하였다.

랭던은 생각했다.

'세상에. 정말 기막히게 전망 좋은 방이로군.'

방의 맨 끝에 조각한 책상이 있고, 그 책상에 한 남자가 앉아서 열심히 뭔가를 적고 있었다.

"들어오십시오."

남자가 펜을 놓고, 그들에게 손을 흔들며 다시 외쳤다.

올리베티가 군인 걸음으로 앞장섰다. 그리고 사죄하는 투로 입을 열었다.

"궁무처장님. 이들을 막을 수가……"

남자는 사령관의 말을 잘랐다. 그리고 자리에서 일어나 두 방문객들을 살폈다.

궁무처장의 모습은 바티칸을 돌아다니면 보통 볼 수 있는 유순하고 행복에 겨운 노인의 이미지가 아니었다. 남자는 로사리오 목걸이나 펜던트도 걸치지 않았다. 무거운 의복도 입지 않았다. 대신에 실질적인 견실함을 강조하려는 듯, 단순한 검은색 일상 사제복을 입고 있었다.

남자는 30대 후반으로 보였지만 바티칸의 평균 연령으로 보면 정말 어린아이라고 할 수 있었다. 궁무처장은 놀랍도록 잘생겼다. 숱 많은 갈색 머리카락과 형형한 녹색 눈동자. 우주의 신비에 자극받은 듯 그의 눈동자는 빛났다. 하지만 남자가 가까이 다가오자, 랭던은 그의 눈에 담긴 극도의 피로를 읽을 수 있었다. 인생에서 가장 힘든 보름 기간을 지나온 영혼 같았다.

"저는 카를로 벤트레스카입니다."

남자의 영어 발음은 완벽했다.

"서거하신 교황님의 궁무처장입니다."

그의 목소리는 가식이 없고 친절했다. 이탈리아 억양이 아주 약간 배어 있었다.

앞으로 나서서 손을 내밀며 비토리아가 말했다.

"비토리아 베트라입니다. 저희를 만나주셔서 고맙습니다."

궁무처장이 비토리아와 악수하자 올리베티의 얼굴이 씰룩거렸다.

비토리아가 소개했다.

"이쪽은 로버트 랭던입니다. 하버드 대학교의 종교학자이죠."

"궁무처장님."

최고의 이탈리아 억양을 구사하며 랭던이 인사했다. 그리고 남자에게 손을 내밀면서 머리를 숙였다.

남자가 랭던을 일으켜 세우며 말했다.

"아닙니다, 아니에요. 교황의 신성한 집무실이 저를 신성하게 만드는 것은 아닙니다. 저는 한낱 사제에 불과합니다. 필요한 시간만큼 여기에서 봉사하는 시종일 뿐이죠."

랭던은 똑바로 일어섰다.

남자가 말했다.

"자, 모두 앉읍시다."

그리고 책상 주변의 의자들을 모아서 자리를 만들었다. 랭던과 비토리아는 앉고, 올리베티는 서 있는 것을 더 좋아하는 게 분명했다.

남자는 책상으로 가서 앉았다. 그리고 팔짱을 낀 채 한숨을 쉬면서 방문객들을 바라보았다.

올리베티가 말했다.

"궁무처장님. 여자의 복장은 제 실수입니다. 제가……"

"여자분의 복장은 제 걱정거리가 아닙니다."

성가시게 하는 데 많이 지쳤다는 투로 남자는 응답했다.

"선거회의를 시작하기 전 삼십 분을 앞두고, 바티칸의 전화교환원이 제게 전화를 걸어왔습니다. 어떤 여자분이 사령관의 개인사무실에서 전화를 했는데, 제가 보고받지 못한 중대한 보안상의 위협에 관해 경고하기 위해서라더군요. 그게 걱정이 됩니다."

올리베티는 굳은 채 서 있었다. 가혹한 취조를 받는 군인처럼 그의 등은 활처럼 휘어 있었다.

랭던은 궁무처장의 존재에 최면이 걸리는 느낌을 받았다. 남자는 젊고 지쳐 보였지만, 어딘가 신비한 영웅적인 분위기를 간직했다. 카리스마와 권위를 발산하는 젊은 사제였다.

올리베티가 입을 열었다. 그의 어조는 사과조를 띠긴 했지만 여전히 굽히지 않았다.

"궁무처장님. 보안 문제로 몸소 걱정하셔서는 안 됩니다. 다른 책임들이 많으시니까요."

"물론 제가 해야 할 다른 책임도 잘 알고 있습니다. 또한 이 시기의 책임자로서 선거회의에 참석한 모든 이들의 안전과 안녕을 위한 책임이 제게 있다는 것도 잘 압니다. 여기에서 무슨 일이 일어나고 있는 겁니까?"

"저는 모든 상황을 통제하고 있습니다."

"분명히 그렇지가 않습니다."

랭던이 구겨진 종이를 꺼내 궁무처장에게 건네며 불쑥 입을 열었다.

"궁무처장님. 보시죠."

올리베티 사령관이 끼어들려고 앞으로 나섰다.

"궁무처장님, 이런 걸로 정신을 어지럽히시지 않는 것이……"

궁무처장은 꽤 오랫동안 올리베티를 무시하면서 종이를 바라보았다. 남자는 살해당한 레오나르도 베트라의 모습을 보고 놀란 숨을 내쉬었다.

"이게 뭡니까?"

떨리는 목소리로 비토리아가 대답했다.

"그분은 제 아버지입니다. 아버지는 사제이자 과학자이셨어요. 어젯밤에 살해되셨습니다."

궁무처장의 얼굴이 즉시 부드러워졌다. 그리고 비토리아를 쳐다보았다.

"내 어린양. 유감입니다."

남자는 성호를 긋고, 종이를 다시 들여다보았다. 그의 눈동자에는 혐오의 빛이 가득했다.

"누가 이런…… 가슴의 이 낙인은……"

눈을 가늘게 뜨고, 이미지를 더 자세히 들여다보며 궁무처장은 말을 멈췄다.

랭던이 끼어들었다.

"일루미나티라고 적힌 겁니다. 궁무처장님도 물론 그 이름을 알고 계시겠죠."

궁무처장의 얼굴에 야릇한 표정이 지나갔다.

"네, 이름은 들어봤습니다. 하지만……"

"일루미나티가 레오나르도 베트라 박사를 살해했습니다. 그리고 그들은 신기술을 훔쳐서……"

올리베티가 중간에서 끼어들었다.

"궁무처장님. 터무니없는 소리입니다. 일루미나티? 이건 분명 잘

222

꾸며낸 속임수입니다."

궁무처장은 올리베티의 말을 고려해보는 것 같았다. 그런 뒤에 돌아서서 랭던의 말을 심사숙고했다. 랭던은 자신의 폐에서 공기가 빠져나가는 기분이었다.

"랭던 씨, 저는 제 인생을 가톨릭 교회에서 보냈습니다. 일루미나티에 관한 얘기는 잘 압니다…… 그리고 낙인의 전설도 잘 알지요. 하지만 당신께 경고할 것이 있습니다. 저는 현재 시제의 인간입니다. 과거의 유령을 부활시키지 않더라도, 기독교의 진짜 적들은 충분합니다."

"거기에 나온 상징은 진짜입니다."

너무 방어적이라 생각하면서 랭던은 주장했다. 그리고 손을 내밀어 궁무처장을 위해 종이를 돌려 보였다.

낙인의 대칭성을 보자 궁무처장은 침묵에 빠져들었다.

랭던이 말을 덧붙였다.

"현대의 컴퓨터들조차 이 단어의 대칭적인 앰비그램을 위조하지 못했습니다."

궁무처장은 팔짱을 끼고 오랫동안 아무 말도 하지 않았다. 그러다가 마침내 입을 열었다.

"일루미나티는 사라졌습니다. 그것도 오래 전에. 이건 역사적인 사실입니다."

랭던은 고개를 끄덕였다.

"어제까지만 해도 저 역시 궁무처장님의 의견에 동의했을 겁니다."

"어제?"

"오늘 일어난 일련의 사건들 전이라면 말입니다. 저는 일루미나티가 고대의 약속을 지키기 위해 다시 표면에 떠올랐다고 믿고 있습니다."

"용서하십시오. 저의 역사 지식은 녹이 슬었습니다. 고대의 무슨 약속을 말하는 겁니까?"

랭던은 숨을 깊이 들이켰다.

"바티칸 시국의 파괴입니다."

"바티칸 시국을 파괴한다고요?"

궁무처장은 놀랐다기보다는 당황한 것 같았다.

"하지만 그건 불가능합니다."

비토리아가 머리를 저었다.

"저희는 더 나쁜 소식을 몇 가지 가지고 있어요."

40

"그게 사실입니까?"

비토리아에게서 올리베티에게로 돌아서며 궁무처장은 놀란 표정으로 물었다.

올리베티가 안심시켰다.

"궁무처장님. 여기에 어떤 장치 같은 게 있다는 것은 인정하겠습니다. 저희 보안 모니터에 분명 보입니다. 하지만 저는 이 물질의 파괴력에 관한 베트라 양의 주장을 인정할 수가 없……"

궁무처장이 말했다.

"잠깐만 기다려요. 그걸 볼 수 있다는 말입니까?"

"네, 그렇습니다. 무선카메라 팔십육 번입니다."

"그럼 왜 수거하지 않습니까?"

궁무처장의 목소리는 이제 노여움을 담고 울려퍼졌다.

"그게 매우 어려운 일입니다."

상황을 설명하면서 올리베티는 꼿꼿이 몸을 세웠다.

궁무처장은 귀를 기울였다. 비토리아는 궁무처장의 근심이 커지는 것을 감지하였다. 궁무처장이 물었다.

"그 물건이 바티칸 시국 내부에 있다는 것은 확실합니까? 어쩌면 누군가 카메라를 가지고 나가서, 바깥 어딘가에서 화면을 보낼지도 모릅니다."

올리베티가 대답했다.

"그건 불가능합니다. 우리의 외벽은 내부 통신을 보호하기 위해 전자 보호막이 가동되는 상태입니다. 오직 바티칸 내부에서 나오는 신호를 잡을 수 있는 것입니다. 밖에 있다면 우리는 화면을 전송받을 수 없습니다."

궁무처장이 말했다.

"그럼 사령관은 지금 모든 노력을 총동원해 사라진 카메라를 찾고 계시겠군요?"

올리베티는 머리를 저었다.

"아닙니다. 사라진 카메라를 찾는 일은 수백 명의 인력과 긴 시간을 요합니다. 우리는 지금 이 순간 다른 보안 문제를 책임지고 있습니다. 베트라 양이 말하는 물건은 아주 작은 물방울 같은 것입니다. 베트라 양의 주장대로, 그 작은 한 방울이 그런 폭발력을 가진다는 것은 불가능합니다."

비토리아의 인내심이 사라졌다.

"그 작은 한 방울이 바티칸 시국을 충분히 초토화시킬 수 있어요! 제가 사령관님께 드린 얘기에 전혀 귀를 기울이시지 않았나요?"

강철처럼 단단한 목소리로 올리베티가 말했다.

"베트라 양. 폭발물에 관한 내 경험은 아주 광범위하오."

비토리아는 똑같이 거친 목소리로 되쏘았다.

"사령관님의 경험은 구식이에요. 지금 제 옷차림이 비록 이런 꼴이지만, 유감스럽게도 저는 세계에서 가장 우수한 입자연구소의 선임연구원입니다. 제가 디자인한 반물질 트랩 장치는 그 작은 한 방울이 지금 당장 폭발하는 것만을 막고 있어요. 사령관님께 경고하는데, 만일

226

앞으로 여섯 시간 안에 그 트랩을 찾아내지 못하면, 사령관님의 근위대는 다음 세기에 보호해야 할 것이 아무것도 없을 거예요. 지상에 생겨난 커다란 구멍을 제외하고는 말이죠."

올리베티는 궁무처장에게 돌아섰다. 곤충 같은 그의 눈동자가 분노로 번쩍였다.

"제 양심을 걸고 이런 이야기는 더 이상 용납할 수 없습니다. 궁무처장님의 시간을 이 장난꾸러기들이 낭비하고 있습니다. 일루미나티? 작은 방울 하나가 우리 모두를 파괴할 거라고?"

"두 사람 모두 됐습니다."

궁무처장이 입을 열었다. 그는 조용히 자제시켰지만, 그 말은 방 전체에 울려퍼졌다. 그리고 침묵이 찾아왔다. 궁무처장은 계속 속삭이는 목소리로 말했다.

"위험하든 위험하지 않든, 일루미나티든 일루미나티가 아니든, 그 물질이 무엇이든간에 바티칸 시국 안에 있어서는 안 될 물건임이 확실합니다…… 적어도 선거회의 전야에는 안 됩니다. 저 물건을 찾아서 제거하기 바랍니다. 즉시 수색 팀을 조직하세요."

올리베티가 고집을 피웠다.

"궁무처장님, 바티칸 시국의 건물을 수색하기 위해 모든 인력을 동원한다 해도, 카메라를 찾는 일은 수일이 걸릴 수 있습니다. 그리고 베트라 양과 얘기를 나눈 후, 저는 반물질의 성분을 알아보기 위해 부하에게 최신 탄도학 안내서를 찾아보게 했습니다. 하지만 어디에도 반물질에 대한 언급을 찾아볼 수 없었습니다. 전혀요."

비토리아는 생각했다.

'거드름 피우는 머저리. 탄도학 안내서? 백과사전은 왜 안 보셨지? A 아래를 말이야!'

올리베티는 계속 자신의 생각을 고집했다.

"궁무처장님, 만일 궁무처장님이 바티칸 시국 전체를 맨눈으로 수색하자고 하시는 거라면, 저는 반대입니다."

궁무처장의 목소리에는 분노가 배어 있었다.

"사령관님. 사령관님이 제게 말씀하시는 것은 이 집무실에 대고 말씀하시는 것과 같음을 상기시켜드려야 할 것 같습니다. 사령관님은 제 위치를 진지하게 받아들이시지 않는다는 것을 깨달았습니다. 그럼에도 불구하고 법에 따라 이곳의 책임자는 저입니다. 제가 실수하지 않았다면, 추기경님들은 안전하게 시스티나 소성당에 계실 겁니다. 그리고 선거회의가 해산될 때까지, 사령관님의 보안 걱정도 줄어들 겁니다. 제가 사정을 잘 몰랐다면, 사령관님이 이번 선거회의를 고의적으로 위험에 빠뜨리려는 것처럼 보았을 겁니다."

올리베티는 냉소적인 표정을 지었다.

"어떻게 감히 당신이! 나는 당신의 교황님을 십이 년 동안이나 모셨소! 그리고 그 전 교황님을 십사 년 동안 섬겼고! 1438년 이래 우리 스위스 근위대는……"

그때 올리베티의 허리띠에 달린 무전기가 시끄럽게 삑삑거리며 말을 잘랐다.

"사령관님?"

올리베티는 무전기를 낚아채 전송 버튼을 눌렀다.

"사령관이다! 무슨 일인가!"

무전기에서 스위스 근위병의 목소리가 들렸다.

"죄송합니다. 방금 전화가 왔는데, 우리가 받고 있는 폭탄 위협의 정보를 알려드려야겠기에 연락드렸습니다."

올리베티는 별 흥미를 보이지 않았다.

"그럼 처리해! 평소 추적 방식대로 실행하고, 결과를 보고하게."

"그렇게 했습니다, 사령관님. 하지만 전화를 건 사람은……"

근위병은 망설였다.

"귀찮게 하려는 게 아니라 전화를 건 사람은 사령관님께서 제게 조

사시킨 물질에 관해 언급했습니다. 반물질 말입니다."

방 안에 있던 모든 사람이 놀란 시선을 교환했다.

"그자가 뭘 언급했다고?"

올리베티는 비틀거렸다.

"반물질입니다. 사령관님. 우리가 추적 과정에서 그자의 주장을 추가 조사했습니다. 반물질에 관한 정보는…… 글쎄, 솔직하게 말씀드려서 반물질은 꽤 골칫거리 같습니다."

"탄도학 안내서에는 아무런 언급이 없다고 하지 않았나."

"인터넷에서 알아낸 것입니다."

'할렐루야.'

비토리아는 생각했다.

근위병의 말이 이어졌다.

"반물질은 굉장히 폭발성이 강한 것으로 보입니다. 이 정보가 정확하다고 보기는 어렵지만, 반물질은 같은 비율의 핵탄두보다 백 배 이상의 위력이 있는 것으로 나와 있습니다."

올리베티의 몸이 구부정해졌다. 산이 무너지는 것을 보는 것 같았다. 비토리아의 승리감은 궁무처장의 얼굴에 떠오른 공포의 표정과 함께 싹 달아나고 말았다.

"그 전화를 추적했나?"

올리베티는 여전히 비틀거렸다.

"운이 안 좋았습니다. 사용자의 휴대전화기는 여러 암호로 덮어씌워져 있습니다. SAT* 라인들이 서로 합선되어, 삼각측량이 불가능합니다. 중파 신호는 그자가 로마 어딘가에 있다는 것을 보여주고 있습니다만, 실제로 남자를 추적할 방법은 없습니다."(SAT : 음성채널의 통화로 구성 상태를 감지하기 위한 가청 주파수, supervisory audio tone)

"그자가 무슨 요구를 하던가?"

올리베티의 목소리가 차분해졌다.

"없습니다. 그저 바티칸 내부에 반물질이 숨겨져 있다는 것을 우리에게 경고하고 싶었답니다. 제가 그 사실을 모르고 있어서 놀란 눈치였습니다. 제게 반물질을 아직 못 보았느냐고 묻더군요. 사령관님도 제게 반물질에 관한 것을 물으셨기에, 알려드려야 한다고 판단했습니다."

올리베티가 말했다.

"잘했네. 곧 그리로 가겠네. 그자가 다시 전화를 걸어오면 즉시 알려주게."

무전기에서는 오랫동안 아무 말이 없었다.

"그자와 아직 통화중입니다, 사령관님."

올리베티의 표정은 전기에 감전된 사람 같았다.

"전화를 아직 끊지 않았다고?"

"네, 그렇습니다. 십 분 동안 그자의 위치를 추적하려고 애썼지만, 추적 범위를 넓히는 것 외에 아직 얻은 게 없습니다. 그자는 우리가 자기를 잡을 수 없다는 것을 알고 있는 것 같습니다. 궁무처장님과 대화하기 전에는 전화를 끊지 않겠다고 우기고 있습니다."

궁무처장이 명령했다.

"그자를 연결하세요. 지금 당장!"

올리베티가 돌아섰다.

"궁무처장님, 안 됩니다. 이 일은 훈련된 스위스 근위대 협상가가 다루는 게 낫습니다."

"당장!"

올리베티가 지시를 내렸다.

잠시 후 벤트레스카 궁무처장 책상의 전화기가 울려댔다. 궁무처장은 전화기의 스피커폰 버튼을 눌렀다.

"신의 이름으로, 당신은 당신이 누구라고 생각합니까?"

41

궁무처장의 스피커폰에서 흘러나온 목소리는 오만함이 밴 차갑고 금속적인 목소리였다. 방 안의 모두가 귀를 기울였다.

랭던은 남자의 억양을 알아보려고 노력했다.

'혹시 중동 지방인가?'

낯선 억양을 구사하며 남자는 말을 시작했다.

"나는 고대 조직의 심부름꾼이오. 바티칸이 수백 년 동안 중상모략 해온 조직이지. 나는 일루미나티의 사자(使者)요."

랭던은 근육이 팽팽히 당기는 느낌이었다. 마지막 남은 의심의 조각들이 사그라들었다. 순간 랭던은 오늘 아침 앰비그램을 처음 보았을 때 경험한 스릴과 특권, 그리고 무서운 공포가 서로 뒤범벅이 된 익숙한 느낌을 맛보았다.

"원하는 게 무엇입니까?"

궁무처장이 물었다.

"나는 과학의 사람들을 대표하고 있소. 당신처럼 해답을 찾는 사람들이지. 인간의 운명, 인간의 목적, 인간의 창조자에 대한 답들."

궁무처장이 말했다.

"당신이 누구이든간에 나는……"

"쉿! 그냥 듣는 게 더 좋을 거요. 이천 년 동안 당신네 교회는 진실을 위한 탐구를 독점해왔소. 교회에 반대하는 자는 거짓말과 파멸의 예언 따위로 뭉개버렸지. 바티칸은 자기의 필요에 따라 진실을 조작했고, 사람들의 발견이 바티칸의 정치에 부합되지 않으면 살해해버렸지. 바티칸이 지구상에서 계몽된 모든 이들의 목표가 된 것에 놀랐소?"

"계몽된 자들은 자신의 논리를 펴기 위해 협박에 의존하지 않습니다."

전화를 건 남자가 웃었다.

"협박? 이건 협박이 아니오. 우리는 어떤 요구도 없거든. 바티칸의 멸망은 협상 가능한 내용이 아니야. 우리는 이 날을 위해 사백 년을 기다렸지. 자정이 되면 당신들의 도시는 무너질 것이오. 당신이 할 수 있는 것은 아무도 없어."

올리베티는 폭풍이 몰아치듯 스피커폰으로 다가갔다.

"바티칸 시국에 접근하는 것은 불가능하다! 네놈이 여기에 폭발물을 심어놓았을 리가 없다!"

"지금 말한 사람은 바티칸에 대한 스위스 근위대의 무식한 헌신을 담고 있군. 스위스 근위병이신가? 물론 당신은 수백 년 동안 일루미나티가 지구상의 일류 조직들에 침투한 사실을 잘 알고 있겠지. 바티칸은 면역이 되어, 정말 안전하다고 생각하는 건가?"

'하느님 맙소사. 이 안에 저들의 내통자가 있다.'

랭던은 생각했다. 일루미나티의 힘의 상징이 침투라는 건 비밀도 아니다. 그들은 프리메이슨과 유력 은행의 네트워크, 정부단체 등에 침투했다. 사실 처칠은 한때 기자들에게 이런 말을 했다. '일루미나티가 영국 의회에 침투한 정도로 영국 스파이가 나치에 침투했다면, 전쟁은 한 달 안에 끝났을 것'이라고.

올리베티가 냉큼 말을 잘랐다.

"명백한 허풍이다. 네놈 조직의 영향력이 이렇게 멀리까지 미쳤을

리가 없어."

"왜지? 당신네 스위스 근위병이 불침번을 서며 지키기 때문에? 바티칸 구석구석을 지켜보기 때문에? 스위스 근위병, 그 자체는 어떤가? 그들은 사람이 아닌가? 당신은 그들이 물 위를 걷는 남자에 관한 우화에 자신들의 목숨을 진심으로 걸고 있다고 믿는 건가? 그 반물질 보관용기가 어떻게 당신네 도시에 들어갈 수 있었는지 자신에게 물어보라고. 아니면 당신네 가장 값진 자산인 친구 네 명이 오늘 오후에 어떻게 사라졌는지를 물어보든지."

올리베티는 얼굴을 찡그렸다.

"우리의 자산? 무슨 뜻이냐?"

"하나, 둘, 셋, 넷. 지금쯤 자네는 그 친구들을 잃어버리지 않았나?"

"지금 대체 무슨 말을 하는……"

올리베티는 곧 말을 멈췄다. 배를 한대 얻어맞은 것처럼 그의 눈동자가 쑥 커졌다.

전화를 건 남자의 말은 계속되었다.

"이제야 서서히 깨달은 모양이군. 내가 그들의 이름을 불러줄까?"

"대체 무슨 일입니까?"

당황한 궁무처장이 물었다.

전화를 건 남자가 웃었다.

"당신네 근위병 나리가 아직 당신에게 보고를 안 한 모양이지? 이 얼마나 큰 죄인가. 놀랄 것도 없지. 그건 자존심일 테니까. 당신에게 진실을 밝혀야 하는 불명예를 상상해보라고…… 근위대가 보호하겠다고 맹세한 네 명의 추기경이 사라진 사실을 말이야……"

올리베티가 발끈했다.

"어디에서 정보를 얻었느냐?"

전화를 건 남자는 득의양양한 목소리로 말했다.

"궁무처장. 당신네 사령관에게 물어보시오. 당신네 추기경 모두가

233

시스티나 소성당에 무사히 있는지를."

궁무처장의 눈길이 올리베티를 향했다.

그의 초록색 눈동자는 설명을 요구하였다.

올리베티는 궁무처장의 귀에 대고 속삭였다.

"궁무처장님. 추기경 네 분이 아직 시스티나 소성당에 들어가시지 않은 것은 사실입니다. 하지만 그것 때문에 경보를 울릴 필요는 없습니다. 오늘 아침에 모든 추기경님들이 숙소에 계신 것을 확인했습니다. 따라서 그분들은 바티칸 시국 안에 안전하게 계실 겁니다. 궁무처장님도 불과 한 시간 전에 그분들과 함께 차를 마시지 않으셨습니까. 단순히 선거회의 전에 갖는 우정의 모임 자리에 늦으시는 것뿐입니다. 저희가 찾고 있긴 합니다만, 분명 그분들은 시간 가는 줄 모르고 산책을 즐기고 계실 겁니다."

궁무처장의 목소리에서 평정이 사라졌다.

"산책을 즐기신다고요? 그분들은 벌써 한 시간 전부터 성당에 계셔야 할 분들입니다!"

랭던은 비토리아에게 경악에 찬 시선을 던졌다.

'사라진 추기경들? 그럼 아래층에서 근위병들이 찾던 게 추기경이었다는 말인가?'

전화 속의 목소리가 말했다.

"내 재고품 목록이 꽤나 신빙성이 있다는 것을 알게 될 거요. 파리에서 온 라마세 추기경, 바르셀로나에서 온 가이드라 추기경, 프랑크푸르트에서 온 에브너 추기경……"

이름을 한 명씩 부를 때마다 올리베티의 몸은 점점 쪼그라드는 것 같았다.

마지막 이름을 부를 때 특히 즐거운 듯 남자는 잠시 말을 멈췄다.

"그리고 이탈리아의…… 바치아 추기경."

궁무처장은 바람 한 점 없는 고요한 바다에 돛을 올린 범선처럼 힘이 풀어졌다. 사제복이 펄럭거리며 의자에 무너지듯 주저앉았다. 궁무처장이 속삭였다.

"발탁된 후보자들. 바치아 추기경을 포함한…… 네 명의 후보들…… 가장 유망한 교황의 계승자들…… 어떻게 이런 일이 일어날 수 있단 말인가?"

랭던은 현대의 교황 선출에 관해 충분히 알고 있었기 때문에 궁무처장의 얼굴에 떠오른 절망적인 표정을 이해하였다. 법적으로 여든 살 이하의 추기경은 누구나 교황이 될 수 있지만, 치열한 투표과정에서 출석자 수의 3분의 2에 해당하는 표와 존경을 얻는 사람은 불과 소수 몇 명뿐이었다. 그들이 바로 발탁된 후보자들이고, 지금 그들 모두가 사라진 것이다.

궁무처장의 이마에 땀이 솟았다.

"그분들을 데리고 어쩔 작정이오?"

"내가 어쩔 작정이라고 생각하지? 나는 하사신의 후손이오."

랭던은 전율했다. 그 이름을 잘 알고 있다. 교회는 지난 세월 동안 몇몇 치명적인 적을 만들었다. 하사신, 성당기사단, 바티칸에 사냥당하거나 배신당한 군대들.

궁무처장이 말했다.

"추기경들을 풀어주시오. 신의 도시를 파괴하는 것으로 위협은 충분하지 않습니까?"

"당신네 추기경 네 명은 잊어버리시지. 그들은 당신에게 없는 것과 마찬가지니까. 하지만 그들의 죽음이 기억되리라는 것은 내가 보장하지…… 수백만의 사람들이 기억할 거야. 모든 순교자들의 꿈이지. 내가 그들을 언론에서 떠드는 유명인사로 만들어주지. 한 사람 한 사람씩. 오늘 밤 자정에는 모든 사람이 일루미나티에 주목하겠지. 세계가 지켜보지 않는다면 왜 세계를 바꾸겠는가? 공개 처형은 사람들에게 독약과도 같은 공포를 안겨주지, 안 그런가? 당신네 교회는 오래 전에 이를 증명했어…… 종교재판, 성당기사단에 가한 고문, 십자군."

남자는 잠시 뜸을 들였다.

"그리고 물론 정죄(淨罪)도 있지."

궁무처장은 말이 없었다.

남자가 물었다.

"당신은 정죄를 기억하지 못하나? 물론 기억 못하겠지. 당신은 아이였을 테니까. 어쨌든 사제들이란 가련한 역사가이지. 어쩌면 바티칸의 역사가 사제들을 부끄럽게 만들었기 때문일까?"

"정죄라. 1668년, 교회는 네 명의 과학자들에게 십자가 상징을 낙인찍었습니다. 그들의 죄를 깨끗이 씻어내기 위해서."

랭던이 혼잣말로 중얼거렸다.

"누가 말하는 거지? 거기에 다른 누가 또 있나?"

당황하기보다는 더욱 즐기는 분위기를 풍기며 전화 속의 목소리가 물었다.

랭던은 현기증을 느꼈다.

"내 이름은 중요하지 않소."

목소리가 떨리지 않게 애쓰며 랭던은 대답했다. 살아 있는 일루미나티 단원과 말한다는 것은 그에게는 너무나 혼란스런 경험이다……마치 조지 워싱턴에게 말을 거는 것처럼 말이다.

"나는 당신 조직의 역사를 연구하는 학자요."

전화 속의 목소리가 되받았다.

"훌륭해. 우리에게 저지른 죄악을 기억하는 자가 아직 세상에 남아있어서 기쁘군."

"대부분은 당신네 조직이 사라졌다고 생각하고 있소."

"조직이 열심히 퍼뜨려온 거짓 정보지. 정죄에 대해서 그외에 무엇을 알고 있나?"

랭던은 망설였다.

'내가 무엇을 더 알고 있느냐고? 이 모든 상황이 미쳤다는 것, 그게 내가 아는 것이다!'

"낙인이 찍힌 후에 과학자들은 살해되었다. 그리고 그들의 시신은 로마 주변의 공개 장소에 버려졌지. 다른 과학자들에게 일루미나티에 합류하지 말라는 경고의 의미로서."

"그래. 그래서 우리도 같은 일을 할 거요. 눈에는 눈, 이에는 이(Quid pro quo). 살해된 우리 형제들을 위한 상징적인 보복이라고 생각해도 되겠지. 당신네 추기경 네 사람은 죽을 거요. 여덟 시부터 시작해서, 매 시간에 한 사람씩. 자정이 되면, 이 일은 전 세계를 충격에 빠뜨릴 것이오."

랭던은 전화기로 다가갔다.

"정말 그 네 사람에게 낙인 찍어서 죽일 작정이오?"

"역사는 되풀이된다, 그렇지 않은가? 물론 우리는 교회가 한 것보다 우아하고 대담하게 해낼 것이오. 교회는 우리를 은밀하게 죽이고, 아무도 보지 않을 때 시신을 버렸지. 너무 겁쟁이 같은 짓이었어."

랭던이 물었다.

"무슨 소리요? 그럼 당신은 그들에게 낙인을 찍어 공개석상에서 죽이겠다는 거요?"

"잘 아는군. 하지만 당신들이 그곳을 공공장소로 생각하느냐에 달려있긴 하지. 많은 사람들이 이제 더 이상 교회에 나가지 않는 것을 알 테니까."

랭던은 깜짝 놀라 재차 확인했다.

"추기경들을 교회에서 죽일 작정이오?"

"우리의 친절함을 보여주는 행동이지. 신이 그들의 영혼을 더 신속하게 불러들일 수 있게 말이야. 참으로 올바르지 않나? 물론 언론도 이를 즐길 거라는 생각이 드는군."

"네놈은 허풍을 떨고 있어. 교회에서 사람을 죽이고, 거기에서 도망치기를 기대할 수는 없다."

올리베티가 경고했다. 그의 목소리에는 다시 냉정함이 서려 있었다.

"허풍? 우리는 당신네 스위스 근위병들 사이를 유령처럼 지나다녔어. 당신네 담장 안에서 네 명의 추기경을 빼내왔지. 그리고 당신들에게 가장 신성한 성소의 심장에 치명적인 폭발물을 심어놓았어. 이게 다 허풍 같나? 살인이 시작되고 희생자가 발견되면, 언론은 벌떼처럼 몰려들 거야. 자정에는 일루미나티가 해낸 일을 전 세계가 알게 되겠지."

"만일 우리가 모든 교회에 근위병을 배치한다면?"

올리베티가 말했다.

남자는 웃었다.

"당신네 종교의 다산성이 당신의 일을 어렵게 만들 것 같아 걱정이군. 최근에 세어보지 않았을 테지? 로마에는 사백 개 이상의 가톨릭 교회가 있지. 대성당, 교회, 소성당, 사원, 수도원, 수녀원, 가톨릭교구 부속학교들······"

올리베티의 얼굴은 그대로 굳어졌다.

남자는 최후통첩을 담은 짤막한 말을 던졌다.

"구십 분 후에 시작한다. 한 시간에 한 사람씩. 죽음의 수학적 진행이지. 이제 가야겠군."

"기다려! 추기경들에게 사용할 낙인에 관해 말해주시오."

랭던이 소리쳤다.

남자의 목소리는 즐거워 보였다.

"어떤 낙인이 사용될지 당신은 이미 알고 있을 것 같은데. 아니면 당신은 무신론자인가? 곧 낙인들을 충분히 보게 될 거야. 고대의 전설이 진실이라는 증거를."

랭던은 현기증이 났다. 그는 남자가 주장하는 게 무엇인지 정확하게 알고 있었다. 랭던은 레오나르도 베트라의 가슴에 찍힌 낙인을 떠올렸다. 일루미나티에 관해 떠도는 전설에는 모두 다섯 가지 낙인 이야기가 있다. 랭던은 생각했다.

'네 개의 낙인이 남았다. 그리고 사라진 추기경이 네 명.'

궁무처장이 말했다.

"나는 오늘 밤 새로운 교황을 모셔오기로 맹세했소. 신이 내게 시킨 것이오."

남자가 말했다.

"궁무처장. 세상에는 더 이상 새 교황이 필요 없소. 자정이 지나면, 새 교황은 파편 부스러기 외에는 지배할 것이 아무것도 없다는 것을 알게 될 거요. 가톨릭 교회는 끝장난 거지. 이 세상을 당신네가 다스리던 시대는 끝났어."

침묵이 흘렀다.

궁무처장의 얼굴은 진실로 슬퍼 보였다.

"당신은 잘못 인도되었소. 교회는 회반죽이나 돌멩이 이상의 것이오. 간단히 이천 년 동안의 믿음을 지울 수는 없소…… 어떤 믿음도. 속세의 형태를 단순히 제거하는 것으로 믿음을 부술 수는 없소. 가톨릭 교회는 바티칸 시국이 망하든, 안 망하든 계속될 것이오."

"숭고한 거짓말이로군. 하지만 항상 같은 거짓말이지. 우리는 둘 다 진실을 알고 있어. 말해보시오. 바티칸 시국이 왜 담장을 두른 요새일까?"

궁무처장이 대답했다.

"신의 사람들은 위험한 세계에 살고 있소."

"당신은 얼마나 젊지? 바티칸은 요새요. 왜냐하면 그 담장 안에 바티칸 재산의 절반이 있기 때문이지. 진귀한 그림, 조각품, 평가절하된 보석, 값을 매길 수 없는 서적들…… 그리고 바티칸 은행금고에는 금괴와 부동산 증서가 들어 있소. 바티칸 시국 안의 이런 재산들을 어림 잡아 계산하면 약 사백팔십오억 달러에 이르지. 당신은 꽤나 괜찮은 밑천 위에 앉아 있는 거요. 물론 내일이면 모두 재가 될 테지만. 어쨌든 그건 청산해야 할 부채나 마찬가지니까. 바티칸은 파산하는 거요. 아무리 성직자라 해도 무(無)를 위해 일할 수는 없지."

총알을 맞은 듯한 올리베티와 궁무처장의 표정은 남자의 긴 발언이 정확하다는 것을 반영하였다. 랭던은 가톨릭 교회가 그런 거금을 보유하고 있다는 것이 놀라운지, 일루미나티가 그에 관해 알아낸 것이 놀라운지 분간이 힘들었다.

궁무처장이 무겁게 한숨을 내쉬었다.

"돈이 아니라 믿음이 이 교회의 중추요."

남자가 말했다.

"거짓말이 느는군. 지난해 바티칸은 전 세계의 비틀거리는 교구를 지원하기 위해 일억 팔천삼백만 달러를 썼소. 사람들의 교회 참석률은 항상 낮아지고 있지. 지난 십 년 동안 사십육 퍼센트가 감소했으니까. 기부금은 칠 년 전에 거둬들인 금액의 절반에도 못 미치지. 신학교 입학생은 갈수록 줄어들고. 당신은 인정하지 않을 테지만 교회는 죽어가고 있소. 이번 일을 교회를 떠날 수 있는 절호의 기회로 고려해 보시오."

올리베티가 나섰다. 자신이 직면한 현실을 이제야 느낀 듯 호전적인 기운이 덜해 보였다. 올리베티는 출구를 찾는 사람처럼 보였다. 어떤 출구라도 좋았다.

"금괴로 네 동기를 사겠다면 어떻게 하겠나?"

"양쪽 모두를 모욕하지 마시오."

"우리에겐 돈이 있다."

"우리도 마찬가지요. 당신이 헤아릴 수 없을 정도로 많지."

순간 랭던은 사람들이 일루미나티의 재산이라고 단언하는 것을 떠올렸다. 바이에른 석공들이 남긴 고대의 부(富), 로스차일드 가*, 빌더버그 그룹**의 회원들, 전설적인 일루미나티의 다이아몬드.(로스차일드 가 : 유대계의 세계적인 금융재벌. 빌더버그 그룹 : 1954년 네덜란드 빌더버

그 호텔에서 처음 모임을 가졌다 하여 빌더버그 그룹이라 부른다. 이 모임은 프리메이슨 조직의 단합회의로 알려져 있다.)

"발탁된 후보자들. 추기경들을 아껴주시오. 그분들은 늙었소. 그분들은……"

화제를 바꾸어 궁무처장이 말했다. 그의 말투는 애원조였다.

전화 속의 목소리가 웃었다.

"순결한 희생이오. 말해보시오. 당신은 그들이 정말로 동정남(童貞男)이라고 생각하는 거요? 그들이 죽을 때 어린 양들이 우는 소리를 낼까? 과학의 제단에서 이루어지는 순결한 희생이라 생각하라고."

오랫동안 궁무처장은 침묵했다. 마침내 그가 입을 열었다.

"그분들은 믿음을 가진 분들이오. 죽음을 두려워하시지 않을 거요."

전화를 건 남자는 코웃음을 쳤다.

"레오나르도 베트라도 믿음을 가진 인간이었지. 하지만 어젯밤 내가 그의 눈동자에서 본 것은 두려움이었어. 내가 제거해준 것은 두려움이지."

잠자코 있던 비토리아가 벌떡 일어섰다. 그녀의 몸은 증오로 팽팽해졌다.

"이 망할 자식! 그분은 내 아버지야!"

스피커를 통해서 킬킬거리는 웃음이 메아리쳤다.

"네 아버지? 이건 또 뭔가? 베트라에게 딸이 있었다? 마지막에 당신 아버지는 어린애처럼 질질 짰다는 것만 알아두라고. 정말로 불쌍했지. 애처로웠어."

살인자의 말에 한방 맞은 듯 비토리아가 뒤로 비틀거렸다. 랭던이 그녀에게 다가갔지만, 비토리아는 금세 평정을 회복하고 검은 눈동자를 전화기에 고정시켰다.

"내 목숨을 걸고 맹세하겠어. 이 밤이 지나기 전에 당신을 찾아내겠어. 그리고 내가 당신을 찾아냈을 땐……"

그녀의 목소리는 레이저처럼 날카로웠다.

살인자는 투박하게 웃었다.

"영혼을 가진 여자라. 이 몸을 흥분시키는군. 아마 이 밤이 끝나기 전에 내가 너를 찾겠지. 그리고 너를 찾으면……"

그 말들은 칼날처럼 덮쳐왔다. 그런 뒤에 남자는 사라졌다.

42

　모르타티 추기경은 검은 사제복 안에서 땀을 흘리고 있었다. 시스티나 소성당이 사우나실처럼 느껴졌다. 20분 후면 선거회의가 시작될 예정이다. 그런데 사라진 추기경들에 관해서는 아직 아무런 소식도 없다. 이들의 부재 때문에 다른 추기경들 사이에서도 불안한 속삭임이 거리낌 없이 표출되었다.

　무단으로 빠진 추기경들이 도대체 지금 어디에 있는지 모르타티는 알 수가 없었다.

　'혹시 궁무처장과 함께 있나?'

　궁무처장이 아까 오후에 네 명의 발탁된 후보들을 초대해 개인적으로 차를 대접한 건 알고 있었다. 하지만 그건 벌써 여러 시간 전이다.

　'그 사람들이 아픈 건가? 뭘 잘못 먹었나?'

　모르타티는 이상했다. 죽음의 문턱에 있다 하더라도, 발탁된 후보자들은 여기 이 자리에 있어야 했다. 추기경이 교황으로 선출될 수 있는 기회를 갖는 것은 인생에서 오직 한 번뿐이다. 한 번 이상은 결코 없다. 바티칸 법령에 따라 투표가 진행될 때, 추기경은 시스티나 소성당 안에 있어야만 한다. 그렇지 않으면 자격이 박탈된다.

비록 발탁된 후보는 네 사람이지만, 이들 중에 다음 교황이 나오리라는 것을 누구도 의심하지 않았다. 지난 보름 간 잠재적인 후보자를 논의하는 팩스와 전화가 쇄도했다. 관례에 따라 네 명이 후보자로 선택되었고, 이들 각각은 교황이 되기 위한 무언의 조건을 충족하였다.

'이탈리아 어, 스페인 어, 영어 등 다국어에 능함.'

'숨겨진 비밀이나 수치(羞恥) 등이 전혀 없음.'

'예순다섯 살과 여든 살 사이.'

보통은 발탁된 후보자들 중 한 사람을 추기경단이 뽑고, 거기에서 선택된 추기경이 다른 이들을 제치고 교황이 된다. 오늘 밤 그 사람은 밀라노에서 온 알도 바치아 추기경이다. 바치아의 오점 없는 봉사 경력은, 완벽한 언어 구사력과 정신의 본질을 전달하는 능력과 더불어 그를 가장 확실한 후보자로 만들었다.

'대체 바치아 추기경은 어디에 있는 거지?'

모르타티는 궁금했다.

그는 사라진 추기경들이 유난히 걱정스러웠다. 선거회의를 감독하는 업무가 그에게 부여되었기 때문이다. 1주일 전에 추기경단은 만장일치로 모르타티를 추기경 단장으로 추대했다. 추기경 단장은 선거회의의 내부 의식과 절차를 총 관장하는 자리다. 공식적으로는 궁무처장이 바티칸에서 가장 높은 사람이지만, 궁무처장은 그저 사제에 불과했고 선거 과정에는 익숙하지 못했다. 그래서 추기경 한 사람을 뽑아 시스티나 소성당 안의 의식을 총괄하도록 하는 것이다.

추기경들은 추기경 단장으로 지명되는 것이 가톨릭계에서 가장 잔인한 명예라는 농담을 종종 한다. 단장으로 지명이 되면 당사자는 선거 기간 동안 교황직 후보자에서 제외되기 때문이다. 그리고 선거회의에 앞서 추기경 단장은 선거가 적절하게 치러지도록 선거회의에 관련된 의식들의 복잡한 세부사항을 모두 살피고, '주님의 양떼(Universi Dominici Gregis)*'의 내용을 숙독하며 많은 날을 보내야 한다.(주님의

양떼 : 1996년 2월 22일에 '사도좌 공석과 교황 선출에 관해' 내린 교황 요한 바오로 2세의 교황령.)

하지만 모르타티는 아무런 불만도 없었다. 자신이 추기경들의 합리적인 선택임을 알고 있었다. 그는 이제 연장자 축에 드는 추기경일 뿐만 아니라, 서거한 교황의 절친한 친구였다. 이 사실은 그에 대한 존경을 한층 고취시켰다. 법적으로는 모르타티 역시 교황 후보자가 될 수 있는 나이지만, 진정한 후보자가 되기에는 나이가 많았다. 보편적으로 일흔아홉 살이 넘으면 교황직의 과도한 업무를 감당해낼 수 없을 것이라 추기경단은 판단했고, 일흔아홉 살이라는 나이로 모르타티는 말없이 그 선을 넘은 것이다. 교황이 되면 보통 하루에 열네 시간을 일하고, 1주일에 7일을 일해야 했다. 그리고 과로로 재임 평균 6.3년 안에 죽었다. 교황직을 수락하는 것은 추기경에게 '천국으로 가는 가장 빠른 노선'이란 농담이 바티칸 안에서 나돌 정도이다.

많은 사람들은 모르타티가 관대한 마음의 소유자가 아니었다면, 젊은 시절 교황이 될 수도 있었을 거라고 믿었다. 교황의 자리를 추구하는 사람에게는 삼위일체가 이루어져야 했다. 보수성. 보수성. 보수성.

서거한 교황, 신이여 그의 영혼을 쉬게 하소서, 모르타티는 서거한 교황이 일단 교황직에 앉자, 놀랍도록 자유로운 사고방식을 드러낸 모순을 늘 즐거운 마음으로 받아들였다. 교황은 현대세상이 교회에서 멀어지고 있음을 감지하고, 과학에 대한 교회의 자세를 온화하게 바꿀 것과 심지어는 몇몇 과학 연구에 기부금을 제의하기도 했다. 안타깝게도 그 일은 정치적으로는 자살 행위였다. 과학지상주의자들은 교회가 속하지 않은 곳에 교황이 영향력을 퍼뜨리려 한다며 교황을 비난했고, 보수적인 가톨릭계는 교황이 '망령났다'고 선언했다.

"그분들은 어디에 있습니까?"

모르타티가 돌아섰다.

추기경 중 한 명이 불안하게 그의 어깨를 두드렸다.

"단장님은 그분들이 어디에 계시는지 아시겠죠, 그렇죠?"

모르타티는 자신의 걱정을 드러내지 않으려고 애썼다.

"아직 궁무처장님과 함께 있나 봅니다."

추기경은 믿을 수 없다는 듯 눈살을 찌푸렸다.

"이 시간예요? 그건 교리에 크게 어긋나는 일입니다! 궁무처장님이 시간을 잊은 것은 아닐까요?"

모르타티는 그렇게 생각하지 않았다. 하지만 아무 말도 하지 않았다. 대부분의 추기경들이 궁무처장을 별로 좋아하지 않는다는 걸 잘 알고 있다. 교황을 가까이 모시기에는 궁무처장이 너무 젊다고 느끼는 듯했다. 하지만 추기경들이 궁무처장을 싫어하는 마음 중에 큰 부분은 질투심이라고 모르타티는 생각했다. 사실 그는 젊은 궁무처장을 존경했다. 그리고 서거한 교황이 젊은 사제인 카를로 벤트레스카를 궁무처장으로 지명했을 때 남몰래 박수를 보냈다. 궁무처장의 눈동자를 보았을 때, 모르타티는 강한 신념을 읽었다. 다른 많은 추기경들과는 달리, 궁무처장은 사소한 정치를 앞세우지 않고 교회와 믿음을 최우선으로 여겼다. 그는 진정한 신의 사람이다.

재직 기간 동안 궁무처장의 확고한 헌신은 전설이 되었다. 많은 사람들이 그의 성품을 궁무처장이 어린 시절에 겪은 기적 같은 일에서 원인을 찾았다…… 인간의 가슴에 영원한 인상을 남긴 사건.

'기적과 경이로움.'

모르타티는 자신의 어린 시절에도 의심 없는 믿음을 가질 만한 사건이 있었으면 좋았을 것이라고 종종 돌이켜보았다.

교회로서는 불행한 일이지만, 궁무처장은 노년의 나이에 결코 교황이 될 수 없을 것임을 모르타티는 알고 있었다. 교황직에 오르려면 어느 정도 정치적 야망이 필요한 법인데, 젊은 궁무처장에게는 분명히 부족한 자질이다. 궁무처장은 더 높은 자리를 내리겠다는, 서거한 교황의 제안을 여러 번 거절했다. 그는 보통 사람으로서 교회에 봉사하고 싶다고 제의를 고사했다.

한 추기경이 모르타티를 톡톡 두드렸다.

"다음은 뭡니까?"

모르타티가 고개를 들었다.

"네?"

"그분들이 늦습니다! 우리가 어떻게 해야 합니까?"

모르타티가 대꾸했다.

"우리가 어떻게 할 수 있겠소? 기다리는 겁니다. 믿음을 가지고."

모르타티의 반응에 완전히 만족하지는 못한 얼굴로 추기경은 어깨를 움츠리고 그늘 속으로 사라졌다.

관자놀이를 두드리며 모르타티는 잠시 서 있었다. 그리고 마음을 가다듬으려고 노력했다.

'정말 우리는 어떻게 해야 하는가?'

모르타티는 제단을 지나 천장에 있는 미켈란젤로의 유명한 프레스코화를 물끄러미 바라보았다. 〈최후의 심판〉. 근심을 가라앉히는 데 그림은 아무런 도움이 되지 못했다. 이 작품은 예수 그리스도가 인간을 올바른 자와 죄지은 자로 가르고, 죄지은 자들을 지옥으로 떨어뜨리는 모습을 그린 15미터 길이의 무시무시한 그림이다. 그림에는 가죽이 벗겨진 살점, 불에 타오르는 몸통, 심지어 미켈란젤로의 경쟁자 중 한 명이 당나귀 귀를 하고 지옥에 앉아 있는 모습도 있다. 모파상은 이 작품이 무지한 석탄 운반부들이 레슬링을 하며 축제를 벌이는 모습을 그린 것 같다고 표현하기도 했다.

모르타티 추기경은 그 표현에 수긍하는 축이다.

43

랭던은 산 피에트로 광장의 부산한 미디어 트레일러들을 내려다보며, 교황 집무실의 방탄 창문가에 가만히 서 있었다. 기괴한 전화 통화는 고름덩이가…… 더 커진 듯한 느낌이다…… 랭던 혼자만이 아니다.

일루미나티라는 고대의 적이, 잊고 있던 역사의 구덩이에서 독사처럼 기어올라와 그들을 덮쳤다. 요구도 없고, 협상도 없었다. 그저 복수뿐이었다. 지독하게 단순하다. 쥐어짜기. 4백 년에 걸쳐 형성된 복수. 수백 년 박해의 세월을 보낸 뒤, 과학이 종교에 앙갚음을 다짐하며 물어뜯으려는 것 같았다.

궁무처장은 전화기를 멍하니 바라보며 책상에 물끄러미 서 있었다. 침묵을 처음 깬 사람은 올리베티였다. 올리베티는 사령관이라기보다는 걱정하는 친구처럼 궁무처장의 이름을 불렀다.

"카를로 궁무처장님. 이십육 년 동안 저는 이 집무실의 경호를 위해 제 목숨을 걸고 맹세했습니다. 제가 불명예를 감수해야 할 날이 바로 오늘 밤인 것 같습니다."

궁무처장은 머리를 저었다.

"사령관님과 저는 서로 다른 능력으로 신께 봉사했습니다. 봉사는

248

항상 명예로운 것입니다."

올리베티는 어쩔 줄 모르는 표정이었다.

"이 사태는…… 어떻게 이 상황을…… 상상할 수가 없습니다……"

"우리에게는 오직 한 가지 행동만이 남아 있음을 깨달으셨겠지요. 추기경단의 안전은 제 책임입니다."

"그 책임은 제 것입니다, 궁무처장님."

"그럼 부하들을 시켜 즉시 바티칸을 비우도록 하세요."

"궁무처장님?"

"폭발 장치를 찾는 일, 행방불명된 추기경님들과 범인을 찾는 조직적인 수사. 이런 선택은 나중에라도 할 수 있습니다. 하지만 가장 먼저 해야 할 일은 추기경단을 안전하게 대피시키는 일입니다. 인간 생명의 신성함은 모든 것보다 우선합니다. 그리고 추기경님들은 이 교회의 반석입니다."

"지금 당장 선거회의를 취소하자는 말씀이십니까?"

"제게 다른 선택이 있습니까?"

"새 교황님을 모셔와야 하는 궁무처장님의 임무는 어떻게 하고요?"

젊은 궁무처장은 한숨을 쉬며 창가로 돌아섰다. 그의 시선은 아래에 어지럽게 펼쳐진 로마 시내를 떠다녔다.

"교황님은 한때 제게 이런 말씀을 하셨습니다. 교황은 두 세계를 가르는 사람이라고…… 현실세계와 신성한 세계. 교회가 현실을 무시하면 살아남아서 신성함을 음미할 수 없다고 경고하셨죠."

궁무처장의 목소리는 교황을 모신 세월 때문인지 현명하게 들렸다.

"오늘 밤 우리를 덮친 것은 현실세계입니다. 우리가 그걸 무시해봤자 헛된 일이지요. 자존심과 관례가 합당한 이유가 될 수 없습니다."

감명받은 표정으로 올리베티는 고개를 끄덕였다.

"궁무처장님, 제가 그동안 궁무처장님을 과소평가한 것 같습니다."

궁무처장은 듣지 못한 것 같았다. 그의 시선은 창문 너머에 있었다.

"궁무처장님, 툭 터놓고 말씀드리겠습니다. 현실세계는 제가 속한 세계입니다. 다른 사람들이 좀더 순수한 것을 추구하는 데 지장이 없도록, 저는 매일 매일 자신을 추한 세상에 담급니다. 현재 상황에 충고를 드리겠습니다. 그게 제가 훈련을 받은 목적입니다. 궁무처장님의 판단은 가치가 있습니다만…… 여전히 재앙으로 변할 소지가 있습니다."

궁무처장이 돌아섰다.

올리베티는 한숨을 쉬었다.

"추기경단을 시스티나 소성당에서 대피시키는 것은, 궁무처장님이 지금 당장 내리실 수 있는 일 중에 가장 최악의 선택입니다."

궁무처장은 분개한 것 같지 않았다. 잘 모르겠다는 표정이었다.

"사령관님의 제안은 무엇입니까?"

"추기경님들께는 아무 말씀도 마시고, 선거회의를 봉하십시오. 그러면 저희에게 다른 선택을 해볼 시간이 생길 겁니다."

궁무처장은 혼란스런 얼굴이었다.

"지금 제게 시한폭탄 위에 추기경단 전체를 가둬놓으라고 말씀하시는 겁니까?"

"그렇습니다, 궁무처장님. 잠시 동안만입니다. 만일 필요하다면, 나중에라도 그분들은 다른 곳으로 모실 수 있습니다."

궁무처장은 머리를 저었다.

"선거회의 시작 전에 의식을 연기하는 것은 나중에 단독 심문의 장(場)이 될 수 있습니다. 하지만 일단 성당의 문이 봉해지면 아무도 간섭할 수 없습니다. 선거회의 절차에 따르면……"

"궁무처장님, 현실세계를 고려하십시오. 오늘 밤 궁무처장님은 현실세계에 계십니다. 잘 들으십시오."

올리베티는 이제 경험 많은 현장요원의 능숙한 목소리로 말했다.

"준비되지도 않고, 보호받지도 못하는 백육십오 명의 추기경님들을 로마 시내로 행진시키는 것은 무모한 짓입니다. 나이 드신 분들께 혼란과 공포를 야기하는 겁니다. 솔직히 말해서, 이번 달에 치명적인 뇌일혈 사망자는 한 명으로 충분합니다."

'치명적인 뇌일혈.'

사령관의 말에 랭던은 하버드 대학교 식당에서 몇몇 학생들과 저녁을 먹으며 읽은 신문의 머릿기사를 회상했다.

교황, 잠자리에서 뇌일혈로 서거.

올리베티가 자신의 의견을 피력했다.

"게다가 시스티나 소성당은 요새입니다. 이런 사실을 홍보하지 않아도 성당은 엄중히 보강된 건물이라 단거리미사일 공격 정도는 막아낼 수 있습니다. 선거 준비를 위해 오늘 오후 근위병들이 도청장치와 다른 감시장치들을 조사하며 성당 구석구석을 살폈습니다. 시스티나 소성당은 깨끗하고 안전한 천국입니다. 반물질이 시스티나 소성당 안에 없다는 것은 확실합니다. 추기경단이 지금 있을 수 있는 곳으로 시스티나 소성당말고 더 안전한 곳은 없습니다. 비상 대피는 때가 되면 언제든지 논의할 수 있습니다."

랭던은 감탄했다. 올리베티의 차갑고 냉철한 논리는 콜러를 연상시켰다.

긴장된 목소리로 비토리아가 불렀다.

"사령관님. 다른 걱정거리가 더 있습니다. 지금까지 어느 누구도 이 정도 크기의 반물질을 만들지 못했어요. 그래서 폭발 반경을 추정만 해볼 뿐입니다. 아마 로마를 둘러싼 일부 지역이 위험지역에 들 겁니다. 만일 반물질이 바티칸 중앙건물에 있거나 땅 속에 있다면, 바티칸의 외곽 너머로 미치는 충격은 최소화되겠지요. 하지만 반물질이 외곽 근처에 있다면…… 예를 들어 이 건물 안에 있다면……"

그녀는 산 피에트로 광장에 있는 사람들을 창 너머로 걱정스럽게 바라보았다.

올리베티가 대답했다.

"바깥세계에 대한 내 책임은 언제나 분명히 깨닫고 있소. 그리고 그 때문에 이 상황이 더 이상 무덤처럼 암울하지 않아요. 이 성소를 보호하는 것이 지난 이십 년 동안 유일한 내 관심사였소. 무기가 폭발하도록 그냥 놔두지는 않을 것이오."

궁무처장이 고개를 들었다.

"찾아낼 수 있다고 생각하십니까?"

"우리 감시 전문가들과 어떤 방법들이 있는지 논의해보겠습니다. 가능성이 한 가지 있긴 합니다. 바티칸 시국의 모든 전원을 꺼버리면, 배경 무선 주파수를 제거할 수 있습니다. 그럼 반물질 트랩의 자기장을 충분히 읽어낼 수 있는 깨끗한 환경이 만들어질 겁니다."

비토리아는 놀랐다가 감탄한 표정으로 변했다.

"바티칸 시국의 전원을 꺼버린다고요?"

"그래요. 실제로 가능할지는 아직 잘 모르겠지만, 그것도 고려하는 방법 중 하나요."

"추기경님들이 무슨 일인가 하고 분명히 궁금해할 텐데요."

비토리아가 요점을 찔렀다.

올리베티는 머리를 저었다.

"선거회의는 촛불 아래에서 열리는 거요. 추기경님들은 전원이 꺼졌는지 결코 모를 겁니다. 선거회의가 봉해지고 나면, 몇몇 외곽 근위병만 남겨두고 모든 인력을 동원해 수색을 시작할 수 있소. 백 명 가량의 인원이라면 다섯 시간 안에 넓은 지역을 조사할 수 있을 거요."

"네 시간이에요."

비토리아가 말을 정정했다.

"제가 트랩을 들고 CERN으로 다시 날아가야만 해요. 배터리를 다시 충전하지 못하면 폭발은 피할 수 없거든요."

"여기에서 재충전할 방법은 전혀 없소?"

비토리아는 고개를 저었다.

"내부 연결회로가 아주 복잡합니다. 가능했다면 충전기를 여기로 가져왔겠죠."

얼굴을 찡그리며 올리베티가 말했다.

"그럼 네 시간이로군. 아직 시간은 충분합니다. 공포는 아무에게도 도움이 되지 않습니다. 궁무처장님, 이제 십 분밖에 안 남았습니다. 시스티나 소성당으로 가서서 선거회의를 봉하십시오. 그리고 제 부하들에게 일할 수 있는 시간을 주십시오. 피할 수 없는 시간이 되면, 그때 중대한 결정을 내리면 될 것입니다."

랭던은 올리베티의 '피할 수 없는 시간'이란 언제쯤인지 궁금했다.

궁무처장은 혼란에 빠진 얼굴이었다.

"하지만 추기경단은 발탁된 후보자들에 관해 물을 것입니다…… 특히 바치아 추기경님에 관해서…… 그분들이 어디에 계시는지."

"그럼 뭔가 대답거리를 생각해두십시오, 궁무처장님. 추기경단에게는 네 분 추기경님께 몸에 맞지 않는 뭔가를 대접해드렸다고 말씀하세요."

궁무처장은 언짢은 표정을 지었다.

"시스티나 소성당의 제단에 서서 추기경단에게 거짓말을 하라는 말입니까?"

"추기경님들의 안전을 위해서입니다. 용서될 만한 거짓말. 선의의 거짓말이죠. 궁무처장님의 임무는 평화를 유지하는 것입니다."

올리베티가 문으로 향하며 말했다.

"이제 자리를 비워도 괜찮다면, 저는 시작하러 가겠습니다."

궁무처장이 불러 세웠다.

"사령관님. 행방불명된 추기경님들께 쉽게 등을 돌릴 수는 없습니다."

올리베티는 문가에 멈춰 섰다.

"바치아 추기경님과 다른 분들은 현재 우리의 영향권 밖에 있습니다. 그분들은 잊어야 합니다…… 전체의 이익을 위해서죠. 군대에서는 이런 것을 우선선택이라고 부릅니다."

"포기를 의미하는 건 아니겠지요?"

사령관의 목소리가 굳어졌다.

"만일 다른 방법이 있다면, 궁무처장님…… 네 분의 행방을 알아낼 방법이 있다면 저는 제 목숨이라도 내놓을 것입니다. 하지만……"

사령관은 방을 가로질러 창문을 가리켰다. 끝없는 바다와 같은 로마 시내의 지붕들 위에서 초저녁의 태양이 빛을 잃어가고 있었다.

"오백만 명이 사는 도시를 수색하는 것은 제 권한이 아닙니다. 제 양심을 달래기 위해 헛된 시도를 하느라 귀중한 시간을 낭비할 수는 없습니다. 죄송합니다."

비토리아가 갑자기 말을 꺼냈다.

"하지만 만일 살인범을 잡는다면, 그자에게서 고백을 받을 수 있지 않을까요?"

올리베티는 비토리아를 향해 눈살을 찌푸렸다.

"베트라 양, 범인을 잡고 싶어하는 개인적인 동기는 충분히 공감하고도 남지만, 병사들이 성인(聖人)이 될 여유는 없소."

비토리아가 말했다.

"개인적인 이유 때문만은 아닙니다. 범인은 반물질이 어디에 있는지 알고 있어요…… 그리고 사라진 추기경들도요. 만일 우리가 어떻게든 살인자를 찾아낼 수 있다면……"

올리베티가 물었다.

"범인의 손아귀에 놀아날 작정이오? 나를 믿으시오. 수백 개의 교회에 인원을 배치하러 모든 인력을 바티칸 시국에서 빼내는 것은, 우리가 그렇게 대응하기를 바라는 일루미나티의 바람이오…… 그들은 우리가 여기저기 교회들을 수색하러 다니며 귀중한 시간과 인력을 낭비하기를 바라고 있소…… 아니면 더 나쁜 상황은, 우리가 그렇게 하면 바티칸 은행이 완전히 무방비 상태가 된다는 거요. 여기에 남아 있는 추기경님들은 말할 것도 없고."

올리베티의 얘기는 정곡을 찔렀다.

궁무처장이 물었다.

"로마 경찰은 어떻습니까? 이 위기 상황을 도시 전역에 알릴 수 있을 겁니다. 또 추기경을 납치한 범인을 찾는 일에도 도움을 받을 수 있을 겁니다."

올리베티가 대답했다.

"또 다른 실수를 저지르는 겁니다. 궁무처장님도 로마 경찰이 우리를 어떻게 여기는지 알고 계실 겁니다. 경찰은 바티칸의 위기에 대한 정보를 전 세계 언론에 팔아넘기고, 그 대가로 무성의한 도움 따위나 주는 척하겠지요. 그것 역시 우리의 적이 원하는 것입니다. 그렇게 되면 얼마 못 가서 우리는 언론을 상대해야 할 겁니다."

납치범의 말을 회상하며 랭던은 생각했다.

'내가 당신네 추기경들을 언론에서 떠드는 유명인사로 만들어주지. 첫째 추기경의 몸뚱어리가 여덟 시 정각에 나타날 것이다. 그런 뒤에 매 시간 한 사람씩. 언론은 이 일을 사랑할 거야.'

궁무처장이 다시 말을 시작했다. 그의 목소리에는 분노가 배어 있었다.

"사령관님, 우리가 제정신을 가진 이상, 행방불명된 추기경님들에 대해 아무것도 안 할 수는 없습니다!"

올리베티는 똑바로 궁무처장을 응시했다.

"궁무처장님, 성 프란체스코의 기도. 그 기도를 기억하십니까?"

젊은 사제는 고통에 찬 목소리로 기도문의 한 줄을 읊었다.

"신이여, 제가 바꿀 수 없는 일들을 받아들일 수 있는 힘을 제게 주소서."

"저를 믿으십시오. 이 일은 그런 일 중의 하나입니다."

이 말을 남기고 사령관은 사라졌다.

44

영국방송협회, BBC의 중앙 본사는 런던의 피카델리 서커스의 서쪽
에 있다. 전화교환대의 벨이 울리자 하위직 편집자가 수화기를 들었다.

"BBC입니다."

던힐 담배를 비벼끄며 여자 편집자가 응답했다.

중동지역의 억양을 가진 전화 속의 목소리는 신경질적이었다.

"당신네 방송사가 흥미를 가질 만한 놀라운 정보가 있소."

편집자는 펜과 종이를 꺼내들었다.

"무엇에 관한 거죠?"

"교황 선거."

여자는 짜증난다는 듯 눈살을 찌푸렸다. BBC는 어제 사전방송을
내보냈지만 반응이 시원찮았다. 대중은 바티칸 시국에 별로 흥미가
없는 것 같다.

"무엇에 초점을 맞춘 겁니까?"

"선거를 취재하는 텔레비전 기자가 로마에 있소?"

"그럴 겁니다."

"그 사람과 직접 얘기하고 싶소."

"미안합니다. 무슨 일인지 들어보지도 않고, 취재 기자의 전화번호를 건네줄 수는 없······"

"교황 선거회의에 위협이 있소. 당신에게 말할 수 있는 것은 이게 전부요."

편집자는 종이에 적을 준비를 했다.

"이름은?"

"내 이름은 밝힐 수 없소."

편집자는 놀라지 않았다.

"그럼 이 주장에 증거가 있습니까?"

"있소."

"그 정보를 얻을 수 있으면 정말 좋겠습니다만, 기자의 전화번호를 알려주는 것은 회사 방침상 안 됩니다만······"

"알겠소. 다른 방송사에 전화하지. 시간 내줘서 고맙소. 그럼······"

"잠깐만요. 기다려주시겠어요?"

편집자는 발신자를 기다리게 하고 목을 쭉 폈다. 괴짜들이 거는 전화를 걸러내는 기술은 결코 완벽하게 과학적이라고 할 수는 없다. 하지만 이 발신자는 진짜를 가려내기 위한 BBC의 암묵적인 테스트 두 가지를 방금 통과했다. 남자는 자기 이름을 밝히기를 거절했고, 전화를 끊는 일도 주저하지 않는다. 해커들이나 영광을 좇는 개들은 징징거리거나 부탁을 해대는 것이 보통이다.

편집자는 다행스럽게도, 기자들이 특종을 놓칠까봐 언제나 전전긍긍하는 두려움 속에 살고 있다는 것을 알았다. 그래서 가끔 사이코 같은 인물에게 그들의 전화번호가 노출되어도 기자가 편집자를 비난하는 일은 드물다. 기자가 자기 시간의 5분 정도를 낭비하는 것은 용서할 만한 일인 것이다. 하지만 머릿기사를 놓치는 일은 그렇지 않았다.

하품을 하며 여자는 컴퓨터를 들여다보고, '바티칸 시국'이라는 검색어를 쳤다. 교황 선거를 취재하는 현장기자의 이름을 보았을 때, 여자는 너털웃음을 흘렸다. 기자는 BBC가 어떤 쓰레기 같은 런던 타블로이드판 신문에서 데려온 신참이다. BBC의 세속적인 취재를 맡기려고 데려온 자였다. 편집장은 이 신참을 제일 밑바닥부터 굴리고 있는 게 분명했다.

10초짜리 생중계 꼭지를 녹화하기 위해 밤새 기다리는 일에 아마 신참 기자는 지루해하고 있을 터였다. 특종 제보라며 걸려온 전화가 그의 단조로운 기다림을 깬다면, 오히려 더 좋아할지도 모른다.

BBC의 기사 편집자는 바티칸 시국에 있는 기자의 위성수신 전화번호를 받아적었다. 그런 뒤에 담배에 불을 붙이고, 익명의 제보자에게 기자의 전화번호를 불러주었다.

45

"그렇게 안 될 거예요."

교황 집무실을 서성이며 비토리아가 입을 열었다. 그녀는 궁무처장을 쳐다보았다.

"스위스 근위대의 수색 팀이 전파 간섭을 걸러낼 수는 있겠지만, 어떤 신호를 잡아내려면 트랩 바로 위를 지나가야만 해요. 만일 트랩에 접근할 수 있다 해도…… 다른 장애물에 막혀 있다면 문제가 달라져요. 금속상자에 들어가 바티칸 어딘가에 묻혀 있다면? 혹시 금속 환기통 위에 올려져 있다면? 그러면 수색 팀이 반물질을 찾아낼 가능성은 전혀 없어요. 그리고 만일 스위스 근위병이 외부인에게 매수당했다면? 그 수색이 완벽하다고 누가 장담할 수 있겠어요?"

궁무처장은 지친 얼굴이었다.

"무엇을 제안하는 겁니까, 베트라 양?"

'명백하잖아요!'

비토리아는 당황스러웠다.

"궁무처장님, 지금 즉시 다른 예방조치를 취하셔야 한다고 제안하는 거예요. 사령관의 수색이 성공할 것이라는 희망에 모든 것을 걸고 기다릴 수는 없어요. 창문 밖을 내다보세요. 저 사람들이 보이세요? 광장 너머의 건물은요? 언론 차량은요? 관광객은? 저들은 폭발이 일어났을 때 사정권 안에 들어 있을 겁니다. 궁무처장님, 지금 행동하셔야 해요."

궁무처장은 멍하니 고개를 끄덕였다.

비토리아는 좌절감을 느꼈다. 올리베티는 아직 시간이 많이 남은 것처럼 모두에게 확신을 안겨주었다. 하지만 바티칸이 처한 이 곤란한 뉴스가 밖으로 새나가기라도 하면, 몇 분 새에 바티칸 주변은 구경꾼들로 가득 찰 것이다. 그녀는 스위스 국회건물 밖에서 이런 일을 목격한 경험이 있다. 폭탄 테러와 관련된 인질이 붙잡혀 있는 동안, 수천 명의 구경꾼들이 결과를 지켜보기 위해 국회건물 주위로 몰려들었다. 위험하다는 경찰의 경고에도 불구하고, 군중은 점점 더 밀려들었다. 인간의 비극만큼 인간의 관심을 사로잡는 것도 없다.

비토리아는 촉구했다.

"궁무처장님. 제 아버지를 살해한 범인이 저기 바깥 어딘가에 있어요. 저는 당장이라도 달려나가 살인자를 찾고 싶지만, 이곳 집무실에 있어요…… 제가 궁무처장님께 책임을 느끼기 때문이에요. 궁무처장님과 다른 사람들에게. 사람들의 생명이 위험에 처해 있습니다, 궁무처장님. 제 말을 듣고 계신가요?"

궁무처장은 대답하지 않았다.

비토리아는 자신의 심장이 고동치는 소리를 들을 수 있었다.

'왜 스위스 근위병은 그 빌어먹을 전화를 추적할 수 없었을까? 일루미나티 살인자가 열쇠야! 그자는 반물질이 어디에 있는지를 안다…… 빌어먹을, 그자는 사라진 추기경들이 어디에 있는지도 알아! 그 살인마를 잡으면 모든 문제가 풀릴 텐데.'

비토리아는 자신이 흐트러지고 있음을 느꼈다. 어린 시절, 고아원에 있을 때 겪었던 낯선 불안이다. 어떻게 해볼 방법이 없어 느껴야 했던 좌절감. 비토리아는 자기 자신을 안심시켰다.

'너는 방도를 가지고 있어. 너에게는 항상 문제를 풀 수 있는 방법이 있어.'

하지만 소용 없었다. 여러 생각들이 밀려와 그녀의 목을 졸랐다. 그녀는 연구하는 사람이며 해결사였다. 하지만 이 상황은 해결책이 없는 문제였다.

'너는 어떤 자료가 필요한 거지? 무엇을 원하지?'

숨을 깊이 들이쉬며 비토리아는 자신에게 물었다. 하지만 생애 처음으로 비토리아는 아무것도 답할 수가 없었다. 숨이 막혔다.

랭던은 머리가 아팠다. 합리성의 가장자리를 슬며시 걸어가는 기분이었다. 그는 비토리아와 궁무처장을 지켜봤다. 하지만 그의 시각은 소름끼치는 모습들로 흐릿했다. 폭발, 떼거리로 몰려드는 언론, 돌아가는 카메라, 낙인이 찍힌 네 구의 시신들.

'샤이탄······ 루시퍼······ 빛을 가져오는 자······ 사탄······.'

그는 불쾌한 이미지를 마음에서 떨쳐냈다. 현실을 파악하려고 노력하며 랭던은 자신을 일깨웠다.

'계산된 테러리즘이다. 계획된 혼돈.'

랭던의 생각은 애국적인 상징을 조사하는 동안 한때 청강했던 래드클리프의 세미나로 향했다. 그 청강 이후 랭던은 테러리스트를 이전과 같은 식으로 바라볼 수가 없었다.

그때 교수는 이렇게 강의했다.

"테러리즘은 단일한 목적이 있다. 그게 무엇일까?"

"무고한 사람들을 죽이는 거요?"

한 학생이 나섰다.

"틀려. 죽음은 테러리즘의 부산물에 불과할 뿐이다."

"힘의 과시?"

"아니야. 허약한 설득은 존재하지 않는다."

"공포를 일으키기 위해서?"

"그렇다. 아주 간단하지. 테러리즘의 목적은 공포와 두려움을 창조하는 것이다. 두려움은 기존에 성립된 믿음을 갉아먹는다. 그리고 대중 속에 불안을 불러일으켜서…… 적을 내부부터 약하게 만든다. 이것을 받아적어라. 테러리즘은 분노의 표현이 아니다. 테러리즘은 정치적 무기다. 끄떡없을 것 같은 정부의 외형을 무너뜨리고, 사람들의 믿음을 빼앗는 것이다."

'믿음의 상실.'

이게 이 모든 소동에 관한 것인가? 토막난 개처럼 늘어진 추기경들의 시신을 보고, 세계의 기독교인들이 어떻게 반응할지 랭던은 의아했다. 만일 사제의 믿음이 악마의 악에서 자신을 보호하지 못한다면, 남은 우리에게는 무슨 희망이 있겠는가? 랭던의 머리가 점점 아래로 숙여졌다…… 그의 머릿속에서 작은 목소리들이 줄다리기를 하고 있었다.

'믿음은 너를 보호하지 않아. 의약과 에어백…… 그런 것들이 너를 보호하는 것이야. 신은 너를 보호하지 않아. 지능이 너를 보호하는 것이지. 그래, 계몽. 너의 믿음을 만질 수 있는 결과에 두어라. 누군가 물 위를 걸은 지 얼마나 오래 되었지? 현대의 기적은 과학의 것이야…… 컴퓨터와 백신과 우주정거장…… 심지어 창조의 신성한 신비도. 무에서 창조된 물질은…… 실험실에 있지. 누가 신을 필요로 하나? 없어! 과학이 신이다.'

살인자의 목소리가 랭던의 마음에 메아리쳤다.

'자정…… 죽음의 수학적 진행…… 과학의 제단에서 이루어지는 순결한 희생.'

갑자기 한발의 총성에 군중이 흩어지듯 목소리가 사라졌다.

랭던은 벌떡 일어섰다. 그가 앉아 있던 의자가 뒤로 넘어져 대리석 바닥에 부딪혔다.

비토리아와 궁무처장은 깜짝 놀랐다.

랭던은 주문에 걸린 사람처럼 속삭였다.

"내가 그걸 놓치다니. 바로 눈앞에 있었는데……"

"놓치다니 무엇을요?"

비토리아가 물었다.

랭던은 궁무처장을 향해 섰다.

"궁무처장님, 저는 지난 삼 년 동안 바티칸 비밀문서고에 들어갈 수 있게 허락해달라는 청원을 여러 번 넣었습니다. 그리고 일곱 차례나 거절당했습니다."

"랭던 씨, 미안합니다만 지금은 그런 불평을 제기할 상황이 심히 아닌 것 같습니다."

"저는 즉시 출입 허락이 필요합니다. 행방불명된 네 명의 추기경. 그분들이 어디에서 변을 당하게 될지 어쩌면 알아낼 수 있을 것 같습니다."

잘못 들었다는 표정으로 비토리아는 랭던을 응시했다.

궁무처장도 잔인한 농담을 들은 사람처럼 곤란한 표정을 지었다.

"그에 관한 정보가 우리 비밀문서고에 있다는 말을 저더러 믿으라는 얘기입니까?"

"제시간에 알아낼 수 있다고는 약속드릴 수 없습니다. 하지만 궁무처장님이 출입 허가를 내려주시면……"

"랭던 씨, 저는 사 분 후면 시스티나 소성당으로 가야 할 몸입니다. 비밀문서고는 바티칸 시국을 가로질러가야하고요."

"당신, 진심이군요. 그렇죠?"

그의 진심을 감지한 것처럼 랭던의 눈동자를 깊이 들여다보며 비토리아가 불쑥 끼어들었다.

"농담할 시간이 아닙니다."

랭던이 말했다.

궁무처장을 향해 비토리아가 입을 열었다.

"궁무처장님. 만일 기회가 있다면…… 무엇보다도 이 살인이 어디에서 일어날지 미리 알아낼 수만 있다면, 사람을 배치해서……"

궁무처장은 고집했다.

"하지만 비밀문서고는? 그 안에 든 고문서(古文書)들이 무슨 단서가 되겠습니까?"

랭던이 말했다.

"그것을 지금 이 자리에서 설명하는 일은 궁무처장님의 남은 시간보다 더 많은 시간이 걸립니다. 하지만 제 생각이 맞는다면, 우리는 살인자를 잡기 위해 정보를 얻을 수 있습니다."

궁무처장은 믿고 싶지만 어쩐지 진실로 믿기지 않는다는 얼굴이었다.

"기독교계의 가장 신성한 친필 사본들이 그 비밀문서고에 있습니다. 저조차 충분히 둘러볼 수 있는 특권을 누려보지 못한 보물입니다."

"물론 잘 알고 있습니다."

"출입 허가는 오로지 문서고 관장과 바티칸 사서위원회의 서면으로 된 법령이 있어야만 가능합니다."

랭던이 말을 이었다.

"아니면 교황님의 명령이 있어야 하죠. 바티칸 비밀문서고의 관장이 제게 보낸 거절 편지에는 그렇게 적혀 있었습니다."

궁무처장은 고개를 끄덕였다.

랭던이 재촉했다.

"무례를 끼치고자 이러는 것이 아닙니다. 하지만 제가 잘못 알고 있는 것이 아니라면, 교황님의 명령은 이 방에서 나옵니다. 제가 말씀드릴 수 있는 것은, 오늘 밤 궁무처장님은 이 집무실의 권한을 쥐고 계십니다. 상황을 고려해보건대……"

궁무처장은 사제복 주머니에서 시계를 꺼내 들여다보았다.

"랭던 씨, 저는 오늘 밤 제 목숨을 내놓을 준비가 되어 있습니다. 정말 말 그대로, 이 바티칸을 구하기 위해서입니다."

랭던은 궁무처장의 눈에서 진실을 읽었다.

궁무처장이 말했다.

"당신이 말하는 문서, 그게 정말 여기 바티칸 비밀문서고에 있다고 믿는 겁니까? 그리고 그 정보가 추기경들을 찾아내는 데 도움이 될 거라고 봅니까?"

"확신이 없었다면, 이렇게 출입 허가를 바라는 청원은 하지 않았을 겁니다. 교수 월급으로 심심풀이삼아 놀러오기에 이탈리아는 꽤 먼 곳이니까요. 바티칸이 보유한 문서는 고대의……"

궁무처장이 말을 잘랐다.

"제발…… 저를 용서하십시오. 이 순간 제 마음은 더 이상 세세한 것을 처리할 여유가 없습니다. 바티칸 비밀문서고가 어디에 있는지는 알고 계십니까?"

랭던은 흥분이 밀려오는 것을 느꼈다.

"산타 아나 게이트 바로 뒤에 있습니다."

"잘 알고 계시군요. 대부분의 학자들은 성 피에트로의 왕좌 뒤에 있는 비밀 문을 통해서 문서고에 들어간다고 믿는답니다."

"아니죠. 그건 산 피에트로 대성전 관리처일 겁니다. 흔한 오해죠."

"출입자에게는 항상 사서가 안내인으로 붙습니다. 하지만 오늘 밤에는 사서가 없습니다. 랭던 씨가 요구한 것은 백지 위임장과 다름없는 출입 허가인 셈입니다. 그곳은 추기경님조차 혼자서는 결코 들어갈 수 없는 곳입니다."

"최상의 예의와 신중함으로 바티칸의 보물들을 대하겠습니다. 문서고의 사서는 제가 그곳에 다녀갔다는 흔적을 발견할 수 없을 겁니다."

머리 위에서 산 피에트로 광장의 종들이 울리기 시작했다. 궁무처
장은 주머니시계를 다시 확인했다.

"저는 이제 가봐야 합니다."

궁무처장은 긴장된 순간에 잠시 멈춰 서서 랭던을 바라보았다.

"스위스 근위병 한 명을 비밀문서고로 보내 당신과 만나게 하겠습
니다. 랭던 씨, 당신에게 제 믿음을 드립니다. 어서 가십시오."

랭던은 말을 잃었다.

젊은 사제는 이제 기묘한 안정을 취한 것처럼 보였다. 궁무처장은
손을 뻗어 놀라운 힘으로 랭던의 어깨를 움켜쥐었다.

"당신이 원하는 것을 찾기를 바랍니다. 그리고 빨리 찾아내세요."

46

바티칸 비밀문서고는 산타 아나 게이트 앞에서 곧장 언덕을 올라가, 보르기아 안뜰의 맨 끝에 자리잡고 있었다. 2만 권이 넘는 서적을 보유한 바티칸 비밀문서고는 레오나르도 다 빈치의 사라진 일기와 출간되지 못한 성서 등의 보물을 소장한다는 소문이 돌았다.

랭던은 비밀문서고를 향해 한적한 폰다멘타 거리를 힘차게 올라갔다. 속으로 문서고에 들어갈 수 있는 허락이 내려진 걸 아직도 믿지 못했다. 옆에 있는 비토리아는 무리 없이 랭던과 보조를 맞추었다. 아몬드 향이 풍기는 그녀의 머리카락이 산들바람에 가볍게 휘날렸다. 랭던은 그 향기를 들이마셨다. 자신의 생각이 흐트러지는 것을 깨닫고, 랭던은 다시 마음을 다잡아야 했다.

비토리아가 물었다.

"우리가 무엇을 찾는 건지 말해줄 수 있어요?"

"갈릴레이가 쓴 작은 책입니다."

비토리아는 놀란 목소리로 되물었다.

"지금 실수하는 것은 아니겠죠. 그 책 안에 무엇이 있는데요?"

"그 책에 '표지(標識)' 같은 것이 있을 거라 추측합니다."

"표지?"

"표지, 단서, 신호…… 어떻게 해석하느냐에 달려있습니다."

"무엇에 대한 표지지요?"

랭던은 속도를 빨리했다.

"비밀 장소. 갈릴레이의 일루미나티는 바티칸에게서 자신을 보호해야 할 필요성이 생겼습니다. 그래서 극도로 은밀한 일루미나티의 회합 장소를 로마에서 찾아냈어요. 그들은 그곳을 '계몽의 교회'라고 불렀습니다."

"악마의 소굴을 교회라고 부르다니 참으로 뻔뻔했군요."

랭던은 고개를 저었다.

"갈릴레이의 일루미나티는 악마와는 아무런 관련도 없습니다. 그들은 계몽을 숭배한 과학자들이었어요. 그들의 회합 장소는 단순히 과학자들이 안전하게 모여서, 바티칸이 금지령을 내린 주제를 토론하는 장소였습니다. 일루미나티의 비밀스런 은신처가 존재했다는 것은 알고 있지만, 이날까지 누구도 그 위치를 알아내지 못했어요."

"일루미나티는 어떻게 비밀을 지켜야 하는지 그 방법을 알고 있었다는 말처럼 들리네요."

"맞습니다. 사실 일루미나티 사람들은 자기네 은신처를 조직 밖의 사람에게는 결코 드러내지 않았습니다. 이런 비밀주의가 그들을 보호한 측면도 있지만 한편으로는 새 회원을 모집할 때 장애가 되었지요."

"홍보를 하지 않으면 조직이 커나갈 수 없을 테니까요."

비토리아가 대꾸했다. 그녀의 걸음걸이와 마음은 완벽하게 보조를 맞추었다.

"맞습니다. 갈릴레이가 만든 조직에 관한 소문은 1630년경에 퍼지기 시작했습니다. 전 세계의 과학자들이 일루미나티에 가입하기를 희망하며, 로마로 비밀스런 순례여행을 떠났습니다…… 갈릴레이의 망원경을 통해 하늘을 들여다보고, 대가의 사상을 직접 들을 수 있는 기회를 열망하면서 말입니다. 하지만 불행하게도 일루미나티의 비밀주의 때문에, 로마에 도착한 과학자들은 그들을 만나기 위해 어디로 가야 할지 몰랐습니다. 누구에게 물어봐야 안전한지도 몰랐죠. 일루미나티는 새로운 수혈을 원했지만, 자기들의 소재를 떠벌려 조직의 안전을 해칠지도 모를 위험을 차마 감수할 수가 없었던 겁니다."

비토리아는 눈살을 찌푸렸다.

"해결책이 없는 상황처럼 들리는군요."

"맞아요. 우리가 흔히 하는 말로 옴짝달싹할 수 없는 궁지에 빠진 거죠."

"그래서 일루미나티는 어떻게 했나요?"

"그들은 과학자였습니다. 문제를 조사하고, 해답을 찾아냈죠. 실제로 현명한 해결책이었습니다. 일루미나티는 과학자들을 자신의 성소로 직접 안내하는 교묘한 지도를 만들었습니다."

비토리아가 갑자기 회의적인 표정을 짓고는 걸음을 늦췄다.

"지도? 경솔한 해결책 같네요. 혹시라도 지도의 사본이 반대자의 손에 들어가기라도 한다면……"

"그럴 수가 없었죠. 사본은 어디에도 존재하지 않았으니까. 그건 종이 위에 그려진 지도가 아니었습니다. 굉장히 컸으니까요. 로마 전역을 가로지르는 길가에 일종의 흰 표지를 새긴 것과 비슷하다고 할 수 있습니다."

비토리아의 걸음이 더욱 늦춰졌다.

"길에다 화살표를 그렸다고요?"

"어떤 의미에서는 그렇습니다. 하지만 훨씬 교묘했죠. 지도는 로마의 공공장소에 신중하게 숨겨진 일련의 상징적인 표지들을 담았어요. 하나의 표지가 다음 표지로 이끌고…… 그리고 그 다음 표지로…… 표지를 따라가다보면…… 결국 일루미나티의 은신처로 이끄는 구조였죠."

비토리아는 곁눈질로 랭던을 보았다.

"보물찾기처럼 들리네요."

랭던은 싱긋 웃었다.

"말하자면 그런 셈입니다. 일루미나티는 그들이 만든 표지를 '계몽의 길'이라고 불렀습니다. 그리고 조직에 합류하고 싶은 사람은 누구든 끝까지 그 길을 따라가야만 했습니다. 일종의 시험이라고도 할 수 있었죠."

"하지만 일루미나티를 찾아내려고 눈에 불을 켠 바티칸이 그 표지를 따라갈 수도 있잖아요?"

비토리아가 반박했다.

"아닙니다. 그 길은 숨겨져 있었어요. 길가에 새겨진 표지들을 추적해, 일루미나티의 교회가 어디에 숨어 있는지를 알아내는 능력. 지도는 이런 능력을 가진, 확실한 사람만을 위해 고안된 일종의 수수께끼였습니다. 일루미나티는 이 장치를 일종의 입문의식으로 삼을 의도였습니다. 보안장치 기능뿐만 아니라, 가장 총명한 과학자만이 그들의 문에 도달할 테니 사람들을 걸러내는 여과장치 기능까지 담당하게 만든 거죠."

"나는 그렇게 생각하지 않아요. 1600년대의 성직자라면 교육을 가장 많이 받은 계층이었어요. 만약에 그런 표지가 공공장소에 노출되었다면, 분명 그 표지를 알아챌 만한 사람이 바티칸에 있었을 거예요."

"물론입니다. 만일 바티칸이 표지들에 관해 알았다면 말이죠. 하지만 바티칸은 몰랐습니다. 결코 알아차리지도 못했어요. 일루미나티는 그 표지가 무엇인지 성직자들이 절대 눈치 못 채게 디자인했기 때문입니다. 일루미나티 사람들은 기호학에서 '은폐'라고 불리는 방법을 사용했지요."

"위장이로군요."

랭던이 감탄했다.

"그 용어를 알고 있군요."

비토리아가 대답했다.

"은폐는 자연에서 가장 좋은 방어책이에요. 해초들 사이에서 수직으로 떠다니는 트럼펫 피시를 분간하기란 쉽지 않죠."

랭던이 말을 이어갔다.

"좋습니다. 일루미나티도 같은 개념을 사용한 겁니다. 그들은 자기네가 고안한 표지를 고대 로마의 배경 속으로 스며들게 만들었어요. 앰비그램이나 과학적인 기호는 사용할 수 없었습니다. 그렇게 하면 너무 눈에 띄기 때문이었겠죠. 그래서 그들은 '일루미나티' 라는 앰비그램을 창조한 예술가를 불러, 네 개의 조상을 만들라는 임무를 맡겼습니다."

"일루미나티의 조상?"

"그래요. 조상들은 두 가지의 엄격한 지침에 따라 만들어졌습니다. 첫째, 조상은 로마 시내에 있는 다른 예술작품과 비슷하게 보여야 한다…… 이 조상들이 일루미나티의 것임을 바티칸이 절대로 의심하게 해서는 안 된다는 거였죠."

"종교 예술이로군요."

흥분이 피어오르는 것을 느끼며 랭던은 고개를 끄덕였다. 그의 설명이 더욱 빨라졌다.

"그리고 둘째 지침은, 네 가지 조상은 각각 특별한 주제를 담아야 한다. 각각의 작품들은 과학의 네 가지 원소에 대한 미묘한 헌사를 표현해야 했던 겁니다."

"네 가지 원소? 수백 개가 넘을 텐데."

비토리아가 되물었다.

"1600년대에는 그렇게 많지 않았습니다."

랭던이 일깨웠다.

"초기 연금술사들은 우주가 오직 네 가지 물질로만 이루어져 있다고 믿었습니다. 흙, 공기, 불, 물."

초기 십자가는 이 네 가지 원소의 최고의 상징임을 랭던은 알고 있었다. 십자가의 네 팔은 각각 흙, 공기, 불, 물을 나타냈다. 그외에도 역사를 훑어보면 지상에는 이와 비슷한 수십 개의 상징들이 존재했다. 피타고라스의 생명의 순환, 중국의 홍판, 융의 여성과 남성의 본질, 황도대의 4분원(分圓). 심지어 이슬람교도도 고대의 네 가지 원소를 존경했다…… 비록 이슬람계에서 이 네 가지 원소는 '대지, 구름, 번개, 파도'로 알려져 있지만 말이다. 랭던이 항상 오싹함을 느끼는 것은 이 원소들의 현대적인 쓰임새였다. 프리메이슨의 절대입회식에는 신비한 네 가지 등급이 있었다. 바로 흙, 공기, 불, 물.

비토리아는 애매한 표정을 지어 보였다.

"그 일루미나티 예술가가 종교적인 네 가지 예술품을 창조했다는 얘기인가요? 하지만 작품들은 실제로는 흙과 공기, 불, 물에 대한 헌사였다?"

"그렇습니다."

비밀문서고를 향해 센티넬 거리를 재빨리 돌아나가면서 랭던은 말했다.

"일루미나티의 조상들은 로마 전역에 흩어진 종교예술품의 바다에 자연스럽게 섞였습니다. 특정 교회에 익명으로 작품을 기부하고, 그 교회의 정치적 영향력을 이용한 거죠. 일루미나티가 조심스럽게 선택한 로마의 교회들 안에 네 개의 조상 자리를 마련한 겁니다. 물론 각각의 조상은 표지였습니다…… 교묘하게 다음 교회를 가리키는…… 다음 표지가 기다리는 장소였죠. 이 표지는 종교예술품으로 위장한 채, 길을 안내하는 이정표 기능을 했습니다. 만일 일루미나티에 가입하고 싶은 사람이 첫째 교회와 '흙'을 나타낸 표지를 찾을 수 있다면, '공기'로 이르는 길을 따라갈 수 있고…… 그 다음에는 '불' …… 그 다음에는 '물' …… 그리고 마침내 '계몽의 교회'에 도달할 수 있었던 겁니다."

비토리아는 점점 확신을 잃는 표정으로 변했다.

"그럼 이게 일루미나티의 살인마를 잡는 것과 관련이 있다는 거예요?"

랭던은 에이스 카드를 던진 사람처럼 미소지었다.

"아, 그래요. 일루미나티는 이 네 군데의 교회를 매우 특별한 이름으로 불렀습니다. '과학의 제단.'"

비토리아는 눈살을 찌푸렸다.

"미안하지만, 그건 아무 의미……"

그녀가 중간에 말을 멈췄다.

'과학의 제단?'

비토리아가 소리쳤다.

"일루미나티의 살인마. 그자가 추기경들이 과학의 제단에서 순결한 희생이 될 거라고 경고했잖아요!"

랭던은 비토리아에게 미소를 지었다.

"네 명의 추기경. 네 채의 교회. 네 곳의 과학의 제단."

비토리아는 한대 얻어맞은 표정이었다.

"추기경들이 희생될 네 개의 교회가 고대 일루미나티의 '계몽의 길'을 나타낸 교회와 같다고 보는 거예요?"

"그렇습니다. 나는 그렇게 믿어요."

"하지만 살인자가 왜 우리에게 그런 단서를 주겠어요?"

랭던이 응답했다.

"왜 안 그러겠습니까? 이 조상에 대해서 알고 있는 역사가는 드뭅니다. 심지어 그들의 존재를 믿는 사람은 더 적고요. 그리고 이 표지들의 위치는 사백 년 동안 비밀이었습니다. 앞으로 남은 다섯 시간 동안, 이 비밀이 지켜질 것이라고 일루미나티가 믿고 있는 게 분명합니다. 게다가 그들은 더 이상 '계몽의 길'이 필요하지도 않아요. 아마 조직의 비밀 은신처는 이미 오래 전에 없어졌을 테니까요. 그들은 이제 현대세계에서 살고 있습니다. 은행의 중역 회의실이나 식당 클럽, 사적인 골프클럽 등에서 만나겠죠. 오늘 밤 일루미나티는 자신의 비밀이 공개적으로 드러나기를 원합니다. 이게 그들의 순간입니다. 위대하게 그들의 존재를 드러내는 거죠."

랭던은 베일을 벗은 일루미나티가 자신이 아직 언급하지 못한 부분과 특별한 균형을 맞출 것에 두려움을 느꼈다.

'네 가지의 낙인.'

암살자는 추기경들에게 네 개의 각기 다른 낙인을 찍을 것이라고 경고했다. '고대의 전설이 진실이라는 증거'라고 살인자는 덧붙였다. 앰비그램으로 만들어진 네 개의 낙인에 대한 전설은 일루미나티만큼이나 오래 되었다. 흙, 공기, 불, 물. 이 네 단어의 앰비그램이 완벽한 대칭을 이루며 창조되었다고 했다. 일루미나티의 앰비그램처럼 말이다. 과학의 고대 원소를 나타내는 이 단어들로 추기경에게 한 명씩 낙인 찍을 터였다. 특히 이 낙인이 이탈리아 어가 아닌, 영어라는 소문은 역사가들에게 논쟁거리로 남아 있다. 일루미나티의 모국어가 아닌 영어를 사용한 것은 엉뚱하게 보였다…… 하지만 일루미나티는 한 번도 엉뚱하게 일을 처리하지 않았다.

랭던은 비밀문서고 건물로 이르는 벽돌 길에 들어섰다. 소름끼치는 모습이 마음속에서 요동쳤다. 오랫동안 참아온 일루미나티의 웅대한 계획이 모습을 드러내고 있다. 충분한 힘과 영향력을 축적해서 두려움 없이 다시 표면으로 떠오를 때까지, 두 발로 서서 밝은 대낮에 그들의 이유를 위해 싸울 수 있을 때까지, 일루미나티는 침묵 속에 기다리자고 맹세했다. 이제 그들이 더 이상 숨으려고 하지 않았다. 힘을 과시하고 신화 같은 음모를 사실로 확인하려들었다. 오늘은 전 세계에 이를 홍보하는 쇼가 될 것이다.

비토리아가 입을 열었다.

"저기 우리의 호위병이 오고 있군요."

랭던은 입구를 향해 잔디밭을 서둘러 건너오는 스위스 근위병을 보았다.

근위병은 두 사람을 보고 걸음을 멈췄다. 자기가 뭔가에 홀린 것이 아닌가, 생각하는 것처럼 근위병은 둘을 응시했다. 분명히 이 근위병은 자신에게 내려진 명령을 믿지 못하고 있었다. 근위병은 무전기를 꺼내 다른 사람과 급히 통화했다. 랭던에게는 자세히 들리지 않았지만, 성난 목소리가 되돌아왔고 무전기의 메시지는 명료했다. 축 처진 근위병은 무전기를 집어넣고, 불만이 가득 찬 시선으로 두 사람에게 돌아섰다.

랭던과 비토리아를 건물로 안내하면서 근위병은 한 마디도 입을 열지 않았다. 그들은 네 개의 강철 문을 통과했고, 빗장열쇠가 달린 두 개의 입구를 지났다. 긴 계단을 내려가, 두 가지 조합의 키패드가 달린 로비에 들어섰다. 일행은 전자문의 첨단 장치들을 지나 긴 복도 끝에 다다랐고, 마침내 널찍한 참나무 문 앞에 도착했다. 근위병은 걸음을 멈추고, 두 사람을 다시 훑어보았다. 그러고는 나직하게 뭐라고 중얼거리더니, 벽에 붙은 금속상자 쪽으로 걸어갔다. 근위병은 잠긴 상자를 열고, 상자 안에 손을 넣어 비밀번호를 눌렀다. 그러자 앞에 있던 문에서 소리가 나더니 자물쇠가 풀렸다.

근위병이 처음으로 두 사람에게 입을 열었다.

"비밀문서고는 이 문 뒤에 있습니다. 저는 여기까지 두 분을 안내하라는 지시를 받았습니다. 다른 문제를 보고하러 저는 이만 돌아가겠습니다."

"간다고요?"

비토리아가 물었다.

"스위스 근위병에게는 비밀문서고 출입이 허락되지 않습니다. 두 분이 여기에 있는 것은 사령관님께서 궁무처장님의 지시를 직접 받으셨기 때문입니다."

"하지만 우리는 어떻게 나가란 말이죠?"

"쌍방향이 아니라 일방 보안체계로 되어 있습니다. 나가는 데 어려운 점은 없을 겁니다."

대화는 이걸로 끝이었다. 근위병은 신발 뒤축을 돌려 홀 아래로 씩씩하게 걸어갔다.

비토리아가 뭐라고 불평을 해댔지만 랭던의 귀에는 들리지 않았다. 그의 마음은 앞에 있는 널찍한 문에 고정되어 있었다. 어떤 비밀이 이 안에 누워 있을지 궁금해하면서 말이다.

47

시간이 없다는 것은 알고 있었지만, 카를로 벤트레스카 궁무처장은 천천히 걸었다. 개막 예배를 치르기 전에 혼자서 생각을 정리할 시간이 필요했다. 너무 많은 일이 일어났다. 건물의 북쪽 날개 아래 침침한 복도를 혼자 걸어가는 동안, 도전과도 같았던 지난 보름 간의 시간이 그의 뼛속에서 무게감을 더했다.

그는 자신의 성스러운 의무를 따랐다.

교황이 서거한 뒤 바티칸의 전통에 따라, 그는 손가락을 교황의 경동맥에 대고 숨소리에 귀를 기울여 숨이 끊어진 것을 직접 확인했다. 그런 뒤에 교황의 이름을 세 차례 불렀고, 법에 따라 부검은 피했다. 다음에는 교황의 침실을 봉인하고, 어부의 반지*를 파괴하고, 옥새를 만든 거푸집을 부쉈다. 그리고 장례식 준비를 했다. 그런 절차가 모두 끝나자 교황 선거회의 준비가 시작되었다.(어부의 반지 : 교황의 신분을 나타내는 반지. 교황이 가진 두 개의 옥새 중 하나로 반지에 교황의 이름을 새겨 넣는다.)

궁무처장은 생각했다.

'교황 선거회의. 마지막 관문이다.'

이것은 기독교계의 가장 오래 된 전통 가운데 하나다. 요즘에는 선거 시작 전에 선거회의의 결과가 이미 알려져, 과정 자체가 구태의연하다는 비난을 받고 있다. 선거라기보다는 연극에 가깝다고 말이다. 하지만 이런 비난은 이해 부족에서 나온 것이다. 선거회의는 단순한 회의가 아니다. 그것은 오래 된 신비한 힘의 전승이다. 전통은 무한했다…… 비밀, 접은 종이, 불타오르는 투표용지, 섞어놓은 고대의 화학 물질, 하얀 연기로 내보내는 신호.

그레고리 13세의 로지아*를 지나며, 그는 모르타티 추기경이 공황 상태에 빠져 있는지 궁금했다. 모르타티는 발탁된 후보자 전원이 사라졌음을 분명 눈치챘을 것이다. 사라진 네 명의 후보자들 없이는 투표가 끝나지 않고 밤새도록 이어질 터였다. 추기경 단장으로서 모르타티가 지명된 것은 잘된 일이라고 궁무처장은 확신했다. 모르타티는 종교상의 자유사상가였고, 자기 본심을 밝힐 줄 알았다. 비밀 선거회의에는 오늘 밤 그 어느 때보다 지도자가 필요했다.(로지아 : 건축에서 한쪽이 트인 주랑.)

로열 계단의 꼭대기에 다다르자, 궁무처장은 그의 목숨이 낭떠러지에 서 있는 느낌이 들었다. 여기 위까지 아래 시스티나 소성당의 웅성거림이 들렸다. 165명의 근심어린 수군거림이었다.

'정확히 백 명 더하기 예순한 명의 추기경이군.'

궁무처장은 생각을 정정했다.

순간 궁무처장은 지옥을 향해 수직으로 떨어졌다. 사람들이 비명을 지르고, 불꽃이 그를 삼키고, 하늘에서는 돌과 피가 비처럼 쏟아졌다.

그러고는 침묵이 찾아왔다.

깨어났을 때, 아이는 천국에 있었다. 자기 주위의 모든 것이 하얗다. 빛은 눈을 멀게 할 정도로 환하고 순수했다. 사람들은 열 살짜리

278

아이가 천국을 어떻게 이해하겠느냐고 말하겠지만, 어린 카를로 벤트레스카는 천국을 잘 이해했다. 아이는 지금 천국에 있었다. 천국이 아니라면 어디에 있겠는가? 지상에서 짧은 10년을 살았지만, 아이는 신의 위대함을 느꼈다. 천둥처럼 울리는 파이프 오르간 소리, 높이 치솟은 둥근 천장, 소리 높여 부르는 노래, 황동과 금색으로 아른아른 빛나는 스테인드글라스. 카를로의 어머니인 마리아는 그를 매일 미사에 데려갔다. 교회는 카를로의 집이었다.

"우리는 왜 매일 미사에 참석하나요?"

전혀 신경도 안 쓰면서 어린 카를로가 물었다.

엄마가 대답했다.

"엄마가 하느님께 그렇게 하겠다고 약속했기 때문이지. 그리고 하느님께 한 약속은 무엇보다 중요한 약속이란다. 하느님께 한 약속은 절대로 깨지 말아라."

카를로는 엄마에게 하느님과 한 약속을 절대로 깨지 않겠다고 약속했다. 그는 세상의 그 무엇보다 엄마를 사랑했다. 그녀는 어린 카를로의 성스러운 천사였다. 엄마는 그런 표현을 좋아하지 않았지만, 때때로 아이는 엄마를 '성모 마리아'라고 불렀다. 카를로는 엄마가 기도할 때 그 옆에 무릎을 꿇고 앉아, 엄마의 향긋한 살 냄새를 맡으며, 엄마가 로사리오를 세며 기도하는 목소리에 귀를 기울였다.

'거룩하고 주의 어머니이신 성모 마리아님…… 지금과 저희가 죽을 때에…… 저희 죄인을 위하여 기도해주소서.'

"아빠는 어디에 있어요?"

아빠는 자기가 태어나기도 전에 죽었다는 것을 이미 알면서도 카를로는 물었다.

엄마는 항상 같은 대답을 해주었다.

"이제 하느님이 네 아버지란다. 너는 교회의 아이야."

카를로는 그 말이 좋았다.

엄마가 계속 일러주었다.

"두려움을 느낄 때마다 이제 하느님이 네 아버지라는 것을 기억하렴. 하느님이 너를 지켜보고, 영원히 보호해주실 거야. 카를로, 하느님은 너를 위해 아주 커다란 계획을 준비해놓으셨단다."

아이는 엄마가 옳다는 것을 알았다. 그는 이미 자기 핏속에서 하느님을 느꼈다.

피……

'하늘에서 비처럼 쏟아지던 피!'

침묵. 그 다음에는 천국.

눈을 멀게 할 정도로 환한 빛이 꺼졌을 때, 카를로는 자기의 천국이 실제로는 팔레르모 외곽에 있는 산타클라라 병원의 중환자실이라는 것을 알게 되었다. 카를로는 테러리스트가 폭탄을 터뜨린 교회의 유일한 생존자였다. 휴가 중에 카를로 모자(母子)는 미사에 참석했고, 미사 집전 중 성당이 테러리스트의 폭탄에 무너졌다. 엄마를 포함해 서른일곱 명의 사람들이 죽었다. 신문들은 카를로의 생존을 성 프란체스카의 기적이라고 불렀다. 알 수 없는 이유로, 카를로는 폭발 전에 혼자만의 순간을 가졌다. 엄마 곁을 떠나, 성 프란체스카의 이야기를 묘사한 태피스트리를 보러 벽감으로 들어갔고, 움푹 들어간 벽감이 그의 목숨을 구한 셈이었다.

아이는 결정했다.

'하느님이 나를 거기로 부르셨어. 하느님은 나를 구하고 싶으셨던 거야.'

카를로는 통증으로 헛소리를 했다. 아이는 여전히 엄마를 볼 수 있었다. 신자 좌석에 무릎을 꿇은 엄마가 그에게 입맞춤을 날려보냈다. 그런 뒤 고막을 울리는 폭발음과 함께 엄마의 향긋한 살이 갈기갈기 찢어졌다. 그는 여전히 인간의 악함을 느낄 수 있었다. 피가 아래로 쏟아져내렸다. 어머니의 피였다! 성모 마리아!

'하느님이 너를 지켜보고, 영원히 보호해주실 거야.'

어머니는 그에게 이렇게 말했다.

'하지만 이제 하느님은 어디에 계시는가!'

어머니의 진실이 현실로 나타난 것처럼 한 성직자가 병원으로 찾아왔다. 그는 여느 성직자가 아니었다. 주교였다. 주교는 카를로의 머리맡에서 기도했다. 아이는 성 프란체스카의 기적이었다. 카를로의 건강이 회복되었을 때, 주교는 자신이 주재하는 성당의 작은 수도원에서 살 수 있도록 배려했다. 카를로는 수도사들과 함께 살면서 가르침을 받았다. 심지어 그의 새로운 보호자가 된 주교를 위해 복사가 되었다. 주교는 카를로가 공립학교에 들어갈 것을 제안했지만, 그는 거절했다. 새 집에서는 더할 나위 없이 행복했다. 카를로는 이제 진실로 신의 집에서 살게 된 것이다.

매일 밤 카를로는 어머니를 위해 기도했다.

'신은 이유가 있어 나를 구하셨다. 그 이유가 무엇일까?'

카를로가 열여섯 살이 되었을 때, 이탈리아 법에 따라 2년 간 군에 복무할 의무가 생겼다. 주교는 그에게 만일 신학교에 들어가면 군에 복무할 의무를 면제받을 수 있다고 알려주었다. 카를로는 장차 신학교에 들어갈 계획이지만, 우선은 악을 이해할 필요가 있다고 주교에게 이야기했다.

주교는 이해하지 못했다.

카를로는 자신이 악과 싸우며 일생을 보내야 한다면, 우선은 악을 이해해야만 한다고 설명했다. 악을 이해하는 장소로 군대보다 나은 곳은 없었다. 군대는 총과 폭탄을 사용한다.

'폭탄이 내 성모를 돌아가시게 했다!'

주교는 단념시키려고 노력했지만 카를로의 결심은 확고했다.

주교는 포기했다.

"조심해라, 내 아들아. 그리고 기억하거라. 네가 돌아오기를 교회가 기다린다는 것을."

2년 간의 군복무는 끔찍했다. 카를로의 어린 시절은 침묵과 묵상의 시간이었다. 하지만 군대에는 묵상을 위한 조용함이라곤 전혀 없었다. 끝없는 소음과 어디에나 거대한 무기가 있었다. 평화의 순간은 존재하지 않았다. 군인들도 1주일에 한 번씩 병영 미사에 참석하긴 했지만, 카를로는 동료 군인들에게서 신의 존재를 느낄 수 없었다. 신을 보기에는 그들의 마음이 혼돈으로 가득 차 있었다.

카를로는 새 생활을 혐오했고, 집으로 돌아가고 싶었다. 하지만 참아내기로 마음먹었다. 그는 악을 이해해야만 했다. 하지만 집총을 거부해서, 군대는 그에게 의료용 헬리콥터 조종법을 가르쳤다. 헬리콥터의 소음과 냄새는 싫었지만, 적어도 하늘을 날면 천국에 있는 어머니의 곁으로 좀더 가까이 다가갈 수는 있었다. 조종사 훈련과정 중에 낙하산 사용법을 배워야 한다는 것을 알았을 때, 카를로는 공포에 사로잡혔다. 하지만 그에게 선택은 없었다.

'신이 나를 보호해주실 것이다.'

카를로는 스스로 되뇌었다.

첫 비행낙하는 그의 인생에서 가장 유쾌한 육체의 경험이었다. 신과 함께 나는 기분이었다. 땅으로 떨어질 때 흩날리는 하얀 구름들 사이에서 어머니의 얼굴을 보며, 카를로는 고요와…… 부유(浮遊)를…… 충분하지는 않았다.

'카를로, 하느님은 너를 위해 아주 커다란 계획을 준비해놓으셨단다.'

군복무를 마치고 돌아와서, 카를로는 신학교에 들어갔다.

그게 23년 전의 일이다.

이제 궁무처장으로서 카를로 벤트레스카는 로열 계단을 내려갔다. 그는 비범한 교차로에서 자신에게 보고된 일련의 사건들을 파악하려고 노력했다.

궁무처장은 스스로 되새겼다.

'모든 두려움을 버려라. 그리고 이 밤을 신에게 맡기자.'

그의 시야에 네 명의 스위스 근위병이 충실히 지키는 시스티나 소성당의 위대한 황동문이 들어왔다. 근위병들이 빗장을 벗기고, 문을 열어주었다. 성당 안에 있던 모든 고개가 뒤를 돌아봤다. 궁무처장은 자기 앞, 검은 사제복과 붉은 허리띠를 맨 무리를 응시했다. 그리고 자신을 위한 신의 계획이 무엇인지 이해했다. 교회의 운명이 그의 손에 달려있었다.

궁무처장은 성호를 긋고, 문지방을 넘어 안으로 들어갔다.

48

BBC의 취재기자 건서 글릭은 산 피에트로 광장의 동쪽 가장자리에 주차시킨 BBC 밴에 앉아 땀을 흘리고 있었다. 그는 자기를 여기로 보낸 편집장을 저주했다. 글릭에 대한 첫 1개월 간의 평가는 날카롭다, 재치 있다, 믿을 만하다 등의 찬사로 가득했지만, 그는 지금 '교황 탄생의 순간'을 지켜보기 위해 바티칸 시국에 있다. 글릭은 BBC의 보도는《브리티시 태틀러》처럼 기사를 꾸며대는 것과 신뢰의 차원이 다르다고 스스로 일깨웠다. 하지만 여전히 이런 보도는 성미에 맞지 않았다.

글릭에게 할당된 임무는 간단했다. 모욕감을 느낄 정도로 간단했다. 다수의 늙은 바보들이 새 늙은 바보대장을 뽑는 일을 여기 앉아서 기다리는 것이 다였다. 새 대장이 뽑히면 밖으로 나가, 바티칸을 배경으로 15초짜리 '생중계' 장면을 찍으면 끝이다.

'훌륭하군.'

BBC가 아직도 이 싸구려 드라마를 취재하기 위해 현장으로 기자를 내보내는 것을 글릭은 믿을 수가 없었다.

'보라고, 오늘 밤 이 자리에 취재온 미국 방송국이 있는지 말이야.

눈씻고 봐도 없단 말이지!'

미국 사람들이 일을 어떻게 하는지 잘 알고 있었다. 그들은 CNN을 보고 내용을 요약한다. 그런 뒤에 블루 스크린 앞에서 '생방송'인 것처럼 보도했다. 물론 화면배경으로는 재고 필름 중에 현장감 넘치는 바티칸 모습을 찾아 바탕에 깔고서 말이다. 심지어 MSNBC는 스튜디오에 바람과 비를 동원하는 기계까지 보유해, 기자가 진짜 현장에 나와 있는 것처럼 방송을 내보낼 수 있다. 시청자들은 더 이상 진실을 원하지 않는다. 그들은 오락만을 원한다.

자동차 앞 유리창으로 밖을 내다보며, 글릭의 기분은 시간이 갈수록 점점 울적해졌다. 앞에 웅장한 산처럼 버티고 있는 바티칸 시국은 인간이 그들의 마음을 모았을 때 무엇을 이룰 수 있는지를 우울하게 일깨워주었다.

"인생에서 나는 무엇을 이룰 수 있을까? 아무것도 없어."

글릭은 크게 소리내어 중얼거렸다.

"그럼 포기하라고."

그의 뒤에서 여자가 대답했다.

글릭은 깜짝 놀랐다. 혼자가 아니라는 것을 잊고 있었다. 글릭은 카메라우먼인 치니타 마크리가 안경을 닦으며 조용히 앉아 있는 뒷좌석으로 돌아앉았다. 그녀는 항상 안경을 닦았다. 치니타는 미국계 흑인을 선호했고, 그녀 자신 또한 흑인이다. 몸무게가 좀 나가고, 더럽게 똑똑한 여자이다. 누구나 그녀를 겪어보면 치니타의 총명함을 부인하지 못한다. 약간 이상한 구석이 있지만, 글릭은 그녀를 좋아했다. 그리고 글릭은 자기 동료를 잘 써먹을 줄 알았다.

"건서, 뭐가 문제야?"

치니타가 물었다.

"여기서 우리는 뭘 하는 걸까?"

그녀는 계속 안경을 닦았다.

"재미있는 사건을 목격하려는 중이지."

"늙은이들이 어둠 속에 갇혀 있는 게 재미있다고?"

"넌 지옥에 갈 거야. 너도 알지? 안 그래?"

"이미 지옥에 와 있어."

"내게 고민을 말해봐."

마치 엄마나 되는 것처럼 마크리가 구슬렀다.

"나는 그저 족적을 남기고 싶을 뿐이야."

"《브리티시 태틀러》를 위해 이미 족적을 남겼잖아."

"그래, 하지만 아무런 반향도 없었지."

"허, 이런. 외계인과 여왕 사이의 비밀스런 성생활에 관해 최초로 기사를 썼다고 들었는데."

"고맙군."

"이봐, 잘될 거야. 오늘 밤 텔레비전 역사상 너만의 첫 십오 초짜리 방송을 할 거잖아."

글릭은 신음했다. 이미 자신의 보도 뒤에 흘러나올 뉴스 앵커의 목소리가 들리는 듯했다.

'고마워요, 건서 기자. 훌륭한 기사였어요.'

그런 뒤에 앵커는 시선을 옮겨서 일기예보로 넘어갈 것이다.

"앵커 자리를 꿰차려고 애 좀 써볼 걸 그랬어."

치니타가 웃었다.

"앵커 경험도 없는 주제에? 그리고 그 턱수염으로? 잊어버려."

글릭은 턱에 무성히 돋은 붉은 수염을 손으로 어루만졌다.

"이 수염은 나를 똑똑하게 보이게 하지."

글릭의 또 다른 실패작인 용모 이야기는 다행히도 차량의 휴대전화기가 울리는 통에 끝났다. 갑자기 희망에 찬 목소리로 글릭이 말했다.

"아마 편집장 전화일 거야. 본사에서 라이브 업데이트를 원하는 걸까?"

마크리는 웃었다.

"이 기사에 대해? 계속 꿈을 꾸고 계시는군."

글릭은 앵커처럼 노련한 목소리를 내려고 노력하며 전화를 받았다.

"BBC의 건서 글릭입니다. 바티칸 시국에서 생중계로 보내드리고 있습니다."

전화상의 남자는 아랍 억양의 굵은 목소리였다. 남자가 말했다.

"잘 들으시오. 나는 지금부터 당신의 인생을 바꾸어놓을 참이니까."

49

바티칸 비밀문서고의 내부 성소로 들어가는 문 앞에는 이제 랭던과 비토리아 둘뿐이다. 주랑은 대리석 바닥에 깔린 카펫과 무선 보안카메라가 어울리지 않게 장식되어 있었다. 벽부터 벽 끝까지 카펫이 깔려 있고, 천장의 무선 보안카메라는 아기천사의 조상 옆에서 내려다보고 있었다. 랭던은 이 풍경을 '메마른 르네상스'라고 불러도 될 것 같았다. 아치 모양의 입구 옆에는 작은 청동 현판이 달려있었다.

바티칸 비밀문서고
관장, 파드레 자끄 토마소

'자끄 토마소 신부님.'
랭던은 관장의 이름을 인지했다. 집의 책상에는 바티칸에서 보낸 거절의 편지들이 놓여 있고, 거기에 이 이름이 씌어 있었다.
'친애하는 랭던 씨, 거절의 글을 보내게 되어 심히 유감입니다……'
유감이다.
'빌어먹을.'

자끄 토마소가 관장이 된 이래, 바티칸의 비밀문서고에 출입 허가를 받은 비(非)가톨릭계 미국인 학자를 랭던은 단 한 명도 만나지 못했다. '파수꾼.' 사학자들은 자끄 토마소를 이렇게 불렀다. 자끄 토마소는 지구상에서 가장 깐깐한 사서이다.

랭던은 문을 밀고, 아치 모양의 입구를 지나 성역 안으로 발을 옮겼다. 랭던은 자끄 신부가 군복과 헬멧을 착용하고, 바주카포로 무장한 채 서 있는 모습을 보게 되리라 반쯤은 기대하고 있었다. 하지만 그가 들어선 공간에는 아무도 없었다.

적막과 부드러운 조명.

'바티칸의 비밀문서고.'

이곳은 랭던이 꿈꾸던 곳 중의 하나이다.

하지만 신성한 방을 훑어보며 당황하고 말았다. 랭던은 자신이 풋내기처럼 얼마나 낭만적이었는지를 깨달았다. 이 방에 대해 그가 그렇게 오랜 세월 간직해온 모습은 이렇게 다를 수가 없었다. 그는 너덜너덜한 서적들이 높다랗게 쌓인 책장, 스테인드글라스의 유리창으로 들어오는 빛과 촛불 아래에서 책을 정리하는 사제, 두루마리를 들여다보며 삼매경에 빠진 수도사들, 이런 것들을 상상해왔다……

하지만 상상은 완전히 어긋났다.

문서고의 첫인상은 다소 어두운 비행기 격납고 같았다. 비행기 격납고처럼 생긴 방 안에 열두 개 가량의 라켓볼 코트를 각각 독채로 지어놓은 것 같았다. 물론 랭던은 라켓볼 코트처럼 생긴 보관실의 유리벽 차단막이 무엇인지 잘 알았고, 그래서 유리벽을 보고도 놀라지 않았다. 습기와 열기는 고대 송아지피지와 양피지 문서를 부식시키기 때문에, 고문서를 보존하기 위해서는 이처럼 반드시 밀폐된 보관실이 있어야 했다. 공기 중에 자연스럽게 포함된 습기와 산성 성분을 배제하기 위한 밀폐된 사각 공간. 랭던은 여러 번 밀폐된 보관실 안에 들어간 경험이 있다. 그런데 그건 언제나 불안했다…… 담당 사서가 산소량을 규제하는 밀폐된 컨테이너 안으로 들어가는 것과 비슷했다.

보관실은 어두웠다. 각각의 책장 끝에 있는 자그마한 실내등이 희미하게 보관실 안의 윤곽을 그려냈다. 암흑 속에서 랭던은 보관실에 높이 치솟은 책장들이, 역사를 등에 지고 거대한 유령처럼 줄지어 서 있는 것처럼 느껴졌다. 이곳은 정말 믿기지 않는 수집품들의 총체였다.

비토리아 역시 아찔한 기분이 드는 모양이었다. 아무 말 없이 랭던 옆에 서서, 투명하고 거대한 정육면체를 응시하였다.

시간이 없었다. 랭던은 문서고의 수집품 목록을 정리해놓은 백과사전 같은 문서 목록을 찾아, 어둡게 불을 밝힌 방을 조사하고 다닐 시간이 없었다. 그가 발견한 것은 방 안에서 깜박거리는 여러 대의 컴퓨터 터미널이었다. 랭던이 말했다.

"비블리온*을 차려놓은 것 같군요. 여기 분류표들은 컴퓨터로 처리된 모양입니다."(비블리온 : 책을 사려는 사람과 수집가를 위한 온라인 시장.)

비토리아의 표정이 밝아졌다.

"그럼 우리도 일의 속도를 높일 수 있겠네요."

랭던은 자신도 비토리아의 열정을 나눠가졌으면 했지만, 불현듯 불안한 느낌이 들었다. 그는 컴퓨터 터미널로 걸어가 검색을 시도했다. 그의 두려움은 즉시 확인되었다.

"옛날 방식이 더 나을 것 같습니다."

"왜요?"

랭던은 컴퓨터 모니터에서 물러섰다.

"왜냐하면 진짜 책에는 암호 보호라는 것이 없으니까요. 물리학자들이 타고난 해커라고 생각지는 않은데, 어때요?"

비토리아는 고개를 저었다.

"나는 굴의 껍질을 깔 수는 있지만, 그게 다예요."

랭던은 깊이 숨을 들이쉬고, 투명한 보관실에 무섭게 버티고 있는 수집품으로 향했다. 그는 가장 가까운 보관실로 걸어가, 눈을 가늘게 뜨고 어두컴컴한 내부를 들여다보았다. 평범한 책장과 양피지 저장상자, 그리고 자료를 펼쳐놓고 조사할 수 있는 탁자가 유리벽 안에 희미하게 보였다. 랭던은 고개를 들어, 각각의 책장 끝에 달린 빛나는 분류 표지를 바라보았다. 다른 도서관처럼 분류 표지는 그 줄에 속한 책들의 내용을 알리는 것이리라. 투명한 유리벽을 따라 걸으며 랭던은 분류 표지를 읽어나갔다.

'은둔자 피에트로(Pietro L'eremita)…… 십자군(Le Crociate)…… 도시II(UrbanoII)…… 레반트(Levant)*……' (레반트 : 그리스와 이집트 사이에 있는 동지중해 연안 지역을 통틀어 일컫는 말.)

계속 걸어가면서 랭던이 말했다.

"분류 표지가 붙어 있습니다. 하지만 알파벳순으로 되어 있지 않군요."

랭던은 놀라지 않았다. 고대 문서가 알파벳순으로 정리된 경우는 드물었다. 고문서의 저자 대부분이 작자 미상이기 때문이다. 제목도 마찬가지다. 많은 역사 문서는 제목이 없는 편지거나, 양피지조각일 경우가 다반사이다. 대개의 분류 작업은 연대순으로 이루어졌다. 하지만 불행하게도, 바티칸 비밀문서고의 분류 방식은 연대순으로 이루어진 것 같지도 않았다.

랭던은 귀중한 시간을 많이 써버린 느낌이었다.

"바티칸은 고유의 분류 방식을 갖춘 것처럼 보입니다."

"정말 놀랍네요."

랭던은 다시 분류 표지를 조사했다. 분류 표지에 적힌 주제어는 수백 년을 아우르는 것이지만, 모든 단어들이 서로 연결되어 있었다.

"주제별 분류라는 생각이 듭니다."

"주제별 분류? 비효율적인 분류 방식 아닌가요?"

인정할 수 없다는 과학자 특유의 목소리로 비토리아가 물었다.

그 점을 랭던은 심사숙고했다.

'사실…… 이건 내가 지금까지 보아온 방식 중에 가장 통찰력 있는

분류법이다.'

랭던은 학생들에게 날짜와 구체적인 사건에 대한 세세한 점을 찾느라 중심을 잃기보다는, 한 예술 시기의 전반적인 분위기와 동기를 이해하라고 가르쳤다. 바티칸의 비밀문서고도 그와 유사한 철학으로 분류된 듯했다.

'널찍하게 획을 그어서 보기……'

깊은 확신을 갖고 랭던은 말했다.

"이쪽 보관실은 모두 십자군과 관련된 수백 년이 지난 물건들입니다. 십자군이 이 보관실의 주제인 셈이죠."

모든 것이 여기에 있다는 것을 랭던은 깨달았다.

'역사적인 사건, 편지, 예술작업, 사회·정치적 자료, 현대적 분석 자료들. 모든 것이 한자리에 모여 있군…… 한 가지 주제를 깊이 이해하도록 연결되어 있어. 정말 현명하군.'

비토리아는 눈살을 찌푸렸다.

"하지만 이 자료는 다른 여타 주제와도 동시에 관련될 수도 있잖아요."

"그래서 바티칸 사서들이 임시 마커를 사용해, 교차 참조를 표시해 놓은 겁니다."

랭던은 유리벽 너머로 자료들 사이에 삽입된 다채로운 색의 플라스틱 분류표를 가리켰다.

"분류표는 기본 주제와 함께 어딘가에 있을 이차 자료의 위치를 알려줄 겁니다."

"그렇군요."

비토리아는 이 문제는 그냥 덮고 지나가기로 한 것 같았다. 그녀는 엉덩이에 손을 얹고, 거대한 공간을 훑어보았다. 그런 다음 랭던을 쳐다보았다.

"그럼 교수님, 우리가 찾는 갈릴레이의 책 이름은 무엇인가요?"

랭던은 웃지 않을 수 없었다. 아직도 자신이 이 서고 안에 있다는 사실이 믿기지 않았다. 랭던은 생각했다.

'그건 여기에 있다. 어둠 속 어딘가에서 기다리고 있다.'

"나를 따라와요."

랭던이 지시했다. 그는 각 보관실에 붙은 분류표를 조사하면서 맨 처음 복도를 활기차게 걸어갔다.

"'계몽의 길'에 관해 내가 무슨 말을 했는지 기억하고 있습니까? 공들인 시험을 통해 일루미나티가 신입 회원들을 어떻게 모집했는지?"

"보물찾기."

가까이에서 따라가며 비토리아가 대답했다.

"로마에 표지를 만든 후 일루미나티에게 남은 임무는, 이제 그 길이 실제 존재한다는 것을 과학계에 알리는 방법이었습니다."

"논리적이군요. 그렇지 않으면 아무도 그 길을 찾아보려고 하지 않을 테니까요."

"그래요. 그리고 길이 존재한다는 것을 과학자들이 설사 알았다 해도, 길이 어디에서 시작하는지를 알 방법은 없었을 겁니다. 로마는 거대한 도시니까요."

"좋아요."

랭던은 얘기하면서도 계속 분류표를 조사해나갔다. 그러고는 다음 복도로 넘어갔다.

"약 십오 년 전에 소르본 대학교에 있는 역사가들과 나는 기호와 관련된 참고들이 빽빽이 적힌 일루미나티 편지들을 발견했습니다."

"기호. 길과 그 길이 어디에서 시작되는지를 알려주는 자료였나보군요."

"그래요. 그후 나를 포함해서, 일루미나티를 연구하는 많은 학자들이 기호와 관련해 다른 참고자료를 발굴했습니다. 단서는 실제로 존재했고, 갈릴레이 일당이 바티칸은 결코 알 수 없게 그 단서를 과학계에 뿌렸다는 것은 이제 정설로 받아들여지고 있습니다."

"어떻게요?"

"확신할 수는 없지만, 대체로 인쇄물이 아니었을까 싶습니다. 갈릴레이는 그 시절에 많은 책들과 회보 같은 것을 간행했으니까요."

"바티칸이 못 봤을 리가 없어요. 위험하게 들리는군요."

"사실입니다. 그럼에도 불구하고 그 기호가 담긴 책자는 배포됐습니다."

"하지만 그걸 실제로 발견한 사람은 없잖아요?"

"없죠. 하지만 이상하게도 기호에 관한 암시가 프리메이슨의 일기라든가, 고대의 과학저널, 일루미나티의 편지들 속에 나타납니다. 그 암시는 종종 숫자로 언급되죠."

"666?"

랭던은 미소를 지었다.

"그 숫자는 503입니다."

"무슨 뜻이에요?"

"우리 중 아무도 해석하지 못했습니다. 나는 숫자 503에 빠져들었어요. 숫자에 담긴 의미를 이해하려고 모든 노력을 기울였습니다. 수비학(數秘學), 지도 자료, 지리적인 위도."

복도 끝에 다다른 랭던은 구석을 돌아, 급히 다음 줄 분류표를 조사하며 말을 이어나갔다.

"오랜 세월 동안 유일한 단서는 5로 시작되는 숫자, 503에 있는 것 같았습니다…… 신성한 일루미나티 숫자 중 하나죠."

랭던이 잠시 말을 멈춘 사이, 비토리아가 입을 열었다.

"최근에 당신이 그걸 알아냈다는 느낌이 드는데요. 그래서 지금 우리가 여기에 있는 거고요."

"정확합니다."

자기 일을 자랑하는 일은 드물었지만, 그 순간 랭던은 자부심을 느꼈다.

"갈릴레이의 《대화Dialogo》*라는 책을 들어보셨습니까?"(대화:《프톨레마이오스와 코페르니쿠스의 2대 세계체제에 관한 대화Dialogo sopra idue massimi sistemi del mondo, tolemaico e copernicaon》)

"물론이에요. 과학에 대한 궁극적인 배신으로 과학자들 사이에서 유명한 책이거든요."

'배신'이란 말은 분명 랭던이라면 사용하지 않았을 단어이다. 하지만 그는 비토리아가 말하고자 하는 의미를 이해했다. 1630년대 초기에 갈릴레이는 코페르니쿠스의 태양중심설을 지지하는 책을 출간하고 싶어했다. 하지만 바티칸은 교회 측의 지구중심설을 지지하는 동등한 증거를 갈릴레이가 제시하지 않는 한, 그 책의 출간을 허락하지 않았다. 갈릴레이는 교회의 지구중심설이 완전히 틀렸음을 알고 있었지만, 교회의 요구를 묵인하고 정확한 이론과 부정확한 이론, 양쪽에 균등한 시선을 배분한 책을 출간하는 것 외에 선택의 여지가 없었다.

랭던이 말했다.

"당신도 알 테지만, 갈릴레이의 타협에도 불구하고 《대화》는 그때 이단 서적으로 몰렸습니다. 그리고 바티칸은 갈릴레이를 가택연금시켜버렸지요."

"선한 행동이 오히려 벌을 받을 때가 많죠."

랭던은 웃었다.

"정말 그렇군요. 하지만 갈릴레이는 완고했습니다. 가택연금 와중에도 갈릴레이는 비밀리에 원고를 작성했습니다. 세상에는 덜 알려진 책인데, 학자들이 종종 《대화》와 혼동하는 책이죠. 그 책이 《담화Discorsi》*입니다."(담화:《두 개의 신과학에 대한 수학적 논증과 증명Discorsi e dimon strazioni mathematiche intorno a due nuove scienze attenenti alla meccanica》)

비토리아가 고개를 끄덕였다.

"저도 들어봤어요. 《조류(潮流)에 관한 담화》."

랭던은 잠시 걸음을 멈췄다. 행성의 움직임과 그것이 조류에 미치는 영향에 관해 갈릴레이가 쓴 이《담화》는 세상에 잘 알려진 것이 아니었다. 비토리아가 이런 책을 알고 있어서 놀란 것이다.

　비토리아가 입을 열었다.

　"이봐요. 당신은 지금 갈릴레이를 숭배하던 사람을 아버지로 둔 이탈리아 해양물리학자와 대화하는 중이라고요."

　랭던은 웃음을 터뜨렸다. 하지만《담화》는 그들이 찾는 책이 아니다. 랭던은《담화》가 가택연금 중에 나온 갈릴레이의 유일한 작업이 아니었음을 설명했다. 역사가들은 갈릴레이가《도형Diagramma》이라고 불리는, 잘 알려지지 않은 작은 책자를 썼을 것이라 추정했다.

　랭던이 말했다.

　"《디아그람마 델라 베리타Diagramma della Verita》 즉《진실의 도형》이라는 책입니다."

　"못 들어봤어요."

　"모른다고 해서 놀랄 일은 아닙니다.《도형》은 갈릴레이의 가장 비밀스런 작품이니까요. 갈릴레이 자신은 진실이라고 믿었지만, 다른 사람들과 공유할 수 없었던 과학적 사실을 쓴 일종의 논문으로 보여집니다. 갈릴레이의 일부 원고들처럼《도형》은 그의 친구가 로마에서 은밀히 빼돌렸습니다. 그리고 네덜란드에서 조용히 출간했지요. 그 책자는 유럽 과학계 지하조직들의 광범위한 인기를 끌었습니다. 나중에 바티칸이 이 책 냄새를 맡았고, 책을 불태워버리라고 금서 조치를 내렸지요."

　비토리아는 점점 흥미로운 얼굴로 변했다.

　"그럼 당신은 단서가 그 책에 있다고 생각하는 건가요? 표지. '계몽의 길'에 대한 정보 말이에요."

　"《도형》에 갈릴레이가 단서를 노출시켰다. 그렇게 확신하고 있습니다."

랭던은 셋째 줄의 보관실로 들어섰다. 그리고 분류표를 조사하는 작업을 계속했다.

"이런 문서보관소에서 일하는 사람들은 수년 간 《도형》의 사본을 찾아왔습니다. 하지만 바티칸의 금서 조치와 책자의 낮은 유지등급을 고려해볼 때, 책자는 지구에서 사라졌을 겁니다."

"유지등급이라니요?"

"내구성 말입니다. 문서보관인은 자료의 구조적인 보존 상태를 보고, 일 등급부터 십 등급까지 순위를 매깁니다. 《도형》은 사초(莎草)로 만든 파피루스에 인쇄되었습니다. 우리가 집에서 쓰는 네모난 화장지와 비슷한 거죠. 수명이 백 년도 되지 않습니다."

"왜 더 질긴 종이를 쓰지 않았을까요?"

"갈릴레이의 명령이었습니다. 자신의 추종자를 보호하기 위해서였죠. 사본을 구한 과학자가 책자를 그냥 물에 빠뜨리기만 하면, 종이가 쉽게 분해되도록 하기 위해서였습니다. 증거 인멸을 위해서는 아주 좋았을 겁니다. 하지만 사료학자에게는 재앙이죠. 18세기 이후로는 《도형》의 사본 중 단 한 권만 남았다고 믿고 있습니다."

방을 둘러보며 비토리아는 잠시 얼떨떨한 표정을 지었다.

"단 한 권? 그렇다면 그 사본이 여기에 있다는 건가요?"

"갈릴레이가 죽은 지 얼마 안 돼, 바티칸이 네덜란드에서 압수했다는 것입니다. 나는 그걸 보기 위해 지금까지 수년 동안 바티칸에 청원을 넣었습니다. 그 안에 무엇이 들었는지 깨달은 뒤로 말이죠."

랭던의 마음을 읽은 것처럼 비토리아는 복도를 가로질러가서, 이웃한 보관실의 분류표를 조사하기 시작했다. 두 사람의 작업 속도가 두 배로 빨라졌다.

랭던이 말했다.

"고마워요. 갈릴레이, 과학, 과학자, 이런 것과 관련된 참고 분류표를 찾아요. 보면 뭔지 알게 될 겁니다."

"좋아요. 하지만 당신은 아직 《도형》에 단서가 들어 있음을 어떻게 알아냈는지는 얘기 안 했어요. 일루미나티의 편지에서 당신이 계속 보았다는 그 숫자와 관계가 있는 건가요? 503?"

랭던은 미소를 지었다.

"그렇습니다. 시간이 좀 걸렸지만, 마침내 503은 단순한 암호라는 것을 이해했죠. 그것은 분명히 《도형》을 가리키는 것이었습니다."

잠시 랭던은 기대하지 않던 순간에 그 의미를 깨닫게 된 일을 떠올렸다. 8월 16일. 2년 전이다. 그는 동료의 아들 결혼식이 열리는 호숫가에 서 있었다. 결혼식 파티에서 독특한 입장식이 진행되는 동안, 백 파이프의 낮은 음악이 호수를 가로질러…… 물 위의 유람선까지 울려 퍼졌다. 꽃과 화환으로 장식된 배였다. 선체에는 로마 숫자가 멋들어지게 칠해져 있었다. DCII.

그 표시에 어리둥절해진 랭던은 신부의 아버지에게 물었다.

"저 602는 무슨 뜻입니까?"

"602?"

랭던은 유람선의 선체를 가리켰다.

"DCII는 602라는 로마 숫자입니다."

동료가 웃음을 터뜨렸다.

"저건 로마 숫자가 아닙니다. 배의 이름이죠."

"DCII가요?"

남자는 고개를 끄덕였다.

"딕과 코니II."

랭던은 부끄러웠다. 딕과 코니는 오늘 결혼식을 올리는 부부의 이름이었다. 배는 신랑, 신부의 이름을 따서 지은 것이 분명했다.

"DCI은 어떻게 되었습니까?"

남자가 신음을 냈다.

"어제 리허설 오찬회를 하는 도중에 가라앉고 말았어요."

랭던은 웃었다.

"그거 유감이군요."

그리고 다시 선체를 바라보며 생각했다.

'모형 QEII 같은 DCII로군.'

잠시 후에 어떤 생각이 그를 치고 지나갔다.

이제 랭던은 비토리아에게 돌아서서 말했다.

"내가 앞에서 얘기한 대로 503은 암호입니다. 로마 숫자로서 실제로 의도하는 바를 숨기려 한 일루미나티의 장난이죠. 로마 숫자로 503은……"

"DIII."

랭던은 비토리아를 흘끗 쳐다봤다.

"너무 빠르군요. 당신이 일루미나티 회원이라는 말은 하지 말아줘요."

비토리아가 웃었다.

"해양 지층을 분류하는 작업에 로마 숫자를 사용하거든요."

랭던은 생각했다.

'물론 그러시겠지. 하지만 우리 모두가 그런 것은 아니거든.'

비토리아가 잠시 생각에 잠기더니 물었다.

"그럼 DIII의 의미가 무엇이죠?"

"DI, DII, 그리고 DIII. 이것들은 모두 매우 오래 된 약어입니다. 자주 혼동을 일으키는 갈릴레이의 세 자료를 구분하기 위해 고대 과학자들이 사용하던 용어이죠."

비토리아가 급히 숨을 들이쉬었다.

"《대화Dialogo》……《담화Discorsi》……《도형Diagramma》."

"D-1, D-2, D-3. 모두 과학적이고, 논쟁을 불러일으킨 책들입니다. 503은 DIII이죠. 《도형》. 갈릴레이의 책들 중에 셋째를 말하는 겁니다."

비토리아는 이해 못하겠다는 표정이었다.

"하지만 아직도 한 가지가 말이 안 돼요. 만일 이 기호, 단서, '계몽의 길'에 대한 광고가 정말로 갈릴레이의 《도형》에 들어 있다면, 바티칸이 모든 사본을 압수했을 때 왜 보지 못했을까요?"

"바티칸은 보았겠지만, 눈치채지 못했을 겁니다. 일루미나티의 표지를 기억합니까? 평범한 배경에 숨겨진 표지? 은폐? 단서도 같은 식으로 숨겼을 겁니다. 평범하게 보이도록 말이죠. 그걸 찾지 않는 사람에게는 보이지 않게, 그리고 그것을 이해하지 못한 사람에게도 역시 보이지 않는 겁니다."

"무슨 의미죠?"

"갈릴레이가 기호를 잘 숨겨놓았다는 의미입니다. 역사 기록에 따르면 기호는 일루미나티가 순수한 언어라고 부른 방식으로 드러난다고 했습니다."

"순수한 언어?"

"그래요."

"수학?"

"그게 내 추측입니다. 꽤 그럴듯해요. 갈릴레이는 결국 과학자였습니다. 단서를 늘어놓는 방법으로는 수학이 가장 논리적인 언어였을 겁니다. 책자의 이름 역시 《도형》이니까요. 수학 도형이 암호의 일부일지도 모릅니다."

비토리아가 슬며시 탐탁지 않은 어조로 입을 열었다.

"성직자들이 눈치챌 수 없는 일종의 수학적인 암호를 갈릴레이가 창조했을 수도 있겠죠."

"내 얘기가 그럴듯하게 들리지 않나보군요."

아랫줄로 걸음을 옮기며 랭던이 말했다.

"그래요. 그건 당신 역시 미심쩍어하는 것 같기 때문이에요. 만일 당신이 DIII에 관해서 그렇게 확신한다면, 왜 발표하지 않은 거죠? 그럼 바티칸 비밀문서고에 출입 허가를 받은 누군가가 여기 와서, 벌써 오래 전에 《도형》를 조사할 수도 있었을 텐데요."

"발표하고 싶지가 않았습니다. 그 정보를 알아내기 위해 나는 열심히 연구했어요. 그리고……"

더 이상 말을 잇기가 창피한 듯 랭던은 입을 다물어버렸다.

"영광을 원했군요."

랭던은 얼굴이 붉어지는 것을 느꼈다.

"말하자면 그렇습니다. 그건 단지……"

"창피해하지 말아요. 당신은 지금 과학자와 대화를 하는 중이니까. 출간하거나 몰락하거나, 둘 중 하나죠. CERN에서 우리는 이걸 '입증하든지, 아니면 질식해서 죽든지'라고 부른답니다."

"오직 일인자가 되고 싶어서 그런 것은 아닙니다. 《도형》에 들어 있는 정보를 그릇된 자들이 알아내면, 그 책자가 사라질까봐 걱정이 되었습니다."

"바티칸에 있는 그릇된 사람들?"

"본질적으로 그들이 틀렸다는 것은 아닙니다. 하지만 교회는 항상 일루미나티의 위협을 경시했어요. 1900년대 초에 바티칸은 일루미나티가 과대망상의 단편일 뿐이라고 서슴없이 말했을 정도입니다. 아마 성직자들이 맞는지도 모릅니다. 기독교계가 알아야 했던 마지막 일은 그들의 은행, 정치, 대학에 침투한 매우 강력한 반(反)기독교 운동이 세상에 존재했다는 것이었죠."

'로버트, 현재시제로 말하라고. 지금 세상에도 은행, 정치, 대학들에 침투한 강력한 반(反)기독교 세력이 있잖아.'

랭던은 자신에게 상기시켰다.

"그러면 당신은 일루미나티의 위협에 동조하는 증거가 있으면, 그게 어떤 것이든지 바티칸이 파묻어버릴 거라고 생각하는 거예요?"

"그럴 가능성이 높습니다. 그 위협이 진짜든 상상이든, 교회의 힘에 대한 사람들의 믿음을 약하게 할 테니까요."

"한 가지만 더 물을게요."

비토리아는 걸음을 멈추고, 랭던이 외계인이라도 되는 것처럼 그를 쳐다보았다.

"지금 진심이에요?"

랭던도 걸음을 멈췄다.

"무슨 뜻입니까?"

"내 말은 이게 정말 바티칸을 구하려는 당신의 계획이냐고요?"

랭던은 비토리아의 눈동자에서 안됐다는 연민을 본 것인지, 아니면 순수한 공포를 본 것인지 알 수가 없었다.

"《도형》을 찾아내는 일을 말하는 겁니까?"

"아니요. 내 말은 《도형》을 발견해서, 나이가 사백 살이나 된 어떤 기호를 찾아내고, 그 안에 담긴 수학적인 암호를 해독해서, 역사의 가장 총명한 과학자들만이 따라갈 수 있었다는 고대 예술품의 발자취를 좇아가는 일…… 그것도 앞으로 네 시간 안에 말이죠."

랭던은 어깨를 으쓱했다.

"나는 다른 제안을 받아들일 수도 있습니다."

50

　로버트 랭던은 9번 문서보관실 밖에 서 있었다. 그는 책장에 붙은 분류표를 읽었다.

　브라헤…… 클라비우스…… 코페르니쿠스…… 케플러…… 뉴턴……

　이름들을 다시 읽어가다가 불현듯 이상함을 느꼈다.

　'과학자들은 여기에 있는데…… 갈릴레이는 어디에 있는 걸까?'

　랭던은 근처 보관실 밖에서 내용을 조사중인 비토리아에게 돌아섰다.

　"주제는 제대로 찾은 것 같은데, 갈릴레이는 여전히 행방불명입니다."

　"아니오. 갈릴레이는 사라진 게 아니에요."

　눈살을 찌푸리며 비토리아는 다음 보관실을 가리켰다.

　"그는 여기에 있어요. 하지만 당신이 독서용 안경을 가져왔기를 바라요. 이 보관실 전체가 갈릴레이의 것이니까."

　랭던은 달려갔다. 비토리아의 말이 맞았다. 10번 보관실 모든 목록표는 똑같은 주제어였다.

　갈릴레오 소송절차

왜 갈릴레이가 그만의 보관실을 갖고 있는지 이제야 깨달으며 랭던은 낮게 휘파람을 불었다.

"갈릴레이의 업적은 다 여기 있었군."

유리를 통해 흐릿하게 윤곽이 드러난 책장을 들여다보며 랭던은 경탄했다.

"바티칸 역사상 가장 길고, 가장 많은 법적 비용이 든 사건. 십사 년하고도 육억 리라가 든 일. 그 모든 것이 여기에 있습니다."

"몇몇 법적 자료들도요."

"법률가들은 수백 년 동안 그렇게 많이 진화한 것 같지는 않습니다."

"상어도 마찬가지예요."

랭던은 보관실 옆에 붙은 크고 노란 버튼으로 성큼성큼 걸어갔다. 그가 버튼을 누르자, 머리 위의 조명들이 안쪽에서 낮게 윙 소리를 냈다. 조명은 진한 붉은색이다. 보관실은 높이 치솟은 책장들로 미로를 이룬…… 붉게 빛나는 진홍색의 정육면체 같았다.

겁에 질린 표정으로 비토리아가 말했다.

"세상에. 우리가 선탠을 하는 건가요, 아니면 일을 하는 건가요?"

"양피지와 송아지피지는 쉽게 바랩니다. 그래서 보관실 조명은 항상 어둡고, 조도가 낮은 걸 쓰지요."

"여기 안에서는 미치고 말 거예요."

'아니면 더 심할 수도 있지.'

보관실의 유일한 출입구를 향해 걸어가며 랭던은 생각했다.

"간략히 주의할 사항을 말하겠습니다. 산소는 산화제입니다. 따라서 여기 밀폐된 보관실에는 산소가 희박하다고 할 수 있어요. 이 안은 부분적으로 진공상태입니다. 호흡을 하다보면 숨이 막히는 듯한 기분이 들 겁니다."

"이봐요. 늙은 추기경들도 여기 와서 일하고 살아남았어요."

'그렇군. 우리도 그렇게 운이 좋아야 할 텐데.'

보관실 입구는 전자식 회전문이었다. 랭던은 문 안쪽 기둥에 네 개의 버튼이 배열된 것을 보았다. 회전문의 네 구획에 하나씩 달려있었다. 하나의 버튼을 누를 때마다 모터로 움직이는 회전문은 시계반대방향으로 한 구획씩만 움직였다. 내부 환경의 농도를 유지하기 위한 기본 절차였다.

랭던이 말했다.

"내가 안으로 들어간 후에, 저 버튼을 누르고 따라 들어와요. 저 안은 습도가 팔 퍼센트 정도에 불과할 겁니다. 그러니 입 안이 마를 것에 대비하고."

랭던은 회전문 안으로 들어가 버튼을 눌렀다. 문이 시끄럽게 울리더니 회전하기 시작했다. 랭던은 회전문의 움직임에 따라, 밀폐된 보관실에 들어갔을 때 처음 몇 초 동안 겪게 될 육체적인 충격에 대비했다. 밀폐된 문서보관소의 출입은 해발 6킬로미터에 바로 올라간 것과 같았다. 구토와 가벼운 현기증이 동반되었다.

'이중으로 보이면, 몸이 겹쳐질 만큼 구부려라.'

문서고 사서들의 주문을 인용하며 자신을 일깨웠다. 귀가 터지는 것 같았다. 공기가 슉슉 대고, 회전문은 자동으로 돌아가서 닫혔다.

랭던은 이제 보관실 안에 있었다.

그의 첫 깨달음은 안의 공기가 자신의 예상보다도 희박하다는 거였다. 바티칸은 다른 문서보관소보다 신중하게 창고를 단속하는 듯했다. 랭던은 폐의 모세혈관이 팽창하면서, 반사작용으로 구역질이 나는 것을 느꼈다. 가슴을 진정시키려고 노력하자, 팽팽함은 재빨리 사라졌다.

'수영에 능한 돌고래 모드로 돌입.'

하루에 50번씩 수영장을 왕복한 것이 그나마 쓸모가 있다는 생각이 들었다. 이제 그는 좀더 자연스럽게 호흡하며, 보관실 내부를 둘러보았다. 벽이 투명한 유리임에도 불구하고 익숙한 불안감이 번졌다.

'나는 상자 안에 있다. 피처럼 붉은 상자 안에.'

등 뒤에서 문이 소리를 내며 울렸다. 랭던은 비토리아가 들어오는 것을 지켜보았다. 안으로 들어서자마자, 그녀는 눈물을 흘렸다. 그리고 거칠게 숨을 쉬었다.

랭던이 말했다.

"잠시 기다려봐요. 현기증이 나면 허리를 숙이고."

"나는…… 느낌이…… 마치…… 잘못된…… 비율로…… 스쿠버다이빙…… 한 것 같아요."

랭던은 비토리아가 환경에 순응하기를 기다렸다. 그녀는 괜찮아질 것이라고 예상했다. 비토리아는 멋진 몸매를 가졌다. 옛날에 그가 와이드너 도서관의 밀폐된 문서보관소에서 보좌한, 비틀거리던 래드클리프 동창과는 딴판이다. 그때는 틀니를 끼고 숨을 쉬는 늙은 할머니 동창생에게 인공호흡을 해야 하는 일까지 벌어졌었다.

"나아졌습니까?"

랭던이 물었다.

비토리아는 고개를 끄덕였다.

"당신 연구소의 빌어먹을 비행기를 타 본 덕분에, 나는 당신에게 빚을 졌다고 생각했습니다."

이 말이 웃음을 불러왔다.

"퍽이나 감동적이네요."

랭던은 문 옆에 있는 상자에 손을 뻗어 하얀 장갑을 꺼냈다.

"공식적인 작업인가요?"

비토리아가 물었다.

"손가락에는 산성 성분이 있습니다. 장갑을 끼지 않고 맨손으로 자료를 다룰 수는 없어요. 당신도 필요할 겁니다."

비토리아는 장갑을 꼈다.

"시간이 얼마나 남았지요?"

랭던은 자신의 미키마우스 시계를 들여다보았다.

"막 일곱 시가 지났습니다."

"한 시간 안에 그 책을 찾아내야만 해요."

"사실은 우리에게 그럴 시간이 없습니다."

그는 머리 위의 필터 관을 가리켰다.

"사람이 보관실 안에 있으면, 보통은 문서고 관장이 산소주입 시스템을 켜놓습니다. 하지만 오늘은 아니에요. 이십 분. 그 정도가 지나면, 우리 둘 다 흡입기 바람 속에 있게 될 겁니다."

비토리아의 얼굴이 붉은 불빛 속에서도 눈에 띄게 창백해졌다.

랭던은 웃으며 장갑을 부드럽게 매만졌다.

"베트라 양, 입증하든지 아니면 질식해서 죽든지, 둘 중 하나요. 미키마우스가 째깍거리고 있습니다."

51

BBC 취재기자인 건서 글릭은 전화를 끊기 전에 손에 들린 휴대전화기를 10초 정도 물끄러미 응시했다.

밴 뒤에 앉아 있던 치니타 마크리가 글릭을 관찰했다.

"무슨 일이야? 누군데 그래?"

자기 것이 아닌 크리스마스 선물을 받고서 두려워하는 아이가 된 기분으로 글릭은 돌아앉았다.

"방금 정보를 하나 받았어. 바티칸 안에서 무슨 일이 진행되고 있대."

마크리가 대꾸했다.

"그건 교황 선거회의라는 거야. 참 대단한 정보로군."

"아니야, 다른 거였어."

'다른 엄청난 것.'

글릭은 발신자가 전해준 정보가 사실일까, 의아했다. 그리고 그 정보가 사실이기를 기도하는 자신을 깨달았을 때, 부끄러웠다.

"만일 내가, 네 명의 추기경들이 납치를 당했고, 오늘 밤 각기 다른 교회 네 곳에서 살해될 거라고 말하면 어떻게 할래?"

"유머감각이 지독히 나쁜 본사의 누군가에게 네가 정신없이 휘둘린 거라고 충고해줄게."

"맨 처음 살인이 일어날 정확한 장소를 네게 말해준다면?"

"도대체 너랑 통화한 사람이 누군지 알고 싶어."

"그 남자는 자기에 대해서는 언급하지 않았어."

"아마 허풍이어서가 아닐까?"

글릭은 마크리의 냉소를 예상은 했다. 하지만 지금 그녀가 잊고 있는 것은, 거짓말쟁이와 미친놈들은 거의 10년 동안 《브리티시 태틀러》에서 글릭의 전문 분야였다는 점이다. 방금 전화를 건 사람은 거짓말쟁이도 미치광이도 아니다. 이 남자는 냉정할 정도로 제정신이었고 논리적이었다. 남자는 이렇게 말했다.

'여덟 시 직전에 다시 전화를 걸겠다. 그때 첫 살인이 어디에서 일어날 것인지 알려주겠다. 당신이 방송할 장면은 당신을 유명인사로 만들어줄 것이다.'

왜 자신에게 이런 정보를 제공하는지 물었을 때, 남자의 대답은 아랍 지역의 억양만큼이나 차갑게 말했다.

'언론은 혼란의 오른팔이기 때문이지.'

글릭이 말했다.

"그자는 다른 얘기도 했어."

"뭐? 방금 새로 뽑힌 교황이 엘비스 프레슬리라고?"

"BBC 데이터베이스에 전화를 좀 걸어줘. 그래 줄 거지? 이 남자들에 관해서 다른 이야기들이 또 있는지 알아봐야겠어."

이제 글릭의 아드레날린은 펌프질을 하고 있었다.

"어떤 남자들?"

"내 말대로 좀 해줘."

마크리는 한숨을 쉬고, BBC 데이터베이스와 연결을 시도했다.

"몇 분 걸릴 거야."

글릭의 마음은 헤엄을 치고 있었다.

"이 남자는 내게 카메라맨이 딸려있는지를 파악하려고 아주 노골적이었어."

"카메라맨이 아니라 비디오 예술가."

"그리고 우리가 생방송으로 중계할 수 있는지도."

데이터베이스가 삑삑거렸다.

"1.537 메가헤르츠. 이게 다 무슨 일이람! 좋아, 데이터베이스에 들어갔다. 네가 찾는 사람이 누구야?"

글릭이 검색할 주제어를 건넸다.

마크리는 글릭을 향해 돌아앉아 응시했다.

"진짜로 농담이길 바랄게."

52

바티칸 비밀문서고의 10번 보관실 내부는 랭던이 기대한 것처럼 한 눈에 찾을 수 있는 배열이 아니었다. 《도형》원고는 갈릴레이의 다른 유사한 출판물들과 함께 있는 것 같지 않았다. 컴퓨터화된 분류 목록이나 참고문헌 탐지기의 도움이 없다면, 랭던과 비토리아는 이 안에 계속 갇혀 있어야 할 신세였다.

비토리아가 물었다.

"《도형》이 이 안에 있다고 정말 확신하는 거예요?"

"내 생각에는 그래요. 양쪽 기록 모두에 올라온 것을 확인했습니다. 가톨릭 포교 성성(聖省)처하고……"

"좋아요. 당신이 확신한다면."

랭던이 오른쪽으로 가는 동안 비토리아는 왼쪽으로 향했다.

랭던은 눈으로 조사를 시작했다. 지나치는 모든 보물을 멈추지 않고 읽기 위해서는, 극도의 자기 절제가 매순간마다 필요했다. 여기 있는 수집품들은 정말이지 사람을 아찔하게 만들었다.

《황금계량자 The Assayer》……《시데레우스 눈치우스 Sidereus Nuncius》……《태양흑점에 관한 서한 The sunspot Letters》……《크리스

티나 대공비에게 부치는 편지Letter to the Grand Duchess Christina》……
《갈릴레이를 위한 변명Apologia pro Galileo》……'

끝이 없었다.

보관실 뒤편 근처에서 마침내 금을 발견한 사람은 비토리아였다. 그녀의 쉰 목소리가 튀어나왔다.

"《디아그람마 델라 베리타》! 《진실의 도형》!"

랭던은 비토리아에게 가기 위해 진홍빛 안개 속을 내달렸다.

"어디입니까?"

비토리아가 가리키자, 랭던은 왜 그들이 빨리 못 찾아냈는지 보자마자 깨달았다. 원고는 책장이 아니라, 2절판 종이를 담아놓은 상자 안에 들어 있었다. 2절판 종이상자는 제책이 안 된 종잇장을 저장할 때 쓰는 도구다. 상자 전면에 붙은 목록표는 의심할 여지 없이 안에 담긴 내용물을 암시했다.

《진실의 도형》, 갈릴레오 갈릴레이, 1639

랭던은 무릎을 꿇었다. 심박동이 요동쳤다.

"《도형》."

그는 비토리아를 향해 싱긋 웃어 보였다.

"잘했어요. 이 상자를 꺼내게 좀 도와줘요."

비토리아도 랭던 옆에 무릎을 꿇고 앉아 상자를 잡아당겼다. 상자가 올려진 바퀴 달린 금속판이 그들 쪽으로 굴러나오자 상자의 윗면이 드러났다.

"안 잠겼네요?"

간단한 빗장만 있는 것을 보고 비토리아는 놀란 듯했다.

"결코 잠그지 않습니다. 가끔은 자료를 재빨리 대피시켜야 할 때도 생기니까요. 홍수라든가 화재 발생시에."

"그럼 열어봐요."

랭던에게는 어떤 격려도 필요하지 않았다. 자기 앞에 학자로서의 일생의 꿈이 있었고, 점점 희박해지는 보관실의 공기를 감안해볼 때 전혀 빈둥거릴 생각이 없었다. 랭던이 빗장을 풀고, 뚜껑을 들어올렸다. 상자 안의 평평한 바닥 위에는 까만 즈크 천 주머니가 놓여 있었다. 천의 통기성은 안에 든 내용물을 보존하는 데 필수 요건이다. 랭던은 양손을 내밀어 주머니를 수평으로 든 채 상자에서 들어올렸다.

비토리아가 말했다.

"나는 보물상자 같은 것을 기대했는데, 이건 베갯잇처럼 보이네요."

"나를 따라와요."

랭던이 말했다. 신성한 봉헌물처럼 주머니를 앞에 떠받들고, 랭던은 보관실 중앙으로 걸어갔다. 보관실 중앙에는 문서를 조사할 수 있도록 유리가 깔린 탁자가 있었다. 탁자를 방 중앙에 놓은 것은 보관실에서 자료를 들고 왔다 갔다 하는 사람들의 동선을 최소화하기 위한 것이지만, 조사자는 높은 책장들로 둘러싸인 탁자에서 일종의 사생활 보호 같은 여유를 누릴 수 있었다. 누군가의 경력을 확 바꾸어놓을 정도의 엄청난 발견은 세상 1류급의 문서보관소에서 이루어졌다. 그리고 대부분의 학자는 자신이 일하는 동안 경쟁자가 유리를 통해 들여다보는 것을 달가워하지 않았을 터였다.

랭던은 주머니를 탁자에 놓고, 주둥이의 단추를 풀었다. 비토리아는 옆에 서 있었다. 이런 문서보관소에서 일하는 사람들이 고문서를 다룰 때 사용하는 전문도구들이 탁자 위 쟁반에 담겨 있었다. 랭던은 쟁반을 훑어보고, 펠트제 패드가 달린 족집게를 찾아냈다. 전문가가 '손가락 심벌즈'라고 부르는 것으로, 양쪽 다리에 둥근 펠트 천 패드를 심벌즈처럼 단 핀셋이다. 흥분이 점점 고조될수록, 랭던은 학생들 시험점수를 매겨야 하는 한 무더기의 시험지와 함께 케임브리지의 집에서 잠을 깨는 게 아닌가 하고 두려워졌다. 그는 깊이 숨을 쉬고 주머니를 열었다. 면장갑 안의 손가락이 떨렸다. 그는 핀셋을 안으로 집어넣었다.

비토리아가 속삭였다.

"긴장을 풀어요. 이건 종이지, 플루토늄이 아니에요."

랭던은 안에 든 자료를 잡을 수 있게 핀셋을 밀어넣고, 조심스럽게 압력을 가했다. 그런 뒤에 자료를 주머니에서 끄집어내는 것이 아니라, 자료는 살며시 들고, 주머니를 조심스레 벗겨냈다. 이는 고문서에 가해지는 마찰력을 최대한 줄이기 위해 문서보관소의 직원들이 사용하는 방법이다. 주머니를 다 벗겨내고 탁자 밑에 있는 조사용 램프를 켜고서야, 랭던은 숨을 쉴 수 있었다.

유리틀을 통해 밑에서 올라오는 어두운 조명 때문에 비토리아가 귀신처럼 보였다. 존경스러운 목소리로 비토리아가 말했다.

"작은 종이로군요."

랭던은 고개를 끄덕였다. 그들 앞에 놓인 2절판 종이뭉치는 작은 문고본 소설책에서 떨어져나온 느슨한 종잇장들 같았다. 앞장에는 갈릴레이가 친필로 남긴 제목과 날짜, 그리고 갈릴레이라는 이름이 화려한 펜글씨로 씌어 있었다.

즉시 랭던은 밀폐된 사각의 공간을 잊고, 자신의 지친 상태도 잊었다. 그를 여기로 데려온 끔찍한 상황마저 망각했다. 순수한 경이로움에 사로잡혀 바라보았다. 역사와 밀접한 조우는 매번 그를 경외심으로 마비시켰다…… 마치 〈모나리자〉 위의 붓질을 아주 가까이서 보는 것처럼.

색이 바랜 노란 파피루스는 자료의 나이를 가늠하게 했고, 이게 진짜라는 것을 랭던은 믿어 의심치 않았다. 세월이 갈수록 바래지는 피할 수 없는 점만 제외하면, 문서의 상태는 아주 훌륭했다.

'염료가 살짝 표백된 것 같군. 파피루스가 끊어지고 서로 들러붙은 부분이 약간 있어. 하지만 모든 것이…… 아주 양호한 상태야.'

랭던은 표지에 적힌 화려한 필적을 관찰했다. 그의 시력이 습기 부족으로 얼룩졌다. 비토리아는 말이 없었다.

"주걱 좀 갖다줘요."

랭던은 옆에 있는 비토리아에게 스테인리스 스틸 도구들로 가득 찬 쟁반을 가리켰다. 비토리아는 주걱을 찾아 랭던에게 건넸다. 랭던은 손으로 주걱을 받았다. 유용한 도구였다. 랭던은 주걱에 붙어 있는 게 있는지 확인하기 위해 손가락으로 주걱 표면을 만졌다. 그후 신중하게 주걱턱을 표지 밑으로 집어넣었다. 그리고 주걱을 들어올려 표지를 넘겼다.

첫 장은 작고 멋들어진 달필로 씌어 있었는데, 읽기가 거의 불가능했다. 랭던은 즉시 첫 장에는 도형이나 숫자가 없다는 것을 파악했다. 첫 장은 그냥 수필이었다.

비토리아가 첫 장의 표제를 번역하며 말했다.

"태양중심설. 갈릴레이는 한 번 더 단호하게 지구중심설을 부인하는 것 같군요. 하지만 고대 이탈리아 어라서 내 번역이 완벽하다고 장담할 수는 없어요."

"괜찮습니다. 우리는 숫자를 찾고 있어요. 순수한 언어 말입니다."

다음 장을 들어올리기 위해 랭던은 다시 주걱을 사용했다. 수필은 계속 이어졌다. 수학이나 도형은 없었다. 랭던은 장갑 안에서 땀이 흐르는 걸 느꼈다.

"행성의 움직임."

표제를 번역하며 비토리아가 말했다.

랭던은 얼굴을 찡그렸다. 언젠가 고성능 망원경을 통해 관측된 행성 궤도에 대한 NASA의 현재 모델이, 갈릴레이가 예측한 모델과 거의 동일하다는 내용의 글을 읽고서 감탄한 기억이 있다.

비토리아가 계속했다.

"수학은 없네요. 갈릴레이는 역행하는 움직임과 타원 궤도, 그리고 뭔가에 관해 얘기하고 있어요."

'타원 궤도.'

갈릴레이가 겪은 법적 분쟁의 많은 부분은, 그가 행성의 움직임을 타원으로 표현했을 때 시작되었음을 랭던은 기억해냈다. 바티칸은 원의 완벽함을 고귀하게 여겼고, 천체의 움직임 역시 반드시 원이어야 한다고 주장했다. 하지만 갈릴레이의 일루미나티는 타원에서도 역시 완벽함을 보았고, 두 개의 초점을 가진 타원의 수학적 상대성에 감탄했다. 일루미나티의 타원은 오늘날까지도 유명하며, 현대 프리메이슨의 투사판과 기초 상감에서 찾아볼 수 있다.

비토리아가 말했다.

"다음 장."

랭던은 종이를 넘겼다.

"달 모양의 변화와 조수의 움직임. 숫자도 없고, 도형도 없군요."

랭던은 한 장을 더 넘겼다. 아무것도 없었다. 열서너 페이지를 계속 넘겼다. 하지만 아무것도 없었다. 숫자, 도형, 수학은 전무했다.

비토리아가 말했다.

"나는 갈릴레이가 수학자였다고 생각했어요. 그런데 여기 있는 것은 온통 글뿐이로군요."

랭던은 폐 속의 공기가 희박해지는 것을 느꼈다. 희망 역시 희미해지고 있었다. 종잇장은 끝에 가까워졌다.

비토리아가 입을 열었다.

"이 장에도 안 보여요. 수학은 없네요. 몇몇 날짜와 표준 숫자들. 하지만 단서처럼 보이는 것은 하나도 없어요."

랭던은 마지막 장을 넘기고 한숨을 쉬었다. 마지막 장 역시 글만 가득한 수필이었다.

"짧은 책이로군요."

얼굴을 찡그리며 비토리아가 읊조렸다.

랭던은 고개를 끄덕였다.

"메르다(Merda), 로마에서는 이렇게 얘기하죠."

'제기랄이라, 맞는 말이군.'

랭던은 생각했다. 오늘 아침에 집 퇴창에서 자신을 응시하던 모습처럼, 유리탁자에 비친 자기 모습이 왠지 자신을 조롱하는 것 같았다.

'늙은 유령 같군.'

"이 안에 반드시 뭔가 있을 겁니다. 단서는 여기 어딘가에 있어요. 난 압니다!"

쉰 목소리에 배인 거친 절박감이 랭던 자신마저 놀라게 했다.

"어쩌면 DIII가 틀린 것은 아니고요?"

랭던은 돌아앉아 비토리아를 응시했다. 단호한 눈빛에 비토리아는 동의하고 말았다.

"좋아요. DIII는 완벽하게 말이 된다고 쳐요. 하지만 단서가 수학적인 것이 아닐 수도 있지 않겠어요?"

"순수한 언어라고 했습니다. 수학이 아니라면, 다른 뭐가 있을 수 있겠습니까?"

"예술?"

"이 책 안에 도형이나 그림이 없다는 것을 제외하면."

"내 느낌에 순수한 언어는 이탈리아 어가 아닌 뭔가 다른 것을 언급한다는 거예요. 그런 면에서 수학이 논리적으로 보이죠."

"나도 동의합니다."

랭던은 이렇게 빨리 자신의 패배를 받아들일 수가 없었다.

"숫자는 필기체로 적혀 있을 겁니다. 수학이 방정식이 아니라 단어로 표현된 것이 틀림없어요."

"이걸 다 읽으려면 시간이 걸릴 거예요."

"우리에게는 시간이 부족한 부분입니다. 일을 나눠야겠어요."

랭던은 다시 표지가 위로 오도록 종이뭉치를 정리했다. 그리고 주겨을 이용해 종이뭉치의 반을 들어서, 비토리아 앞에 내려놓았다.

"나도 숫자를 분간할 정도의 이탈리아 어 실력은 됩니다. 이 안에 있습니다. 확신해요."

비토리아는 손을 뻗어, 손가락으로 첫 장을 넘겼다.

"주걱!"

랭던은 쟁반에서 여분의 주걱을 비토리아에게 쥐어주며 말했다.

"주걱을 이용해요."

"장갑을 끼고 있잖아요. 내가 이 자료에 손상을 입혀봤자 얼마나 입히겠어요?"

비토리아가 투덜거렸다.

"그래도 주걱을 사용해요."

비토리아가 주걱을 집어들었다.

"내가 느끼는 것을 당신도 느끼나요?"

"긴장감?"

"아니오. 호흡이 가빠지는 거요."

랭던 역시 호흡이 힘들었다. 그의 예상보다 공기가 빨리 회박해지고 있었다. 두 사람은 서둘러야 한다고 랭던은 깨달았다. 바티칸 비밀문서고의 수수께끼는 그에게 전혀 새로운 것이 아니다. 하지만 그 수수께끼를 이해하는 데는 2, 3분 이상의 시간이 필요했다. 말없이 랭던은 고개를 숙이고, 자기 몫의 첫 장을 번역하기 시작했다.

'모습을 드러내봐, 제기랄! 모습을 드러내라고!'

53

로마 어딘가였다. 거무스름한 형체가 지하 터널로 이르는 석조 진입로를 어슬렁거리며 내려갔다. 오직 횃불의 빛만이 고대의 통로를 밝혔다. 횃불은 공기를 뜨겁고, 두텁게 만들었다. 안쪽에서 새어나오는 남자들의 목소리가 밀폐된 공간의 허공에서 메아리치고 있었다.

구석을 돌자 남자들이 보였다. 그가 남겨두고 떠난 모습 그대로였다. 겁에 질린 네 명의 늙은이들. 돌로 만들어진 정사각형 공간을 녹슨 쇠창살이 가로막았다. 늙은이들은 이 쇠창살 안에 감금되어 있다.

"우리에게서 무엇을 원하는 것이오?"

한 늙은이가 프랑스 어로 물었다.

"우리를 풀어주시오!"

또 다른 늙은이는 독일 어로 말했다.

"우리가 누군지 알고 있소?"

스페인 억양이 섞인 영어도 들려왔다.

"조용히 해."

그는 귀에 거슬리는 목소리로 명령했다. 그 말에는 최후통첩의 기운이 담겨 있었다.

마지막 죄수인 이탈리아인은 말없이 차분하게 그들을 납치한 범인의 새까맣고 공허한 눈동자를 들여다보았다. 그는 그 눈동자에서 지옥 자체를 보았다고 맹세할 수 있었다. 이탈리아인은 기도했다.

'신이여, 우릴 도우소서.'

범인은 시간을 확인하고, 시선을 늙은이들에게 향한 채 내뱉었다.

"자, 그럼 누가 맨 처음으로 나설 건가?"

54

10번 보관실 안에서는 로버트 랭던이 《도형》의 달필을 조사하며, 이탈리아 숫자를 암송하고 있었다.

'하나…… 둘…… 셋…… 오십. 숫자로 된 언급이 필요해! 어느 것이든 상관없어, 젠장!'

자기 몫의 마지막 장에 이르러, 랭던은 종이를 들어올리기 위해 주걱을 들었다. 그리고 다음 장과 주걱의 날을 맞추려다 실수로 주걱을 놓쳤다. 연장을 계속 들고 있기가 어려웠다. 몇 분 후에 책상을 내려다보다, 랭던은 자신이 주걱을 포기하고 손가락으로 종이를 넘기고 있음을 깨달았다.

'이런.'

약간의 죄책감을 느끼면서 랭던은 생각했다. 산소 부족이 그의 절제력에 영향을 끼치고 있었다.

'이러다간 문서고 직원들의 지옥에서 불에 타 죽겠군.'

랭던이 손가락으로 종이를 넘기는 것을 보고, 비토리아는 기가 막혔다. 비토리아는 주걱을 떨어뜨리고, 랭던이 하는 대로 따라했다.

"빌어먹을 시간이군요."

"뭘 좀 찾았습니까?"

비토리아가 고개를 저었다.

"순수하게 수학적으로 보이는 것은 하나도 없어요. 대충 보기는 하지만…… 이쪽 분량에 단서처럼 보이는 것은 없네요."

랭던은 커지는 어려움 속에 계속해서 자기 분량을 읽어나갔다. 그의 엉성한 이탈리아 어 실력과 갈릴레이의 자잘한 필적, 고풍스런 용어는 작업 속도를 더디게 만들었다. 비토리아는 랭던보다 앞서 마지막 장에 도달했다. 그리고 다시 앞으로 넘기며 낙담한 표정을 지었다. 비토리아는 다시 한 번 더 심도 있게 조사하려고 몸을 숙였다.

자기 몫의 마지막 장을 끝냈을 때, 랭던은 속으로 저주를 곱씹으며 비토리아를 건너다보았다. 그녀는 얼굴을 찡그리고 눈을 가늘게 뜬 채 종이의 뭔가를 들여다보았다. 랭던이 물었다.

"뭡니까?"

비토리아는 고개를 들지 않았다.

"당신 것에도 주석이 달려있나요?"

"못 봤는데. 왜요?"

"이 장에는 주석이 있어요. 구겨져서 알아보기가 힘들어요."

랭던은 비토리아가 보는 것을 읽어보려고 노력했다. 하지만 그의 눈에 띈 것은 종이 오른쪽 상단 구석에 있는 쪽수가 전부였다. 5쪽. 비록 연관성은 약했지만, 어떤 생각이 잠깐 사이에 스쳤다.

'오 쪽. 다섯. 피타고라스. 오각형. 일루미나티.'

랭던은 일루미나티가 단서를 숨기기 위해 5쪽을 고른 것인지 궁금했다. 그들을 둘러싼 붉은 안개 사이로 랭던은 작은 희망의 빛을 감지했다.

"주석이 수학적인 겁니까?"

비토리아가 머리를 저었다.

"글자예요. 단 한 줄. 매우 작게 인쇄되어 있어요. 읽기 힘들 정도로."

그의 희망은 사라졌다.

"단서는 수학이어야만 합니다. 순수한 언어라고 했으니까."

비토리아가 망설이는 목소리로 말했다.

"나도 알아요. 하지만 당신이 내 생각을 듣고 싶을 것 같아요."

랭던은 비토리아의 목소리에서 흥분을 느꼈다.

"얘기해봐요."

눈을 가늘게 뜨고 문서를 바라보며 비토리아는 주석을 읽었다.

"신성한 시험, 빛의 길이 놓여 있다."

"빛의 길?"

랭던은 몸이 쭉 펴지는 것을 느꼈다.

"그렇게 씌어 있어요. 빛의 길이라고."

그 단어들이 마음에 가라앉자, 랭던은 혼미한 정신 속에서도 명료한 한줄기가 자신을 꿰뚫는 것을 느꼈다.

'신성한 시험, 빛의 길이 놓여 있다.'

이 구절이 그들을 어떻게 도울지 랭던은 알 수 없었다. 하지만 구절은 그가 상상한 계몽의 길에 대한 언급만큼이나 직선적이었다.

'빛의 길, 신성한 시험.'

그의 머리는 질 낮은 연료로 엔진 속도를 올리는 자동차처럼 붕붕거렸다.

"그 번역이 정확하다고 확신합니까?"

비토리아는 머뭇거렸다. 그리고 이상한 표정으로 랭던을 힐끔 쳐다보았다.

"사실은…… 번역이라고 할 수도 없어요. 영어로 씌어 있거든요."

순간 랭던은 방 안의 음향효과가 그의 청각에 영향을 끼쳤다고 생각했다.

"영어?"

비토리아는 자료를 랭던 쪽으로 밀었다. 랭던은 쪽 하단에 인쇄된

깨알만한 글자들을 읽었다.

"신성한 시험, 빛의 길이 놓여 있다. 영어잖아? 영어가 이탈리아 책에서 뭘 하는 거지?"

비토리아는 어깨를 으쓱했다. 그녀 역시 휘청거리는 것 같았다.

"어쩌면 일루미나티가 말한 순수한 언어는 영어 아닐까요? 영어는 과학의 국제어로 간주되니까요. 우리가 CERN에서 사용하는 말도 영어예요."

"하지만 이건 1600년대에 만들어진 겁니다. 이탈리아에서 영어로 말한 사람은 아무도 없었어요. 심지어……"

랭던은 자신이 주장하려던 것이 무엇이었는지 깨닫고 재빨리 입을 다물었다.

"심지어는…… 성직자들도 쓰지 않았지요."

랭던의 학문 정신이 드높이 쾌재를 불렀다. 그는 이제 신속하게 말했다.

"1600년대에 영어는 바티칸에서 받아들이지 않던 언어였습니다. 바티칸은 이탈리아 어, 라틴 어, 독일어, 심지어는 스페인 어와 프랑스 어까지 다루었지만, 영어만은 바티칸 내부에서 완전히 외국어 취급을 당했죠. 바티칸은 영어를 오염된 자유사상가의 언어로 간주했습니다. 초서나 셰익스피어 같은 불경스러운 사람들이 쓰는 언어라는 거였죠."

랭던은 갑자기 흙, 공기, 불, 물이라는 일루미나티의 낙인이 떠올랐다. 이 낙인들이 영어로 되어 있다는 전설은 이제 기이하도록 맞아떨어지는 듯했다.

"그럼 바티칸이 내버려둔 언어가 영어였기 때문에, 갈릴레이가 영어를 순수한 언어로 간주했을 거라는 말인가요?"

"그래요. 아니면 영어로 단서를 집어넣음으로써, 갈릴레이는 독자층을 교묘하게 바티칸과 멀어지도록 제한했을 겁니다."

"하지만 이 주석은 단서도 아니에요. '신성한 시험, 빛의 길이 놓여 있다?' 이게 도대체 무슨 말이냐고요?"

비토리아가 반박했다.

'그녀의 말이 옳다.'

랭던은 생각했다. 그 구절은 어느 모로 보나 도움이 안 된다. 하지만 마음속으로 다시 구절을 읊는 사이, 이상한 깨달음이 그를 스치고 지나갔다. 랭던은 고민했다.

'이건 좀 이상하군. 여기에 깔린 우연은 무엇일까?'

"우리는 여기에서 나가야 해요."

거칠게 숨을 몰아쉬며 비토리아가 말했다.

랭던은 듣고 있지 않았다.

'신성한 시험, 빛의 길이 놓여 있다.'

음절을 세어보던 랭던이 갑작스럽게 외쳤다.

"강약 오보격의 구절이잖아. 이건 강약의 음절이 번갈아 나타나는 다섯 개의 대구(對句)입니다."

비토리아는 어리둥절한 표정을 지었다.

"뭐가 강약이라고요?"

순간 랭던은 토요일 아침, 필립스 엑세터 아카데미*의 영어 수업시간으로 돌아갔다.(필립스 엑세터 아카데미 : 미국 뉴햄프셔 주에 있는 명문 사립 고등학교.)

'지구 위의 지옥.'

학교의 야구선수 스타인 피터 그리어는 셰익스피어의 강약 5보격 구절을 이루는 데 필요한 몇 쌍의 음절을 기억해내지 못해 쩔쩔 매고 있었다. 비셀이라는 이름의 활기찬 선생이 탁자로 뛰어올라 고함을 질러댔다.

"오보격, 그리어! 야구의 홈베이스를 생각해보라고! 오각형! 다섯 면! 오! 오! 오! 제길!"

'다섯 개의 대구.'

랭던은 생각했다. 각각의 대구는 두 음절을 가진다. 랭던은 자신이 이 연관성을 간과하다니, 믿을 수가 없었다. 강약 5보격의 시는 5와 2라는 신성한 일루미나티의 숫자를 바탕으로 대칭 운율을 이루는 것이다!

'거의 접근했어!'

이 생각을 마음으로부터 밀어내면서 랭던은 자신에게 말했다.

'의미 없는 우연의 일치일 뿐이야!'

하지만 그의 생각은 강약 5보격의 운율에 고정되었다.

'피타고라스와 별 모양에 필요한…… 다섯. 모든 것은 상대성을 위한…… 둘.'

잠시 후, 또 다른 깨달음이 랭던의 다리에 마비 증세를 몰고 왔다. 그 단순성 때문에 강약 5보격의 시는 종종 '순수한 시구' 또는 '순수한 운율'이라고 불렸다.

'순수한 언어?'

이것이 일루미나티가 말한 순수한 언어일까?

'신성한 시험, 빛의 길이 놓여 있다……'

비토리아가 중얼거렸다.

"어, 어."

랭던은 비토리아가 종이 위치를 바꾸는 것을 보았다. 그는 뱃속이 꽉 묶인 기분이었다.

'다시는 안 돼.'

"그 구절이 앰비그램일 리는 없습니다."

"그래요, 이건 앰비그램이 아니에요…… 하지만……"

비토리아가 90도 각도로 종이를 돌려보았다.

"하지만 뭐요?"

비토리아가 고개를 들었다.

"주석이 하나가 아니에요."

"다른 것이 더 있습니까?"

"네, 가장자리에 다른 구절이 있어요. 제일 위, 아래, 왼쪽, 그리고 오른쪽. 시 같은데요."

"네 줄?"

랭던은 흥분으로 들썩였다.

'갈릴레이가 시인이었던가?'

"좀 봅시다!"

비토리아는 종이를 랭던에게 넘기지 않고, 90도 각도로 돌리면서 계속 보았다.

"아까는 이 줄을 보지 못했어요. 가장자리에 있었기 때문이죠."

그녀는 마지막 줄에 머리를 박으며 말했다.

"후, 그거 알아요? 게다가 이 구절은 갈릴레이가 쓴 것이 아니에요."

"뭐라고요!"

"시에는 존 밀턴이라고 서명이 있어요."

"존 밀턴?"

《실낙원》을 쓴 이 영향력 있는 영국 시인은 갈릴레이와 동시대 사람이다. 그리고 음모론 애호가들이 일루미나티 회원의 용의자로 제일 먼저 꼽는 석학이기도 하다. 랭던이 의심했던 하나의 전설, 밀턴이 갈릴레이의 일루미나티에 지대한 애정을 가졌다는 전설은 사실이었던 것이다. 밀턴은 '깨우친 자들과 사귀기' 위해 로마로 향했던 1638년의 순례여행을 잘 기록해두었을 뿐만 아니라, 갈릴레이가 가택연금 상태에 있는 동안 그와 만나기도 했다. 두 사람의 만남은 많은 르네상스 회화의 소재가 되었고, 이들 중 안니발레 가티의 유명한 그림, 〈갈릴레이와 밀턴〉은 지금 피렌체의 IMSS 미술관에 걸려 있다.

"밀턴은 갈릴레이를 알았어요, 그렇죠? 어쩌면 밀턴이 호의의 표시로 이 시를 쓴 것인지도 모르겠군요."

종이를 랭던에게 보여주면서 비토리아가 말했다.

랭던은 종이를 받고, 이를 악물었다. 그는 종이를 탁자에 평평하게 펼치고, 위에서 읽기 시작했다. 그런 뒤에 90도로 돌려 오른쪽 가장자리에 있는 줄을 읽었다. 다음에는 아래의 바닥 글을, 그 다음에는 왼쪽 줄을 읽었다. 한 바퀴 돌리니 원이 만들어졌다. 모두 네 줄이었다. 비토리아가 아까 읽은 부분은 사실 시의 셋째 줄에 해당했다. 랭던은 완전히 입을 벌린 채, 시계 방향으로 다시 네 줄을 읽었다. 상단, 오른쪽, 하단, 왼쪽. 그는 숨을 몰아쉬었다. 의심의 여지가 없었다.

"베트라 양, 당신이 찾아냈군요."

비토리아는 으쓱해하면서 웃어 보였다.

"좋아요. 이제 여기서 나갈까요?"

"이 시를 받아적어야겠습니다. 연필과 종이가 필요해요."

비토리아가 머리를 저었다.

"그건 잊으세요, 교수님. 지금은 받아쓰기 할 시간이 없답니다. 미키마우스가 째깍거리고 있어요."

그녀는 랭던에게서 종이를 가져가 문으로 향했다.

랭던은 일어섰다.

"그 종이를 밖으로 가지고 나갈 순 없습니다! 그건……"

하지만 비토리아는 이미 밖으로 나가고 없었다.

55

　랭던과 비토리아는 바티칸 비밀문서고 바깥의 안뜰로 급히 뛰어갔다. 신선한 공기가 폐 속으로 흘러들자, 랭던은 공기가 마치 마약처럼 느껴졌다. 자줏빛 점들이 비치던 그의 환각도 곧 사라졌다. 하지만 죄책감은 사라지지 않았다. 그는 방금 세상의 가장 은밀한 금고에서, 값을 매길 수 없는 유물을 훔친 일에 공모한 것이다.

　궁무처장은 그에게 이렇게 말했다.

　'당신에게 제 믿음을 드립니다.'

　"서둘러요."

　여전히 손에 종이를 쥔 채 비토리아가 재촉했다. 그녀는 올리베티의 사무실을 향해 반쯤은 달리듯이 보르기아 길을 가로질렀다.

　"만일 파피루스에 물이라도 닿으면……"

　"진정해요. 우리가 이걸 해독하면, 이 신성한 오 쪽은 제자리로 돌아갈 거예요."

　랭던은 비토리아를 따라잡으려고 속도를 냈다. 죄책감과는 또 다른, 이 자료가 가진 암시의 주문에 걸려 그는 황홀했다.

　'존 밀턴이 일루미나티의 회원이었다. 밀턴은 갈릴레이를 위해 시

를 짓고…… 바티칸의 눈에서 멀리 떨어져 오 쪽을 출간했다.'

안뜰을 벗어나자, 비토리아가 랭던에게 종이를 건넸다.

"이 시를 해독할 수 있다고 생각했어요? 아니면 그저 스릴을 맛보려고 우리 뇌세포를 죽이고 있었나요?"

랭던은 양손으로 조심스럽게 종잇장을 받았다. 그리고 망설임 없이, 트위드 재킷 안주머니로 밀어넣었다. 태양 광선과 위험한 습기로부터 보호하기 위해서였다.

"벌써 풀었습니다."

비토리아는 급히 걸음을 멈췄다.

"뭐라고요?"

랭던은 계속 걸음을 옮겼다.

비토리아는 랭던을 따라잡기 위해 부지런히 움직였다.

"한 번밖에 안 읽었잖아요! 나는 이 시가 어렵다고 생각했는데요!"

비토리아의 말은 맞았다. 하지만 랭던은 단 한 줄을 읽고 기호를 해독했다. 강약 5보격의 완벽한 절, 그리고 과학의 첫 제단은 아주 분명하게 기호의 의미를 드러냈다. 너무 쉽게 의미를 알아내서, 불안할 정도였다. 그는 청교도적인 직업윤리를 가진 사람이다. 랭던은 아직도 아버지가 옛날 뉴잉글랜드 지방의 잠언을 인용하는 목소리를 기억한다.

'만일 어떤 일이 고통스러울 정도로 힘들지 않다면, 너는 그 일을 제대로 해내지 못한 것이다.

랭던은 이 잠언이 틀리기를 희망했다.

"첫 살인이 어디에서 일어날지 알 것 같습니다. 올리베티 사령관에게 경고해야겠어요."

비토리아가 랭던에게 다가와 곁에 붙었다.

"어떻게 벌써 알았죠? 다시 그 종이를 좀 보여줘요."

권투선수처럼 날랜 손동작이었다. 비토리아는 나긋나긋한 손을 랭던의 주머니에 넣어 다시 종잇장을 끄집어냈다.

"조심해요! 당신은……"

비토리아는 랭던을 무시했다. 종잇장을 쥐고 그녀는 랭던 곁을 떠났다. 그리고 종이의 가장자리 부분을 어스름한 초저녁 빛에 들어올렸다. 비토리아가 큰 소리로 시를 읽기 시작할 때, 랭던은 종이를 회수하려고 다가갔다. 하지만 걸음걸이에 맞춰 완벽한 리듬으로 시 구절을 읽어내려가는 비토리아의 알토 억양에 매혹되고 말았다.

잠시 부드럽게 시 한 편을 읊는 소리를 들으며, 랭던은 시간이 거슬러 올라간 듯한 기분에 사로잡혔다…… 마치 시에 귀를 기울이고 있는 갈릴레이와 동시대를 사는 사람처럼 느껴졌다…… 시는 시험이며 지도이고, 과학의 네 제단을 밝히는 단서…… 로마를 가로지른 비밀의 길을 밝히는 네 개의 표지를 깨달은 사람이 된 기분이었다. 시는 비토리아의 입술에서 노래처럼 흘러나왔다.

　　　　악마의 구멍을 가진 산치오의 흙의 무덤에서
　　　　로마를 가로지른 신비의 원소들이 펼쳐졌노라.
　　　　신성한 시험, 빛의 길이 놓여 있으니,
　　　　천사들이 너의 숭고한 원정길을 안내케 하라.

비토리아는 시를 두 번 읽은 뒤 조용해졌다. 마치 고대의 단어들이 스스로 공명을 일으키도록 내버려두는 듯했다.

'산치오의 흙의 무덤에서.'

랭던은 마음속으로 반복했다. 계몽을 위한 일루미나티의 길은 산치오의 무덤에서 시작했다. 이에 관해 시는 수정처럼 투명하고 분명했다. 거기에서 로마를 가로지른 표지들이 길을 밝히는 것이다.

　　　　악마의 구멍을 가진 산치오의 흙의 무덤에서
　　　　로마를 가로지른 신비의 원소들이 펼쳐졌노라.

'신비의 원소들.'

이것 역시 분명했다.

'흙, 공기, 불, 물.'

과학의 요소들, 일루미나티의 네 표지는 종교적인 조상으로 위장하고 있다.

비토리아가 말했다.

"첫째 표지는 산치오의 무덤에 있다는 소리로 들리는군요."

랭던은 미소를 지었다.

"그래서 어렵지 않다고 내가 말했잖습니까."

갑자기 흥분한 듯 비토리아가 물었다.

"그럼 누가 산치오죠? 그리고 산치오의 무덤이 어디에 있죠?"

랭던은 혼자 웃음을 터뜨렸다. 산치오에 대해 아는 사람이 드물다는 사실은 언제나 놀라웠다. 산치오는 르네상스 시대의 가장 유명한 예술가 가운데 한 사람인 어떤 이의 성(姓)이다. 세상에 널리 알려진 그의 이름은…… 스물다섯 살에 이미 교황 줄리어스 2세를 위해 작품 의뢰를 받은 신동이었고, 서른여덟 살에 세상을 떠날 때까지 일찍이 세상에서 볼 수 없던 가장 위대한 프레스코화들을 남겼다. 산치오는 예술계의 거물이었다. 나폴레옹, 갈릴레오, 그리고 예수처럼…… 성이 아닌 이름만으로 세상에 유명해진…… 오직 소수의 엘리트만이 누리던 명성을 획득한 이가 산치오이다. 물론 하버드 기숙사에서 요란하게 울려퍼지는 스팅, 마돈나, 주얼, 프린스 등처럼 인간이지만 신처럼 떠받들어지는 스타들도 같은 부류다. 예전에 프린스로 알려진 한 예술가는 자기 이름을 프린스에서 '우'의 상징으로 바꿨는데, 랭던은 이 예술가에게 '자웅동체의 앵크*를 가진 T자형 십자가'라는 별명을 붙였다.(앵크:고대 이집트 예술에서 생명을 상징하는 고리 달린 T자형 십자가.)

랭던이 입을 열었다.

"산치오는 르네상스의 위대한 거장, 라파엘로의 성입니다."

비토리아는 놀란 표정이었다.

"라파엘로? 그 라파엘로가 그 라파엘로인가요?"

"그 라파엘로가 우리가 말하는 라파엘로이고, 라파엘로는 오직 한 명입니다."

랭던은 스위스 근위대 사무실을 향해 걸음을 재촉했다.

"그럼 길은 라파엘로의 무덤에서 출발하는 것인가요?"

서둘러 걸어가면서 랭던은 대꾸했다.

"사실 첫 구절은 완벽하게 이치에 들어맞습니다. 일루미나티는 종종 계몽적인 면에서 위대한 화가와 조각가를 명예회원으로 삼았습니다. 그러니 일루미나티가 이들 예술가에 대한 헌사로 라파엘로의 무덤을 선택했을 수도 있어요."

다른 많은 종교 예술가들처럼 라파엘로 또한 드러내지 않은 무신론자라는 혐의를 받고 있다는 것을 랭던은 알고 있었다.

비토리아는 조심스럽게 랭던의 안주머니에 종이를 도로 집어넣었다.

"그럼 라파엘로는 어디에 묻혀 있죠?"

랭던은 깊이 숨을 들이쉬었다.

"믿거나 말거나, 라파엘로는 판테온에 묻혀 있습니다."

비토리아의 표정이 의심스럽게 변했다.

"판테온?"

"그 판테온의 그 라파엘로입니다."

판테온은 첫 표지가 있을 만한 곳으로 기대하지 않던 장소임을 랭던은 인정해야 했다. 그는 과학의 첫 제단이 조용하고 외딴 곳에 있는 교회의 미묘한 무엇일 것이라고 추측했던 것이다. 그러나 판테온은 위에 구멍이 뚫린 거대한 돔 천장으로, 1600년대 로마에서도 가장 유명한 장소 중 하나다.

비토리아가 물었다.

"판테온이 교회이긴 했나요?"

"로마에서 가장 오래 된 가톨릭 교회입니다."

비토리아는 고개를 저었다.

"하지만 추기경이 정말 판테온에서 살해될 거라고 생각하는 것은 아니겠죠? 그곳은 관광객이 로마에서 가장 많이 찾는 장소 중 하나예요."

랭던은 어깨를 으쓱했다.

"일루미나티는 온 세상이 지켜보길 바란다고 밝혔습니다. 판테온에서 추기경을 살해하면, 확실히 어떤 눈들은 떠질 겁니다."

"하지만 어떻게 사람들 눈에 띄지 않고, 판테온에서 사람을 죽이겠어요? 그건 불가능해요."

"바티칸 시국에서 네 명의 추기경을 납치한 것만큼 불가능할까요? 그 시는 정확합니다."

"그럼 당신은 라파엘로가 판테온에 묻혀 있다고 확신하는 거예요?"

"그 무덤을 여러 번 봤습니다."

여전히 이해가 안 된다는 표정으로 비토리아는 고개를 끄덕였다.

"지금 몇 시죠?"

랭던이 시계를 보았다.

"일곱 시 삼십 분."

"판테온이 여기서 멀어요?"

"아마 일 킬로미터하고 육백 미터 정도. 시간이 있어요."

"시는 산치오의 흙의 무덤이라고 말하고 있어요. 그게 어떤 의미인가요?"

랭던은 벨베데레 안뜰을 대각선으로 가로질러 서둘러 지나갔다.

"흙? 아마 로마에서 판테온보다 적당한 흙의 장소는 없을 겁니다. 판테온이라는 이름은 거기에서 행해졌던 원시 종교에서 유래되었으니까요. 판테이즘, 즉 범신론, 다신교였죠. 모든 신을 숭배하는 것인데, 특히 지구가 어머니라는 이교도적인 신이었습니다."

건축학도였을 때, 랭던은 판테온 주실(主室)의 치수가 지구의 여신

인 가이아에게 바쳐지는 헌사라는 것을 배우고 굉장히 놀랐다. 비율이 너무나 정확해서, 거대한 원형 구체가 1밀리미터의 오차도 없이 판테온 안에 완벽하게 들어갈 수 있다고 했다.

"좋아요. 그럼 악마의 구멍은? '악마의 구멍을 가진 산치오의 흙의 무덤에서'라고 했잖아요?"

조금은 의심이 가신 얼굴로 비토리아가 물었다.

랭던은 이에 관해서만큼은 확실하지 않았다. 논리적인 추론을 만들려고 노력하며 그는 입을 열었다.

"악마의 구멍이라는 것은 틀림없이 눈을 의미하는 겁니다. 판테온의 지붕에 있는 유명한 둥근 구멍이겠죠."

"하지만 이건 교회예요. 왜 일루미나티는 구멍을 악마의 구멍이라고 불렀을까요?"

랭던을 따라 걸으며 비토리아가 물었다.

사실 랭던도 그 점이 궁금했다. '악마의 구멍'이라는 용어도 처음 들었다. 하지만 랭던은 판테온에 대한 유명한 6세기 학자의 평을 기억해냈고, 지금 그 평이 이상하게도 적절해 보였다. 존경해야 할 비드*는 이런 글을 남겼다. 판테온의 지붕에 있는 구멍은 보니파체 4세가 판테온을 신성하게 만들었을 때, 건물을 빠져나가려고 애쓰던 악마들이 만들었다는 내용이다.(비드 : 영국의 역사가이자 신학자. 학식과 인격 때문에 '존경해야 할 비드'로 불리고 있다.)

두 사람이 작은 안뜰로 들어섰을 때 비토리아가 덧붙였다.

"그럼 왜? 만일 산치오가 정말로 라파엘로라면, 왜 일루미나티는 산치오라는 이름을 사용했을까요?"

"질문이 많군요."

"아버지도 그런 말씀을 하셨어요."

"두 가지의 가능한 이유가 있습니다. 하나는, 라파엘로라는 이름이 너무 많은 음절을 가지고 있다는 것입니다. 그렇게 되면 강약 오 보격

시의 운율이 파괴될 테니까요."

"억지로 갖다붙인 설명 같은데요."

랭던이 선선히 동의했다.

"좋습니다. 그럼 '산치오'라는 이름을 사용한 것은 단서를 좀더 흐릿하게 보이기 위해서였을 겁니다. 오직 깨인 자만이 라파엘로에 대한 언급임을 눈치챌 수 있었겠죠."

비토리아는 이 설명 역시 마음에 안 드는 눈치였다.

"라파엘로가 살아 있을 때는 그의 성도 아주 유명했을 거예요."

"그리 놀라운 일은 아닙니다. 성이 덕지덕지 안 붙은 하나의 간결한 이름은 쉽게 상징이 될 수 있어요. 오늘날의 팝스타처럼 라파엘로도 자기 성을 기피했을 겁니다. 예로 마돈나를 들어보죠. 마돈나는 치치오네라는 자기 성을 결코 사용하지 않았습니다."

비토리아는 즐거워 보였다.

"마돈나의 성을 알고 있네요?"

랭던은 자기가 든 예를 후회했다. 하지만 이건 만 명의 청춘들과 함께 살다보면 주워듣게 되는 허섭스레기치고는 놀라운 정보였다.

랭던과 비토리아가 스위스 근위대의 사무실을 향한 마지막 관문을 지나쳤을 때, 그들의 행보는 예고 없이 정지되었다.

"멈춰라!"

그들 뒤에서 누군가 고함쳤다.

돌아선 랭던과 비토리아는 자신들을 겨누는 라이플 총신을 발견했다. 비토리아가 뒤로 물러서며 소리쳤다.

"조심해요! 그 총 조심……"

"움직이지 마시오!"

무기를 곧추 세우며 보초병이 비토리아의 말을 잘랐다.

"병사!"

안뜰을 가로질러 명령하는 목소리가 날아들었다. 보안센터에서 모습을 나타낸 올리베티였다.

"그들을 가게 내버려두게!"

보초병은 당황한 표정을 지었다.

"하지만 사령관님, 이 여자는······"

"안으로!"

올리베티가 보초병에게 고함을 질렀다.

"하지만 이건······"

"이제 자네에게는 새로운 명령이 기다리고 있네. 로체 대위가 이 분후에 소대에 간단한 설명을 해줄 거다. 우리는 수색 팀을 조직한다."

당황한 모습으로 보초병은 보안센터 건물로 서둘러 뛰어갔다. 열받은 얼굴의 올리베티가 완고한 모습으로 랭던을 향해 행진했다.

"우리의 가장 비밀스런 문서보관소에? 설명을 듣고 싶소."

"좋은 소식이 있습니다."

랭던이 말했다.

올리베티의 눈이 가늘어졌다.

"웬만큼 좋아서는 안 될 거요."

56

특별한 장식이 없는 알파 로메오 155 T-스파크스 넉 대가 코로나리 거리를 전투기처럼 질주했다. 이 차량들에는 체르치-파르디니 반자동 권총, 근접지역용 신경가스탄, 장거리 전기충격총 등으로 무장한 스위스 근위병 열두 명이 타고 있었다. 모두 사복 차림이었다. 그 중 세 명의 저격수는 장거리 저격용 레이저 라이플을 지녔다.

선두 차량의 앞 좌석에 앉은 올리베티가 랭던과 비토리아를 향해 돌아앉았다. 그의 두 눈은 분노로 가득했다.

"당신은 내게 합리적인 설명을 해주기로 했소. 그런데 이게 내가 얻은 거요?"

랭던은 비좁은 차 안에서 꽉 구겨진 기분이었다.

"사령관님의 근심을 이해……"

"아니, 당신은 이해 못해!"

올리베티는 결코 언성을 높이는 법이 없었다. 하지만 목소리에 실린 강도는 평소보다 세 배나 증폭되었다.

"나는 선거회의 전야에 바티칸 시국에서 최정예 요원 열두 명을 지금 막 빼내왔소. 그리고 사백 년 묵은 시를 방금 해석했다는, 내가 알

지도 못하는 미국인의 증언을 바탕으로 판테온에 사람을 배치하려고
하오. 또한 부하의 손에 반물질 무기의 수색도 맡기고 나온 참이오."

랭던은 안주머니에서 갈릴레이의 《도형》 5쪽을 꺼내 올리베티의 얼
굴에 대고 흔들고 싶은 충동을 참았다.

"제가 아는 전부는 우리가 알아낸 정보가 라파엘로의 무덤을 언급
한다는 겁니다. 그리고 라파엘로의 무덤은 판테온에 있습니다."

운전대를 잡고 있던 요원이 고개를 끄덕이며 말했다.

"이 미국인의 말이 맞습니다, 사령관님. 아내와 제가……."

"운전이나 해."

올리베티가 냉큼 말을 잘랐다. 그리고 다시 랭던 쪽으로 돌아앉았다.

"납치범이 어떻게 그토록 붐비는 장소에서 살인을 저지르고, 눈에
띄지 않게 탈출할 수 있겠소?"

랭던이 말했다.

"저도 모릅니다. 하지만 분명 일루미나티는 수완이 비상한 조직입
니다. 그들은 CERN과 바티칸 시국, 양쪽 모두에 침투했습니다. 첫 번
째 살인이 일어날 장소를 우리가 알게 된 것은 오로지 운이었습니다.
판테온은 살인마를 잡을 수 있는 단 한 번의 기회입니다."

"더 많은 모순이 생기는군. 단 한 번의 기회? 당신은 로마에 어떤 길
같은 게 있다고 했소. 일련의 표지들과 함께. 만일 판테온이 맞는 지점
이라면, 그 길을 따라 다른 표지로 옮겨가면 될 것 아니겠소. 그럼 우
리에게는 범인을 잡을 수 있는 기회가 네 번은 있을 거 아니요."

"저도 그러기를 바랍니다. 한 세기 전이라면…… 가능했을 겁니다."

판테온이 첫 번째 과학의 제단임을 랭던이 깨달았을 때, 씁쓸하면서
도 달콤했다. 역사는 역사를 좇는 사람에게 잔인한 속임수를 쓰며 갖
고 놀기도 한다. 모든 세월이 흐른 뒤에도 일루미나티의 길이 제자리
의 모든 조상과 함께 손상 없이 그대로일 것이라는 믿음은 승산 없는
게임이다. 하지만 랭던의 마음 한켠에서는 일루미나티의 길을 따라 끝

까지 가서, 신성한 일루미나티의 은신처를 찾고 싶다는 소망이 있다. 아아, 하지만 그건 불가능한 소망임을 알고 있다.

"바티칸은 판테온에 있던 모든 조상을 1800년대 후반에 제거하고 파괴해버렸습니다."

비토리아는 충격받은 얼굴이었다.

"왜요?"

"그 조상들은 이교도인 올림포스 산의 신이었기 때문입니다. 불행히도 첫 번째 표지는 사라졌다는 의미입니다…… 그리고 그것으로……"

비토리아가 말을 받았다.

"일루미나티의 길과 다른 표지들을 찾아낼 다른 희망은 없나요?"

랭던은 머리를 저었다.

"우리에게 기회는 오직 한 번뿐입니다. 판테온. 여기서 놓치면 길은 사라집니다."

올리베티는 오랫동안 두 사람을 응시하다가 돌아앉아서 정면을 향했다. 그리고 운전사에게 윽박질렀다.

"차를 세우게."

운전사는 차를 보도 쪽으로 갖다대며 브레이크를 밟았다. 뒤따르던 알파 로메오 세 대도 급정거를 하며 그들 뒤에 따라붙었다. 스위스 근위병 호송 행렬은 귀에 거슬리는 소리를 내며 멈춰 섰다.

"지금 뭐 하시는 거예요?"

비토리아가 물었다.

자리에서 돌아앉으며 올리베티가 말했다. 그의 목소리는 돌 같았다.

"내 일을 하는 거요. 랭던 씨, 가는 길에 이 상황을 설명해준다고 했을 때, 나는 내 부하들이 왜 여기에 있어야 하는지, 분명한 이유와 판단을 갖고 판테온에 접근하는 것이라 믿었소. 하지만 이건 그렇지가 않소. 나는 여기에 있느라 중요한 임무까지 위임했는데, 순수한 희생과 고대의 시에 관한 당신의 이론이 상식적으로 도저히 말이 안 되기 때문이오. 제정신으로는 이 일을 계속 진행할 수가 없소. 이 임무는 즉시 취소요."

올리베티는 무전기를 꺼내 전원을 켰다.

비토리아가 손을 뻗어 올리베티의 팔을 잡았다.

"안 돼요!"

올리베티는 무전기를 아래로 내던지며 붉게 충혈된 눈동자로 비토리아를 쏘아보았다.

"베트라 양, 판테온에 가봤소?"

"없어요. 하지만 저는……"

"당신에게 말해두리다. 판테온은 한 칸짜리 방이오. 돌과 시멘트로 만들어진 원형의 방이란 말이오. 입구는 하나뿐이고 창문도 없소. 좁은 입구 달랑 하나요. 그 입구에는 적어도 네 명의 무장한 로마 경찰관이 항상 지키고 서 있소. 경찰관은 예술품에 손상을 가하려는 자나 반기독교적인 테러리스트, 그리고 집시 같은 여행객 사기꾼으로부터 성지를 보호하고 있어요."

"사령관님의 요점이 뭐죠?"

비토리아가 차갑게 물었다.

"내 요점?"

올리베티의 손가락이 승용차 좌석을 꽉 쥐었다.

"내 요점은 당신들이 방금 말한 그런 일은 전적으로 불가능하다는 얘기요! 판테온 안에서 누가 어떻게 추기경을 죽일 수 있는지, 그에 대해 그럴듯한 시나리오를 설명할 수 있겠소? 판테온이라는 첫 번째 살인 장소에 경찰관들을 제치고 어떻게 인질을 데리고 들어갈 수 있겠소? 그 안에서 추기경을 죽이고 유유히 빠져나갈 수 있다고 생각하오?"

올리베티가 좌석에 몸을 기대자, 커피 향이 배인 그의 숨결이 랭던의 얼굴에 와 닿았다.

"어떻소, 랭던 씨? 그럴듯한 시나리오를 대보시오."

랭던은 자기 주변으로 자동차의 벽이 좁혀드는 느낌을 받았다.

'나도 몰라요! 나는 살인자가 아니란 말입니다! 그자가 어떻게 나올지는 나도 모른다고요! 내가 아는 것은 오직……'

"시나리오?"

차분한 목소리로 비토리아가 빈정거렸다.

"이건 어떤가요? 살인범이 헬리콥터를 타고 날아와, 비명을 질러대는 낙인 찍힌 추기경을 지붕의 구멍에 떨어뜨린다. 추기경은 대리석 바닥에 머리를 부딪히고 즉사하겠죠."

차에 앉아 있던 모든 사람이 돌아앉아서 비토리아를 응시했다. 랭던은 무슨 생각을 해야 할지 알 수가 없었다.

'아가씨, 불쾌한 상상 하나를 제시하셨군. 하지만 재빠른 응답이야.'

올리베티가 눈살을 찌푸렸다.

"가능한 일이라는 걸 인정하오…… 하지만 그러기는 어려워……"

"아니면 살인자가 추기경에게 약을 먹였을 수도 있지요."

비토리아가 다시 끼어들었다.

"약 기운에 취한 추기경을 늙은 여행객처럼 휠체어에 앉혀서 판테온으로 데리고 들어올 수도 있어요. 범인은 추기경을 판테온 안으로 데리고 들어가겠죠. 추기경의 목을 소리 없이 베고, 유유히 나가는 거예요."

이 말은 올리베티를 약간 긴장시키는 것처럼 보였다.

'나쁘지 않군!'

랭던은 생각했다.

비토리아가 계속 말했다.

"아니면 살인자는……"

"당신의 뜻은 충분히 알아들었소."

올리베티가 말했다. 총사령관은 깊이 숨을 들이마시더니 천천히 내쉬었다. 누군가 자동차 창문을 날카롭게 두들기는 바람에 차 안에 있던 모두가 깜짝 놀랐다. 뒤따르던 차량에서 내린 근위병이었다. 올리베티가 창문을 내렸다.

"별 일 없으십니까, 사령관님?"

근위병은 사복 차림이었다. 데님셔츠의 소매가 말려올라가, 까만 스톱워치 군용시계가 보였다.

"일곱 시 사십 분입니다, 사령관님. 위치를 잡으려면 시간이 필요합니다."

올리베티는 보일 듯 말 듯 고개를 끄덕이고, 꽤 오랫동안 아무 말도 하지 않았다. 손가락을 자동차 대시보드에 대고 이리저리 굴리더니 먼지 위에 한 줄을 그었다. 올리베티는 사이드미러로 랭던을 관찰했고, 랭던은 자신이 저울질당하는 느낌을 받았다. 올리베티가 근위병에게 돌아앉았다. 그의 목소리에는 망설임이 남아 있었다.

"분리해서 접근한다. 로톤다 광장 쪽으로 한 대, 오르파니 거리 쪽으로 한 대, 산트 이그나치오 광장 쪽으로 한 대, 그리고 산트 유스타치오 쪽으로 한 대. 두 블록 이내로 접근하는 것은 금지다. 일단 차를 세우면, 준비를 갖추고 내 명령을 기다린다. 삼 분 안에 실시."

"알겠습니다, 사령관님."

근위병은 자기 차로 돌아갔다.

랭던이 비토리아에게 감탄스러운 눈길을 던지며 고개를 끄덕였다. 비토리아는 랭던에게 미소로 답했다. 아주 잠시 동안 뜻밖의 유대감을 느꼈다…… 둘 사이에 자력이 당기는 것처럼.

사령관이 돌아앉아서 랭던의 눈길을 붙들었다.

"랭던 씨, 우리 면전에서 일을 망치지 않도록 합시다."

랭던은 어색한 미소를 지었다.

'어떻게 그럴 수 있겠어?'

57

CERN의 소장인 막시밀리안 콜러는 눈을 뜨고, 크로몰린과 류코트린이 차갑게 몸 안으로 빨려드는 것을 지켜보았다. 이 약들이 그의 기관지와 폐의 모세관 소통을 원활하게 만들 터였다. 콜러는 이제 정상적으로 숨을 쉴 수 있었다. 그는 CERN 의료실, 그것도 개인실에 누워 있다는 것을 깨달았다. 휠체어는 침대 옆에 있었다.

의료진이 몸에 종이옷을 입혀놓은 것을 깨닫고, 콜러는 주변을 조사했다. 그의 옷은 침대 옆 의자에 개켜져 있었다. 밖에서는 간호사가 돌아다니는 소리가 났다. 콜러는 귀를 기울이며 꽤 오랫동안 누워 있었다. 그런 뒤 가능한 한 조용히 침대 가장자리로 몸을 움직여, 옷을 집어들었다. 죽은 다리와 싸우며, 콜러는 혼자서 옷을 입었다. 그리고 자기 휠체어 쪽으로 몸을 질질 끌었다.

터져나오는 기침을 참으며, 문으로 휠체어를 몰았다. 그는 동력을 사용하지 않고, 조심스럽게 손으로 휠체어를 움직였다. 문에 도착하자 살며시 밖을 살폈다. 복도는 비어 있었다.

막시밀리안 콜러는 조용히 의료실을 빠져나갔다.

58

"일곱 시, 사십육 분, 삼십 초…… 마크."

무전기에 대고 말하면서도, 결코 언성을 높이지 않는 올리베티의 목소리는 속삭임에 가까웠다.

해리스 트위드 재킷을 입고 알파 로메오의 뒷좌석에 앉은 랭던은 이제 땀을 뻘뻘 흘렸다. 그가 탄 차량은 판테온에서 세 블록 떨어진 곳에 있었다. 비토리아는 올리베티를 열심히 감시하는 얼굴로 랭던 곁에 앉아 있었고, 올리베티는 마지막 명령을 내리는 중이었다.

"작전 개시는 여덟 시 전후가 될 것이다. 입구에서 대각선으로 전 주변을 감시한다. 목표가 제군들을 발견할지도 모른다. 그러니 위치가 드러나지 않도록 조심하라. 생명을 뺏을 수 있는 치명적인 무기 사용은 불허한다. 지붕을 감시할 사람이 필요하다. 목표가 첫 번째고, 자산은 두 번째다."

'하느님 맙소사.'

랭던은 생각했다. 올리베티가 방금 부하들에게 내린 명령의 효율성에 몸을 떨었다. 사령관은 추기경의 희생을 감안하고 있었다.

'자산은 두 번째다.'

"반복한다. 치명적인 획득 작전은 불허한다. 목표는 살아 있어야 한다. 행동 개시."

올리베티는 무전기를 재빨리 껐다.

화난 표정으로 비토리아가 물었다.

"사령관님, 안으로는 누가 들어가나요?"

올리베티가 돌아보았다.

"안이라니?"

"판테온의 내부 말이에요! 실제로 사건이 벌어질 장소 아닌가요?"

"조심해야 하오."

눈동자를 고정시키며 올리베티가 말을 이었다.

"만일 범인이 수색 라인을 뚫고 침투한다면, 부하들이 알게 될 거요. 당신 동료는 내게 막 경고했소. 이번이 놈을 잡을 수 있는 우리의 유일한 기회라고. 부하들을 판테온 안으로 행진시켜, 사람들이 겁에 질려 도망치게 할 수는 없소."

"하지만 만일 범인이 이미 안에 들어가 있다면요?"

올리베티가 시계를 확인했다.

"놈은 구체적이었소. 여덟 시 정각. 우리에게는 십오 분이 남았소."

"그자는 여덟 시 정각에 추기경을 죽일 거라고 했어요. 그런데 인질을 데리고 이미 안에 들어가 있을지도 모릅니다. 살인자가 밖으로 나온다 해도, 누가 범인인지 근위병들이 모른다면요? 누군가는 안에 들어가서, 판테온 내부가 깨끗한지를 확인해야 해요."

"이 시점에서는 너무 위험이 크오."

"하지만 안으로 들어간 사람을 알아낼 수만 있다면."

"위장한 정찰요원을 투입시키려면 시간이 걸리오. 그리고……"

"제 말은 저를 뜻하는 거예요."

랭던은 돌아앉아 비토리아를 쳐다보았다.

올리베티가 고개를 저었다.

"절대로 안 되오."

"그자가 제 아버지를 죽였어요."

"당신 말이 맞소. 그래서 놈은 당신이 누구인지 알지도 모르오."

"전화로 그자가 말하는 얘기를 들으셨잖아요. 그자는 아버지에게 저 같은 딸이 있는 줄도 몰랐어요. 제가 어떻게 생겼는지는 죽었다 깨어나도 모를 거라고요. 제가 관광객처럼 안으로 들어가면 돼요. 만일 의심스러운 것을 발견하면, 광장으로 걸어나와서 근위병들에게 안으로 들어가라고 신호를 보내는 거죠."

"유감이오만, 허락할 수 없소."

"사령관님?"

올리베티의 무전기가 지직거렸다.

"북쪽 지점에 문제가 생겼습니다. 분수가 시야를 가로막고 있습니다. 광장이 바로 보이는 곳으로 이동하지 않으면 입구를 볼 수 없습니다. 어떻게 할까요? 범인의 시야에 노출될까요, 아니면 그냥 여기 있을까요?"

비토리아는 분명 충분히 참았다고 생각한 모양이었다.

"그것 보세요. 제가 가겠어요."

그녀는 차 문을 열고 밖으로 나갔다.

올리베티가 무전기를 떨어뜨리고, 차 밖으로 튀어나갔다. 그러고는 빙 돌아서서 비토리아를 막아섰다.

랭던 역시 밖으로 나갔다.

'도대체 비토리아가 왜 저러는 거야!'

올리베티는 비토리아의 길을 가로막았다.

"베트라 양, 당신의 직감은 훌륭하오. 하지만 작전에 민간인이 개입하는 걸 허락할 수가 없소."

"개입이요? 사령관님은 눈을 감은 채 날려고 하시는군요. 제가 돕게 해주세요."

"나 역시 저 안에 정찰요원을 두고 싶소. 하지만……"

"하지만 뭐요? 제가 여자라서요?"

올리베티는 아무 말도 하지 않았다.

"그게 사령관님이 하시려는 말씀이 아니길 바라요. 왜냐하면 사령관님도 이 방법이 좋은 아이디어라는 것을 너무나 잘 아시기 때문이죠. 만일 사령관님이 케케묵은 마초 정신을 들먹거린다면……"

"우리가 우리 일을 하게 해주시오."

"제가 돕게 해주세요."

"너무 위험하오. 우리는 당신과 연락을 취할 선도 없소. 당신을 위험에 빠뜨릴지도 모를 무전기를 가져가라고 할 수도 없소."

비토리아는 주머니에 손을 뻗어 휴대전화기를 꺼냈다.

"많은 관광객들은 이제 이걸 갖고 다니죠."

올리베티가 얼굴을 찡그렸다.

비토리아는 전화기를 열어 통화하는 흉내를 냈다.

"안녕, 자기야! 나 지금 판테온 안에 있어. 자기도 이곳을 봐야 하는데!"

그녀는 전화기를 닫고, 올리베티를 노려보았다.

"도대체 누가 알겠어요? 이건 아무 위험도 없는 상황이에요. 제가 사령관님의 눈이 되게 해주세요!"

그녀는 올리베티의 허리띠에 달린 휴대전화기를 가리켰다.

"사령관님의 번호는 몇 번이에요?"

올리베티는 응답하지 않았다.

계속 상황을 주시하던 운전병은 자기만의 결정을 내린 모양이었다. 운전병은 자동차 밖으로 빠져나와 사령관 옆에 섰다. 두 사람은 10초 가량 낮은 목소리로 의논했다. 마침내 올리베티가 고개를 끄덕이더니 돌아섰다.

"이 번호를 저장하시오."

그는 전화번호를 불러주었다.

비토리아는 자기 휴대전화기에 번호를 저장했다.

"이제 그 번호로 걸어봐요."

비토리아가 자동 다이얼을 누르자, 올리베티의 허리띠에 있는 휴대전화기가 울리기 시작했다. 올리베티는 전화기에 대고 말했다.

"베트라 양, 판테온 안으로 들어가시오. 둘러보고, 건물 밖으로 나오는 거요. 그후에 전화를 걸어서 당신이 본 것을 내게 말해주시오."

비토리아는 전화기를 닫았다.

"고맙습니다, 사령관님."

랭던은 갑작스럽게 보호본능이 솟구침을 느꼈다.

"기다려요."

랭던은 올리베티에게 말했다.

"저 안에 혼자 들여보내자는 말씀입니까?"

비토리아가 랭던을 노려보았다.

"로버트, 나는 괜찮아요."

운전병이 올리베티에게 다시 뭔가를 말하는 동안 랭던이 비토리아를 말렸다.

"위험합니다."

"랭던 씨의 말이 맞소."

올리베티가 말했다.

"우리 최고의 정예요원도 혼자서는 일하지 않소. 중위가 방금 두 사람이 함께 행동하는 것이 더 확실한 위장술이 될 거라고 지적해주었소."

랭던은 머뭇거렸다.

'우리 둘 다? 사실 내가 주장하려는 것은……'

"두 사람이 함께 들어가는 거요. 공휴일에 놀러나온 연인처럼 보일 거요. 또한 두 사람이 서로 보호해줄 수도 있고. 나도 그게 더 안심이 되오."

비토리아가 어깨를 으쓱했다.

"좋아요. 하지만 서둘러야 해요."

랭던은 신음했다.

'잘했다, 카우보이.'

올리베티가 길 아래를 가리켰다.

"처음 만나는 길은 오르파니 거리가 될 거요. 왼쪽으로 가시오. 그 길로 곧장 가면 판테온에 이르게 될 거요. 기껏해야 걸어서 이 분 거리요. 나는 부하들에게 지시하고, 당신 전화를 기다리면서 여기에서 대기할 거요. 그리고 보호장비를 가져가는 게 좋겠소."

올리베티가 자기 권총을 꺼냈다.

"둘 중 누구든 권총을 사용할 줄 아는 사람이 있소?"

랭던의 심장이 순간 멈칫했다.

'우리는 총이 필요 없습니다!'

비토리아가 손을 내밀었다.

"흔들리는 뱃머리에서 사십 미터 정도 떨어진 물 위로 뛰어오른 돌고래에게 전자추적장치를 부착한 경험이 있어요."

"잘됐군. 잘 감추시오."

올리베티가 비토리아에게 총을 건넸다.

비토리아는 자기 반바지를 훑어보다가, 랭던을 쳐다보았다.

'어, 안 돼!' 라고 랭던은 생각했지만, 비토리아는 재빨랐다. 그녀는 랭던의 재킷을 열고, 안쪽 주머니에 총을 집어넣었다. 랭던은 외투 안에 로켓이 떨어진 기분이었다. 그의 유일한 위안은 《도형》이 다른 쪽 주머니에 들어 있다는 것이었다.

비토리아가 입을 열었다.

"아무 문제 없어요. 이제 갑니다."

그녀는 랭던의 팔을 잡고 길 아래로 향했다.

운전병이 소리쳤다.

"팔짱을 끼는 게 좋습니다. 당신들은 관광객이라는 점을 기억하세요. 갓 결혼한 티를 내는 것도 좋습니다. 손을 잡고 걸어가는 것은 어떨까요?"

길모퉁이를 돌 때, 랭던은 비토리아의 얼굴에서 작은 미소가 스치는 것을 보았다고 맹세할 수 있었다.

59

스위스 근위병의 '집결지'는 24시간 경계근무를 서는 감시청 막사 옆에 붙어 있었다. 이 집결지는 원래 교황 행차와 바티칸 대외 행사 보안을 계획하는 곳이다. 하지만 오늘은 다른 용도로 쓰였다.

특수임무를 띤 기동부대 앞에서 연설하는 사람은 스위스 근위대의 서열 2위인 엘리아스 로체 대위였다. 로체는 부드럽고 편한 인상에 가슴이 듬직한 남자였다. 대위 계급의 전통복장인 푸른 제복을 입고, 빨간 베레모를 머리에 비스듬히 눌러쓴 로체는 나름대로 세련된 멋을 부렸다. 몸집이 컸고, 그의 목소리는 놀랍도록 투명했다. 말을 할 때면, 악기에서 울리는 듯한 투명함이 그의 어조에서 느껴졌다. 정확한 말투에도 불구하고, 로체의 눈동자는 야행성 포유동물의 눈처럼 몽롱했다. 그의 부하들은 로체를 '그리즐리 곰'이라고 불렀다. 그리고 로체는 '독사의 그늘 속으로 들어간 곰'이라는 농담을 즐겨했다. 물론 독사는 사령관 올리베티였다. 그리즐리 곰도 독사만큼 위험하지만, 적어도 사람은 곰이 다가오는 것은 볼 수 있었다.

로체의 부하들은 주의를 집중하고 서 있었다. 그들이 방금 접수한 정보는 혈압을 몇천 배로 높였지만, 아무도 근육 하나 움직이지 않았다.

신참 중위 차트란드는 뒤쪽에 서 있었다. 그는 이 자리에 서 있도록 허가받지 못한 99퍼센트의 신청자들 가운데 자기가 속했으면 좋았을 것이라고 생각하고 있었다. 스무 살인 차트란드는 부대에서 가장 어린 근위병이었다. 바티칸 시국에 있은 지 겨우 석 달밖에 되지 않았다. 그 자리에 있는 다른 사람들처럼 차트란드도 스위스 군대의 훈련을 받았고, 로마 외곽의 비밀 막사에서 치러지는 혹독한 바티칸 시험을 통과해야 했다. 그리고 그 전에는 베른에서 2년의 추가훈련 기간을 참아냈다. 하지만 그가 겪은 어떤 훈련도 이런 위기상황에 대처하게 만들지는 못했다.

처음에 차트란드는 로체 대위의 설명이 기이한 훈련 연습 중 하나라고 생각했다.

'미래 무기? 고대 조직? 납치된 추기경들?'

그런 뒤에 로체는 부하들에게 의문의 무기를 담은 비디오 생중계를 보여주었다. 분명히 이것은 연습 상황이 아니었다.

로체가 말했다.

"선택 지역은 전원 공급이 차단될 것이다. 바티칸과 관계가 없는 자성(磁性)의 방해를 찾아내기 위해서다. 네 사람씩 한 팀이 되어 움직인다. 시야 확보를 위해 적외선 안경을 착용한다. 정찰은 삼 이하 옴 플룩스 필드로 재조정된 전통적인 도청장치 제거기를 가지고 실시한다. 질문 있나?"

아무런 소리도 없었다.

차트란드의 마음은 과부하가 걸린 것처럼 무거웠다.

'만일 우리가 제시간에 발견하지 못하면 어쩌지?'

그런 일이 없기를 바라며 차트란드는 자신에게 질문을 던졌다.

그리즐리 곰이 빨간 베레모 밑에서 차트란드를 응시하였다. 그런 뒤에 대위는 엄숙한 경례와 함께 부대원들을 해산시켰다.

"성공을 기원하다, 제군들."

60

판테온에서 두 블록 떨어진 곳, 랭던과 비토리아는 일렬로 늘어선 택시들을 지나 판테온으로 향했다. 택시 운전사들은 운전석에서 자고 있었다. '영원의 도시'에서 낮잠은 영원했다. 고대 스페인에서 생긴 오후 나절의 시에스타는 이 영원의 도시로 완벽하게 이어졌기에, 사람들은 도처에서 낮잠을 즐겼다.

랭던은 생각을 집중하려고 애썼지만, 이성적으로 판단하기에 지금 상황이 너무 야릇했다. 여섯 시간 전에 그는 케임브리지의 집에서 자고 있었다. 그런데 지금은 유럽에 있고, 해리스 트위드 재킷 안에는 반자동 권총이 들어 있다. 게다가 오늘 처음 만난 여자와 손을 잡고 고대 거물의 초현실적인 전투에 사로잡혀 있다.

랭던은 비토리아를 바라보았다. 그녀는 곧장 앞만 주시하였다. 랭던의 손을 잡은 그녀의 손아귀에는 힘이 들어가 있었다. 독립적이고 단호한 성격이 느껴졌다. 그녀의 손가락은 랭던의 손을 편안하게 받아들이며 부드럽게 감쌌다. 망설임은 없었다. 랭던은 점점 끌리는 자신을 느꼈다. 랭던은 자신에게 타일렀다.

'현실을 직시해.'

비토리아는 랭던의 불편함을 눈치챈 모양이었다. 고개도 안 돌리고 비토리아가 충고했다.

"긴장을 풀어요. 갓 결혼한 부부처럼 보여야 해요."

"난 편안해요."

"내 손을 으스러질 정도로 쥐고 있는데요."

랭던은 얼굴을 붉히며 손의 힘을 풀었다. 비토리아가 말했다.

"눈으로 호흡을 해봐요."

"네?"

"그렇게 하면 근육이 완화돼요. '프라나야마(pranayama)'라고 하는 거예요."

"피라냐?"

"물고기가 아니라 프라나야마. 됐어요."

두 사람이 로톤다 광장을 향해 모퉁이를 돌아서자, 판테온이 그들 앞에 나타났다. 랭던은 항상 경외감을 가지고 판테온을 존경했다.

'판테온. 모든 신들에게 바쳐진 사원. 이교도의 신. 자연과 대지의 신.'

외부에서 바라본 구조는 랭던의 기억보다 네모져 보였다. 수직의 기둥들과 기둥을 덮은 삼각형 지붕이 뒤에 있는 둥근 돔을 겨우 가렸다. 입구 위에 새겨진 대담하고 오만한 비문이 그들이 올바른 장소로 찾아왔음을 확인시켜주었다.

M AGRIPA L F COS TERTIUM FECIT

항상 그래왔듯이 랭던은 즐거운 마음으로 비문을 번역했다.

'3기 집정관, 마르쿠스 아그리파, 이를 짓다.'

주변을 둘러보며 랭던은 생각했다.

'겸손함의 표현치고는 과한 건물이지.'

비디오카메라를 든 관광객들이 여기저기 흩어져 주변을 돌아다니고 있었다. 일부는 타짜도로 노천카페에 앉아, 로마에서 제일 맛좋은 아이스커피를 즐기고 있었다. 판테온으로 들어가는 입구에는 올리베티가 얘기한 대로, 무장한 로마 경찰관 네 명이 차려 자세를 취하고 있었다. 비토리아가 속삭였다.

"꽤 조용하군요."

랭던은 고개를 끄덕였지만 혼란스러웠다. 스스로 이 자리까지 와서 보니, 시나리오 전체가 초현실적인 것처럼 보였다. 그가 옳다는 비토리아의 확고한 믿음에도 불구하고, 랭던은 모든 사람을 여기까지 끌고 온 것은 자신임을 깨달았다. 일루미나티의 시가 아른거렸다.

'악마의 구멍을 가진 산치오의 흙의 무덤에서.'

'그래.'

랭던은 자신에게 다짐했다. 이곳이 바로 그 장소다. 산치오의 무덤. 여기 판테온의 눈 밑으로 와서, 위대한 라파엘로의 무덤 앞까지 종종 오기도 했다.

"지금 몇 시죠?"

비토리아가 물었다.

랭던이 시계를 확인했다.

"일곱 시 오십 분. 쇼가 시작되려면 아직 십 분 남았습니다."

판테온으로 들어가는 관광객들을 눈여겨보며 비토리아가 말했다.

"저 사람들이 유능한 사람들이기를 희망해야겠군요. 만일 범인이 안에 있어 무슨 일이 벌어지면, 판테온을 포위한 병력이 범인을 잡기 위해 총을 난사할지도 모르니까."

입구로 걸음을 옮기면서 랭던은 무겁게 숨을 몰아쉬었다. 안주머니에 든 권총이 무겁게 느껴졌다. 만일 경찰이 몸수색을 해 권총을 발견하면 무슨 일이 벌어질지 랭던은 궁금했다. 하지만 경관들은 두 사람을 두 번 다시 쳐다보지 않았다. 분명 그들의 위장은 그만큼 설득력이 있었다.

랭던이 비토리아에게 속삭였다.

"진정제 총말고 다른 총도 사용해본 경험이 있습니까?"

"날 믿지 못하는 거예요?"

"당신을 믿어요? 당신을 알지도 못하는데?"

비토리아가 눈살을 찌푸렸다.

"지금 이 자리에서 우리는 갓 결혼한 부부라고 생각했는데요."

61

판테온 내부의 공기는 차갑고 축축했다. 역사와 함께 묵직한 무게
감이 들었다. 하지만 머리 위로 치솟은 천장은 무게감이 느껴지지 않
았다. 산 피에트로 대성당의 둥근 지붕보다 큰 판테온의 돔. 43미터의
지름을 자랑하는 둥근 지붕을 떠받드는 것은 아무것도 없었다. 항상
그렇듯이 랭던은 동굴 같은 내부로 들어서며 냉기를 느꼈다. 판테온
은 공학과 예술의 절묘한 결합으로 탄생한 걸작이다. 그들 머리 위,
판테온 지붕의 유명한 둥근 구멍으로 늦은 저녁 햇살이 가느다랗게
비쳐들었다. 랭던은 생각했다.

'판테온의 눈. 악마의 구멍.'

두 사람은 드디어 들어왔다.

랭던의 시선이 천장 구멍에서 아치를 따라 기둥들이 세워진 벽으로
내려왔다. 그리고 발밑의 빛나는 대리석 바닥으로 이동했다. 관광객
의 발소리와 중얼거림이 희미한 메아리가 되어 돔 주위로 울려퍼졌
다. 랭던은 그늘 속에서 목적 없이 어슬렁거리는 열서너 명 가량의 여
행객들을 관찰했다.

'살인자, 놈이 여기에 있을까?'

"꽤 조용하군요."

랭던의 손을 쥔 채 비토리아가 말했다.

랭던은 고개를 끄덕였다.

"라파엘로의 무덤은 어디에 있나요?"

위치를 파악하려고 랭던은 잠시 내부를 관찰했다. 무덤. 제단. 기둥. 벽감. 그는 돔을 가로질러 왼편에 특별히 화려하게 꾸며진 무덤을 가리켰다.

"저쪽에 있는 것이 아마 라파엘로의 무덤일 겁니다."

비토리아는 방의 나머지 부분을 조사했다.

"이 안의 어느 누구도 추기경을 죽이려는 살인자처럼 보이지 않네요. 주위를 둘러볼까요?"

랭던은 고개를 끄덕였다.

"판테온에서 사람이 숨을 만한 곳은 딱 한 군데밖에 없습니다. 벽감을 살펴보는 것이 좋겠어요."

"벽감?"

랭던이 가리켰다.

"그래요. 벽에서 움푹 들어간 곳 말입니다."

무덤들이 산재한 판테온 내부에는 반원형의 벽감이 벽을 따라 쭉 늘어서 있었다. 그 공간이 아주 넓은 것은 아니지만, 누군가 어둠 속에 충분히 숨을 정도는 되었다. 슬프게도 올림포스 산 신들의 조상은 한때 이 벽감들 속에 있었다. 하지만 바티칸이 판테온을 가톨릭 교회로 바꿔버렸을 때, 이교도적인 신들은 파괴되었다. 랭던은 과학의 첫 번째 제단에 자기가 있다는 것을 깨닫고, 극심한 좌절감을 맛보았다. 일루미나티가 남긴 표지가 사라진 것이다. 파괴된 조상 중 어떤 상이 어디를 가리키고 있었는지 궁금하기 그지없었다. 그에게는 일루미나티가 남긴 표지, 일루미나티의 길을 남모르게 가리키는 조상을 찾는 일보다 짜릿한 것은 없었다. 그리고 다시 한 번, 일루미나티 표지의 조상을 만든 익명의 예술가가 누구인지 궁금해졌다.

"내가 왼쪽 둘레를 맡을게요. 당신은 오른쪽으로 가세요. 백팔십 도 돌아서 만나기로 해요."

둥근 방의 왼쪽 절반을 가리키며 비토리아가 말했다.

랭던은 으스스하게 웃었다.

비토리아가 떠나고, 랭던은 자신의 마음을 갉아먹는 상황에 섬뜩한 공포를 느꼈다. 돌아서서 오른편으로 걷기 시작하자, 살인자의 목소리가 바로 주변에서 속삭이는 것 같았다.

'여덟 시 정각. 과학의 제단에 올려질 순수한 희생물. 죽음의 수학적 순열. 여덟 시, 아홉 시, 열 시, 열한 시…… 그리고 자정.'

랭던은 7시 52분을 가리키는 시계를 확인했다. 8분 남았다.

첫 번째 벽감으로 향하면서, 랭던은 이탈리아 가톨릭 왕의 무덤 하나를 지나쳤다. 로마의 많은 석관처럼 이곳의 대리석 석관도 벽에서 부자연스럽게 비스듬히 틀어져 있었다. 한 무리의 방문객이 이 모습을 보고, 어리둥절한 표정을 지었다. 랭던은 이들에게 이유를 설명하러 걸음을 멈추지는 않았다. 공식적인 기독교의 무덤은 종종 건축물과 어긋나게 놓여 있을 때가 많았다. 이유는 관을 동쪽을 향해 눕히기 위해서였다. 이것은 지난달에 랭던이 일반기호학 수업시간에 토론한 고대의 미신과 관련된 행위이다.

"그건 전적으로 말이 안 돼요!"

랭던이 동쪽을 바라보는 무덤들에 대한 이유를 설명했을 때, 맨 앞줄에 앉은 여학생이 불쑥 반론을 내뱉었다.

"자기들 무덤이 떠오르는 태양을 바라보는 걸 왜 기독교인이 원했겠어요? 우리는 지금 기독교 정신에 대해 얘기하는 중이에요…… 태양 숭배가 아니라요!"

사과를 깨물고 칠판으로 다가서며 랭던은 웃음을 지었다.

"히츠로트 군!"

랭던이 소리쳤다.

수업 시작부터 뒤에 앉아서 졸고 있던 젊은 남학생이었다.

"네! 저요?"

랭던은 벽에 붙어 있는 르네상스 시대의 미술 포스터를 가리켰다.

"신 앞에서 무릎을 꿇고 있는 이 남자가 누구인가?"

"음…… 성인(聖人)인가요?"

"대단하군. 그럼 이 금빛 후광을 보고 떠오르는 것은 없나?"

히츠로트가 미소를 흘렸다.

"있습니다! 지난 학기에 공부한 이집트 물건입니다. 그것은…… 음
…… 태양 원반요!"

"고맙네, 히츠로트. 다시 자도록 하게."

랭던은 수업으로 다시 돌아갔다.

"다른 많은 기독교 상징처럼 후광은 태양 숭배라는 고대 이집트의
종교에서 빌려온 것이다. 사실 기독교 신앙은 태양 숭배의 예들로 가
득 차 있지."

"저기요?"

앞줄에 앉은 여학생이 다시 물었다.

"저는 항상 교회에 다녔지만, 태양을 숭배하는 행위따위는 보지 못
했어요!"

"정말? 그럼 학생은 12월 25일에 무엇을 축하하는 거지?"

"크리스마스죠. 예수 그리스도의 탄생을요."

"하지만 성서에 의하면 그리스도는 3월에 태어났다고 되어 있어.
그렇다면 우리는 왜 다 늦은 12월에 무엇을 축하하는 것일까?"

침묵이 흘렀다.

랭던은 미소를 지었다.

"여러분, 12월 25일은 '무적 태양'을 경하하는 고대 이교도의 휴일
이다. 동지(冬至)와 맞아떨어지지. 태양이 돌아오고, 낮이 길어지기

시작하는 멋진 시기다."

랭던은 사과를 한 입 더 깨물고, 말을 이어나갔다.

"다른 종교를 정복할 때, 개종의 충격을 줄이기 위해서 기존의 휴일을 채택하는 경우는 종종 있었다. 이런 식의 일을 변형, 혹은 진화라고 부른다. 사람들이 새로운 믿음에 적응하도록 돕는 거지. 숭배자들은 여전히 예전과 같은 날을 성스러운 날로 삼고, 예전과 같은 신성한 장소에서 기도를 드리고, 비슷한 상징을 사용한다…… 그 상황에서 신만 다른 신으로 간단히 대체하는 거야."

앞줄에 앉은 여학생은 이제 화가 난 표정이었다.

"지금 교수님은 기독교가…… 태양 숭배를 재포장한 그런 종교라는 말씀이세요?"

"천만에. 기독교는 이집트의 태양 숭배에서만 빌리지 않았네. 기독교의 시성식은 유헤메로스*가 말한 고대의 '신격화 작업'에서 가져온 것이지. '신의 일부를 먹는 행위', 즉 영성체라는 관습은 아즈텍 문화에서 빌려온 것이다. 심지어 그리스도가 우리의 죄를 위해 죽는다는 개념은 기독교인만이 독점적으로 갖고 있는 게 아니야. 백성들의 죄를 사하기 위해 젊은 남자가 자기를 희생한다는 개념은 퀘찰코아틀**의 초기 전통에서도 나타난다."(유헤메로스 : 기원전 3세기의 그리스 철학자, 그리스 신화의 신들은 왕이나 영웅들이 죽은 후에 신격화된 것이라고 가르쳤다. 퀘찰코아틀 : 아즈텍 문화의 뱀 신.)

여학생이 눈을 번쩍번쩍 빛내며 재차 물었다.

"그러면 기독교만의 독창적인 것은 있나요?"

"조직화된 믿음 중 진실로 독창적인 것이라고 부를 만한 것은 거의 없네. 종교는 아무것도 없는 밑바닥에서 태어난 것이 아니다. 종교는 서로 키워냈지. 그런 면에서 현대종교는 콜라주라고 할 수 있다…… 신성(神性)을 이해하려는 인간 탐구의 역사 기록이 서로 융화한 거지."

"음…… 잠깐만요."

이제 잠이 완전히 깬 목소리로 히츠로트가 끼어들었다.

"기독교 고유의 것이라고 할 만한 것이 생각났어요. 신에 대한 모습은 어떤가요? 기독교인은 신을 그릴 때, 독수리머리를 한 태양신이라든가, 아즈텍의 신, 아니면 기괴한 모습으로는 결코 그리지 않잖아요. 기독교에서 신은 항상 하얀 수염을 기른 나이 든 남자의 모습으로 나타나죠. 그래서 신에 대한 우리의 모습은 독창적이다, 맞죠?"

랭던은 미소를 지었다.

"초기 기독교 개종자가 이교도의 신, 로마 신, 그리스 신, 태양, 미트라, 뭐가 되었든지간에 그들의 예전 신을 버렸을 때, 사람들은 교회에게 물었다. 그들의 새로운 기독교의 신은 어떻게 생겼느냐고. 현명하게도 교회는 기록된 역사에서 가장 두렵고도 힘있는 존재…… 그리고 가장 익숙한 얼굴을 선택했지."

히츠로트는 의심스런 표정을 지었다.

"하얀 수염을 흩날리는 나이 든 남자?"

랭던은 벽에 붙은 고대 신들의 위계도를 지적했다. 제일 꼭대기에 앉아 있는 남자는 하얀 수염을 휘날리는 늙은이였다.

"제우스인데 낯이 익지?"

때맞춰 수업시간이 끝났다.

"좋은 저녁입니다."

남자의 목소리가 들려왔다.

랭던은 깜짝 놀랐다. 그의 정신은 다시 판테온으로 돌아왔다. 랭던을 쳐다보던 남자는 가슴에 붉은 십자가가 그려진 푸른 망토를 두른 노인네였다. 그는 회색으로 변색된 이를 드러내며 미소지었다.

"영국 사람이시죠, 그렇죠?"

노인의 목소리엔 토스카나 지방의 굵은 억양이 배어 있었다.

랭던은 당황해 눈을 깜박거렸다.

"아닙니다. 저는 미국인입니다."

남자는 미안해했다.

"아이구, 이런! 용서하십시오. 댁이 너무 멋지게 차려입어서, 내가 그만…… 사과드립니다."

"도와드릴까요?"

심장이 거칠게 뛰는 것을 느끼며 랭던이 물었다.

"사실은 제가 도와드릴 생각입니다. 나는 이 판테온의 관광안내원입니다."

노인은 자랑스럽게 시에서 발행한 배지를 가리켰다.

"사람들의 로마 방문을 더 흥미롭게 만드는 것이 제 일이랍니다."

'더 흥미롭게?'

랭던은 이 특별한 로마 방문이 이미 충분히 흥미로 가득하다고 생각했다.

"선생님은 저명하신 분 같군요."

노인이 비위를 맞추듯 아양을 떨었다.

"무엇보다 문화에 관심이 많으신 게 분명합니다. 제가 이 매혹적인 건축물에 대한 약간의 역사를 알려드릴 수도 있습니다."

랭던은 공손하게 미소를 지어 보였다.

"친절하시군요. 그런데 실은 제가 예술사가인 데다가……"

"훌륭해요! 그럼 제 설명이 더 반갑겠네요!"

방금 잭팟을 터뜨린 사람처럼 노인의 눈동자가 반짝거렸다.

"글쎄, 저는 지금……"

"판테온은 기원전 27년에 마르쿠스 아그리파가 지었습니다."

노인이 암기한 내용을 떠벌리며 연설을 시작하려고 할 때, 랭던이 막았다.

"네. 그리고 서기 119년에 하드리아누스가 다시 지었죠."

"판테온은 버팀목 없이 서 있는, 세상에서 가장 큰 돔 건물이었습니다. 1960년까지는 말이죠. 그해에 미국 뉴올리언스에 세워진 수퍼돔이 판테온을 이기고 말았어요!"

랭던은 신음했다. 늙은이는 도무지 입을 다물 줄 몰랐다.

"그리고 5세기경의 한 신학자는 한때 판테온을 '악마의 집'이라고 불렀답니다. 지붕의 구멍이 악마를 위한 입구라고 말이죠!"

랭던은 노인을 그냥 내버려두었다. 그의 눈동자는 하늘로 올라가 판테온의 눈에 닿았다. 비토리아가 들먹인 예가 뼛속까지 얼어붙는 장면으로 그의 마음속에 떠올랐다…… 낙인 찍힌 추기경이 구멍에 떨어져 대리석 바닥에 부딪힌다.

'정말 그런 일이 벌어지면 언론이 좋아할 만한 사건이 되겠군.'

랭던은 기자들이 얼씬대는지 판테온을 둘러보았다. 기자처럼 보이는 사람은 없었다. 그는 숨을 깊이 들이마셨다. 얼토당토않은 생각이다. 그런 스턴트 쇼를 꾸미려고 세부 계획을 짜는 것은 어리석게 보였다.

조사를 계속하려고 랭던이 움직이자, 재잘거리는 노인네도 정에 굶주린 강아지처럼 졸졸 따라왔다. 랭던은 혼자서 생각했다.

'열렬한 예술사가보다 나쁜 것은 세상에 없다는 것을 알려주는군.'

건너편에서는 비토리아가 진지하게 수색을 벌이고 있었다. 아버지에 대한 소식을 들은 이래, 처음으로 혼자 있는 셈이다. 그녀는 자기 주위로 모여든 지난 여덟 시간의 준엄한 현실을 깨달았다. 아버지는 잔인하게, 그리고 갑작스럽게 살해되었다. 아버지의 죽음만큼이나 가슴아픈 일은 아버지의 창조물이 훼손된 것이다. 이제는 테러리스트의 무기가 되었다. 반물질을 운반할 수 있게 만든 트랩은 자기 발명품이었음을 떠올리고, 죄책감에 시달렸다…… 그녀의 트랩이 바티칸 어딘가에서 지금 카운트다운을 하고 있다. 완전한 진실을 찾으려 한 아버지의 연구에 봉사하려는 노력이…… 그녀를 이 혼란의 공모자로 만들고 말았다.

이상한 일이지만, 이 순간 그녀의 인생에서 믿을 만한 유일한 한 가지는 완전히 낯선 이방인 존재였다. 로버트 랭던. 그녀는 랭던의 눈동자에서 설명할 수 없는 피난처를 찾았다…… 오늘 아침 일찍 그녀가 떠나온 바다의 화합처럼. 그녀는 랭던이 여기에 있는 것이 기뻤다. 그는 그녀에게 힘과 희망의 원천일 뿐만 아니라, 살인범을 잡을 수 있는 단 한 번의 기회를 마련해주기 위해 민첩한 사고력을 보여주었다.

수색을 계속하며 비토리아는 숨을 깊이 들이마셨다. 그녀는 하루 종일 예상하지 못한 감정, 아버지를 살해한 자에게 복수를 꿈꾸는 감정에 시달렸다. 모든 생명을 사랑하겠다고 맹세한 몸이었지만…… 그녀는 살인범이 죽기를 원했다. 좋은 업을 많이 쌓는다고 해도, 오늘 그녀는 다른 쪽 뺨을 내놓을 수 없었다. 경악과 충격으로 전에는 결코 못 느낀 저주의 단어들이 이탈리아인의 핏속에서 솟구치는 것을 비토리아는 깨달았다…… 냉혹한 정의로 가족의 명예를 지켰던 시칠리아 조상의 속삭임. 복수. 그녀는 생애 처음으로 복수의 의미를 이해한 것 같았다.

복수에 대한 생생한 모습이 비토리아에게 힘을 주었다. 그녀는 라파엘로 산치오의 무덤으로 다가갔다. 멀리서도 이 사람은 특별하다는 것이 눈에 띄었다. 다른 사람들과는 달리 라파엘로의 관이 들어 있는 벽감은 플렉시 유리벽으로 싸여 있었다. 투명한 유리를 통해 그녀는 석관의 정면을 바라보았다.

　　　라파엘로 산치오, 1483~1520

비토리아는 무덤을 관찰한 뒤, 라파엘로의 무덤 옆에 달랑 한 줄 적힌 동판을 발견하고 읽었다.

그런 뒤에 다시 읽었다.
그런 뒤에…… 비토리아는 다시 읽었다.
잠시 후, 그녀는 공포에 사로잡혀 쏜살같이 달려갔다.
"로버트! 로버트!"

62

랭던의 판테온 조사는 발뒤꿈치에 계속 따라붙은 안내원 노인 때문에 다소 지장이 생겼다. 랭던이 마지막 벽감을 조사하려 할 때도 노인의 지치지 않는 연설은 계속되었다.

"확실히 벽감에 관심이 많으시군요!"

즐거운 표정으로 안내원이 말했다.

"돔에서 무게감이 느껴지지 않는 게 벽의 두께가 점점 줄어들기 때문이라는 것을 알고 계십니까?"

벽감을 들여다볼 준비를 하면서 랭던은 고개를 끄덕였지만, 한마디도 안 듣고 있었다. 갑자기 누군가 뒤에서 그를 붙잡았다. 비토리아였다. 그녀는 헐떡이며 랭던의 팔에 매달렸다. 비토리아의 얼굴에 떠오른 공포의 표정을 보고, 랭던은 오직 한 가지밖에 상상할 수 없었다.

'시체를 발견했구나.'

랭던도 두려움이 치미는 것을 느꼈다.

"아, 부인이시군요!"

손님을 한 명 더 맞게 되어 기쁘다는 듯 안내원이 외쳤다. 노인은 비토리아의 반바지와 하이킹 부츠를 가리켰다.

"아, 부인은 미국인이군요!"

비토리아의 눈이 가늘어졌다.

"난 이탈리아 사람이에요."

안내원의 미소가 사그라졌다.

"어, 이런."

등으로 안내원을 막으려고 애를 쓰며 비토리아가 속삭였다.

"로버트. 갈릴레이의 《도형》. 지금 그걸 좀 봐야겠어요."

"《도형》?"

안으로 끼어들면서 노인이 말했다.

"이런! 당신들 두 사람은 확실히 역사에 대해서 뭘 좀 아시는군요! 하지만 불행히도 그 자료는 볼 수가 없습니다. 그건 바티칸 비밀문서 고에서 비밀리에 보호를 받고……"

"실례 좀 하겠습니다."

랭던이 말했다. 그는 비토리아의 공포 때문에 혼란스러웠다. 랭던 은 그녀를 한쪽으로 데려가, 주머니에서 《도형》 종이를 조심스럽게 꺼냈다.

"무슨 일입니까?"

"이게 날짜가 언제예요?"

종이를 훑으며 비토리아가 물었다.

그들에게 다시 다가온 노인이 종잇장을 보고, 벌어진 입을 다물지 못했다.

"이건…… 정말……"

"여행자를 위한 복사본입니다."

랭던이 재치있게 둘러댔다.

"도와주셔서 고맙습니다. 아내와 저는 잠시 둘만 있고 싶습니다."

안내원은 뒤로 물러섰지만, 눈은 결코 종이에서 떼지 못했다.

"날짜요. 갈릴레이가 이걸 언제 출간했는지……"

비토리아는 랭던에게 되풀이했다.

랭던은 아래쪽 줄에 있는 로마 숫자를 가리켰다.

"이게 출판 날짜입니다. 무슨 일인데 그래요?"

비토리아가 숫자를 해석했다.

"1639년?"

"그래요. 뭐가 잘못됐습니까?"

비토리아의 눈동자는 불길한 예감으로 가득했다.

"문제가 생겼어요, 로버트. 아주 큰 문제예요. 날짜가 맞지 않아요."

"무슨 날짜가 맞지 않아요?"

"라파엘로의 무덤 말이에요. 라파엘로는 1759년까지는 여기에 묻힌 것이 아니었어요. 《도형》이 출간되고 난 후 한 세기가 지난 후에야 여기로 온 거예요."

그 말을 이해하려고 노력하며 랭던은 비토리아를 응시했다. 랭던이 대꾸했다.

"아니오. 라파엘로는 이 책이 출간되기 훨씬 전인 1520년에 죽었어요."

"그래요. 하지만 세월이 많이 흐른 뒤에야 여기에 묻힌 거예요."

랭던은 갈피를 못 잡았다.

"무슨 얘기를 하는 겁니까?"

"방금 알았어요. 라파엘로의 시신은 1758년에 판테온으로 옮겨졌다는 것을. 그의 무덤을 판테온으로 옮긴 것은 저명한 이탈리아인들에 대한 역사적 헌사였다는군요."

비토리아의 말이 머릿속에 들어앉자, 랭던은 자기가 딛고 서 있던 바닥 깔개를 누군가 획 잡아챈 느낌이었다.

비토리아가 말했다.

"이 시를 썼을 때, 라파엘로의 무덤은 여기가 아니라 다른 곳에 있었던 거예요. 그때로 돌아가서 생각해보면, 판테온은 라파엘로와는 아무런 관계도 없는 거라고요!"

랭던은 숨을 쉴 수가 없었다.

"하지만 그건…… 그 말은……"

"그래요! 우리가 잘못된 장소에 있다는 말이에요!"

랭던은 휘청거리는 자신을 느꼈다.

'불가능해…… 나는 확신했어……'

비토리아는 달려가서 안내원을 붙잡아 다시 끌고 왔다.

"선생님, 실례해요. 1600년대에 라파엘로의 시신이 어디에 있었나요?"

"우르…… 우르비노. 그의 출생지요."

이제 당황한 얼굴로 안내원은 중얼거렸다.

"말도 안 돼! 일루미나티의 과학의 제단은 여기 로마에 있습니다. 그것만은 확실해요!"

랭던은 자신에게 저주를 퍼부었다.

"일루미나티?"

랭던의 손에 들린 종이쪽지를 다시 바라보며 안내원은 숨을 멈췄다.

"당신들은 누구요?"

비토리아가 안내원을 상대하고 나섰다.

"우리는 산치오의 흙의 무덤이라고 불리는 것을 찾는 중이에요. 로마 안에서요. 그게 무엇인지 말해주실 수 있겠어요?"

노인은 불안한 얼굴이었다.

"이게 로마에서 유일한 라파엘로의 무덤이오."

랭던은 생각하려고 노력했지만, 그의 마음은 생각하기를 거부했다. 만일 라파엘로의 무덤이 1655년에 로마에 있지 않았다면, 그렇다면 시가 언급하는 것은 무엇이란 말인가?

'악마의 구멍을 가진 산치오의 흙의 무덤? 도대체 그게 뭐란 말이냐? 생각을 쥐어짜자!'

"산치오라는 이름을 가진 다른 예술가가 또 있나요?"

비토리아가 물었다.

안내원은 어깨를 으쓱했다.

"내가 아는 바로는 없습니다."

"다른 유명한 사람은 어때요? 과학자나 시인, 아니면 천문학자 중에 산치오라는 이름을 가진 사람은 없나요?"

노인은 이제 자리를 뜨고 싶어하는 표정이 역력했다.

"없어요. 내가 아는 사람 중에 산치오라는 이름은 건축가 라파엘로가 유일합니다."

"건축가? 저는 라파엘로가 화가라고 생각했는데요!"

"물론 양쪽 다입니다. 모두가 그랬지요. 미켈란젤로도, 다 빈치도, 라파엘로도."

랭던은 뜻밖에 뭔가를 깨달았는데, 그게 안내원 노인의 말 덕분인지 주위에 화려하게 치장된 무덤 덕분인지 알 수가 없었다. 하지만 상관없었다. 문득 어떤 생각이 그를 스치고 지나갔다.

'산치오는 건축가였다.'

거기에서 시작된 사고는 꼬리에 꼬리를 물고 도미노 조각처럼 이어졌다. 르네상스 시대의 건축가들은 오직 두 가지 이유로 살았다. 커다란 교회를 지어 신을 영광되게 하기 위해서, 그리고 사치스런 무덤을 지어 고위인사들을 영광되게 하기 위해서.

'산치오의 무덤이라. 그게 그것일 수 있을까?'

영상들이 이제 빠른 속도로 다가왔다……

다 빈치의 〈모나리자〉.

모네의 〈수련〉.

미켈란젤로의 〈다비드〉.

산치오의 흙의 무덤……

"산치오가 디자인한 무덤."

랭던이 불쑥 내뱉었다.

비토리아가 돌아섰다.

"뭐라고요?"

"이건 라파엘로가 묻힌 곳을 말하는 게 아니었어요. 라파엘로가 디자인한 무덤을 언급한 겁니다."

"무슨 소리를 하는 거예요?"

"내가 단서를 잘못 이해했어요. 우리가 찾는 곳은 라파엘로가 묻힌 장소가 아니에요. 라파엘로가 누군가를 위해 디자인한 무덤입니다. 내가 그걸 놓치다니 믿을 수가 없군요. 르네상스와 바로크 시대의 로마에서 행해진 조각의 반은 무덤을 위해서였습니다."

랭던은 뜻밖의 얘기를 꺼내면서 미소를 지었다.

"라파엘로는 틀림없이 수백 개의 무덤을 디자인했을 겁니다!"

비토리아는 행복한 얼굴이 아니었다.

"수백 개?"

랭던의 미소가 사라졌다.

"아!"

"그들 중 흙과 관련된 무덤이 있나요, 교수님?"

랭던은 갑자기 자신의 부족함을 느꼈다. 그가 알고 있는 라파엘로의 작품은 부끄러울 정도로 적었다. 미켈란젤로라면 댈 수 있었다. 하지만 라파엘로의 작품은 그를 사로잡지 못했다. 랭던은 라파엘로의 유명한 무덤 몇 개의 이름만을 댈 수 있었다. 하지만 그 무덤이 어떻게 생겼는지는 확실하지가 않았다.

분명 랭던의 곤경을 감지한 비토리아가 조금씩 몸을 뒤로 빼는 안내원에게 돌아섰다. 그녀는 안내원의 팔을 잡고 안으로 잡아끌었다.

"우린 무덤이 필요해요. 라파엘로가 디자인한 무덤. 흙과 관련된 것이라 여겨지는 그런 무덤이요."

안내원 노인은 이제 침울한 얼굴이 되었다.

"라파엘로가 만든 무덤? 잘 몰라요. 라파엘로는 많은 무덤을 디자인했어요. 그리고 당신들이 찾는 것은 무덤이 아니라, 아마 라파엘로가 만든 성당일 겁니다. 건축가는 항상 무덤과 연계를 지어 성당을 지었으니까."

랭던은 노인의 말이 옳다고 생각했다.

"흙과 관련된 라파엘로의 무덤이나 성당이 있습니까?"

안내원은 어깨를 으쓱했다.

"미안합니다. 댁이 말하는 게 무슨 의미인지 모르겠어요. 흙이라는 단어는 내가 아는 어느 것과도 들어맞지 않아요. 난 가봐야겠어요."

비토리아가 노인의 팔을 붙들고서, 종이의 첫 줄을 읽어주었다.

"'악마의 구멍을 가진 산치오의 흙의 무덤에서.' 이 구절이 어떤 의미를 연상시키지는 않나요?"

"하나도 없어요."

갑자기 랭던이 고개를 들었다. 그는 잠시 이 줄의 첫 부분을 잊고 있었다.

'악마의 구멍?'

랭던은 안내원에게 소리쳤다.

"그래요! 바로 그겁니다! 라파엘로가 디자인한 성당들 중에 눈을 가진 게 있습니까?"

노인은 고개를 저었다.

"내 지식으로는 판테온이 유일해요."

노인이 잠시 말을 멈췄다.

"하지만……"

"하지만 뭐요?"

비토리아와 랭던이 동시에 물었다.

이제 안내원은 머리를 곧추 세우고, 다시 두 사람을 향해 다가왔다. 손가락으로 이를 만지면서 노인이 중얼거렸다.

"악마의 구멍? 악마의 구멍이라…… 그건…… 부코 디아볼로(buco diavolo)?"

비토리아가 고개를 끄덕였다.

"문자 그대로예요, 네."

안내원은 희미하게 미소지었다.

"꽤 오랫동안 들어보지 못한 단어로구먼. 내가 실수하는 게 아니라면, 부코 디아볼로는 둥근 천장의 지하실을 말하는 거예요."

"지하실? 납골당 같은 곳의?"

랭던이 물었다.

"그래요. 하지만 특별한 형태의 납골당이지요. 악마의 구멍은 성당에 자리잡은 다른 무덤 아래에…… 공동묘지를 판 구멍을 언급하는 옛말일 겁니다."

"납골당의 별채 말인가요?"

노인이 묘사하려는 것이 무엇인지를 깨닫고 랭던이 즉시 물었다.

안내원은 감탄했다.

"그래요! 그게 내가 찾던 말이었어요!"

랭던은 안내원의 말을 곰곰이 되짚어보았다. 납골당의 별채는 교회가 직면한 서투른 딜레마를 풀기 위해 선택한 값싼 보완책이라고 할 수 있었다. 교회가 유명한 신자를 화려하게 치장한 성소 안의 무덤으로 예우할 때, 살아 있는 가족들은 종종 가족이 함께 묻힐 것을 요구했다…… 그래서 누구나 탐내는 교회 안의 매장지를 일가족 모두가 확보했다고 안심하는 것이다. 하지만 교회에 가족 전체를 위한 무덤을 만들 공간이 충분히 없거나 이를 위한 기금이 없다면, 교회는 종종 납골당의 별채를 파서 공간을 만들었다. 무덤 근처의 바닥에 구멍을 파서, 그 안에 가족 구성원을 묻는 것이다. 그런 뒤에 르네상스 시대의 맨홀 뚜껑이라고 할 수 있는 뚜껑으로 구멍을 덮어버렸다. 편리하긴 했지만, 납골당의 별채는 급속히 구식이 되었다. 구멍에서 올라와 교회 안으로 스며드는 악취 때문이었다.

'악마의 구멍.'

랭던은 생각했다. 이런 용어는 처음 들어봤지만, 오싹하게도 악마의 구멍과 납골당의 별채는 서로 맞아떨어졌다.

이제 랭던의 가슴은 격렬하게 뛰었다.

'악마의 구멍을 가진 산치오의 흙의 무덤에서.'

이제 물어볼 질문은 한 가지뿐이다.

"라파엘로가 이런 악마의 구멍을 가진 무덤을 디자인했습니까?"

노인은 머리를 긁적였다.

"그래요. 미안하지만…… 나는 딱 하나밖에 모르겠군요."

'딱 하나?'

랭던에게 이 말보다 반가운 대답은 없었다.

"어디에요?"

비토리아가 거의 소리치듯 물었다.

안내원은 두 사람을 이상하게 쳐다봤다.

"키지 성당이라고 불리는 곳입니다. 예술과 과학의 부유한 후원자였던 아고스티노 키지와 그의 형제가 묻힌 무덤이 그 안에 있어요."

"과학?"

비토리아와 시선을 교환하며 랭던이 말했다.

"어디에요?"

비토리아가 다시 물었다.

관광안내라는 본업을 다시 하게 되어 기뻤는지, 노인은 비토리아의 질문을 무시했다.

"그 무덤이 흙으로 만든 것인지 아닌지는 잘 모르겠지만, 이건 확실해요…… 뭔가 다르다고 말할 수 있어요."

"다르다? 어떻게요?"

랭던이 물었다.

"건축물과 어울리지 않아요. 라파엘로는 오직 건축만 맡았어요. 다른 조각가가 내부 장식을 담당했는데, 그게 누구였는지는 기억을 못하겠군요."

랭던은 이제 열심히 귀를 기울이고 있었다.

'혹시 익명의 일루미나티의 거장?'

안내원이 말했다.

"실내 기념물을 누가 장식했는지는 모르지만 취향이 낮아요. 하느님 맙소사! 장난도 지나치지! 누가 피라미드 아래에 묻히고 싶겠소?"

랭던은 자기 귀를 믿을 수가 없었다.

"피라미드? 성당 안에 피라미드가 있습니까?"

안내원이 코웃음을 쳤다.

"나도 선생의 기분을 알아요. 끔찍하죠, 안 그렇습니까?"

비토리아가 늙은이의 팔을 붙잡았다.

"저기요, 키지 성당은 어디에 있나요?"

"북쪽으로 일 킬로미터 이상 떨어진 곳이오. 산타마리아 델 포폴로 교회 안에 있어요."

비토리아가 숨을 내쉬었다.

"고맙습니다. 그럼……"

"이봐요. 방금 뭔가가 생각났어요. 나도 참 얼마나 바보인지."

비토리아는 걸음을 멈췄다.

"제발 실수였다는 말은 하지 마세요."

노인은 고개를 저었다.

"그런 것이 아니에요. 하지만 좀더 빨리 떠올랐어야 하는데 말이지. 키지 성당은 항상 키지라는 이름으로만 알려졌던 게 아닙니다. '카펠라 델라 테라(Capella della Terra)'라고도 불렸어요."

"땅의 성당?"

랭던이 물었다.

문을 향해 걸어가며 비토리아가 말했다.

"아뇨. 흙의 교회라는 뜻이에요."

로톤다 광장으로 돌진하면서 비토리아는 휴대전화기를 꺼내들었다.

"올리베티 사령관님. 판테온은 틀린 장소였어요!"

올리베티는 당황한 목소리였다.

"틀리다니? 무슨 뜻이오?"

"과학의 첫 번째 제단은 키지 성당이에요!"

"어디?"

이제 올리베티는 성난 목소리였다.

"하지만 랭던 씨 말은……"

"산타마리아 델 포폴로! 북쪽으로 일 킬로미터 정도 떨어진 곳이에요. 부하들을 지금 거기로 보내세요! 이제 사 분 남았어요!"

"하지만 부하들은 여기에 자리잡고 있소! 내가 가능하……"

"움직여요!"

비토리아는 전화를 끊어버렸다.

그녀 뒤로, 멍한 표정의 랭던이 판테온 밖으로 나섰다.

비토리아는 랭던의 손을 잡고, 연석에서 손님을 기다리는 택시의 행렬로 이끌었다. 그녀는 제일 앞에서 대기중인 택시로 달려가 보닛을 두들겼다. 졸고 있던 운전사가 깜짝 놀라 비명을 지르며 똑바로 앉았다. 비토리아는 택시의 뒷문을 열고 랭던을 안으로 밀어넣었다. 그런 다음 자기도 랭던 옆으로 뛰어올랐다. 그녀가 지시했다.

"산타마리아 델 포폴로. 빨리!"

반쯤은 두렵고 흥분한 표정으로 운전사는 가속기를 밟았다. 차는 거리를 쏜살같이 내려갔다.

63

건서 글릭은 치니타 마크리에게서 컴퓨터를 가져왔다. 이제 치니타
는 비좁은 BBC 밴의 뒤편에 구부리고 앉아서, 혼란스런 표정으로 글
릭의 어깨 너머를 쳐다보았다.

몇 가지 단어를 입력해 넣으며 글릭이 말했다.

"내가 말했잖아. 《브리티시 태틀러》만이 이 사람들에 대한 이야기
를 싣는 게 아니라고."

마크리는 더 가까이 들여다보았다. 글릭의 말이 옳았다. BBC 데이
터베이스는 뛰어난 네트워크를 통해, 지난 10년 간 일루미나티라고
불리는 조직에 대한 여섯 개의 기사를 보여주었다.

'그래, 날 당황하게 만들어봐라.'

마크리는 이렇게 생각하며 물었다.

"이런 기사를 올린 기자는 대체 누구야? 싸구려 속물인가?"

"BBC는 싸구려 속물기자는 고용하지 않아."

"하지만 회사는 너를 고용했잖아."

글릭이 노려봤다.

"네가 왜 그렇게 회의적인지 모르겠어. 일루미나티는 역사를 통해

여러 문서에 잘 나와 있는 조직이라고."

"마녀도 마찬가지야. UFO, 네스 호의 괴물도 마찬가지고."

글릭이 기사 목록을 읽어내려갔다.

"윈스턴 처칠이라는 사람에 대해 들어봤어?"

"생각이 날 것도 같아."

"수개월 전에 BBC가 처칠의 인생에 대해서 역사물을 한 편 만들었어. 어쨌거나 처칠은 건실한 가톨릭 신자였지. 그런 처칠이 1920년에 일루미나티를 비난하고, 도덕성에 어긋나는 이 조직의 세계적인 음모를 영국 국민에게 경고하는 성명서를 발표했다는 것도 알고 있어?"

마크리는 의심스럽다는 얼굴이었다.

"그런 성명서가 어디에 실렸는데?《브리티시 태틀러》에?"

글릭이 미소를 지었다.

"《런던 헤럴드》. 1920년 2월 8일."

"말도 안 돼."

"직접 보고 즐겨봐."

마크리는 컴퓨터 모니터로 얼굴을 가까이 가져갔다.

'《런던 헤럴드》. 1920년 2월 8일이라. 뭐가 뭔지 모르겠군.'

"글쎄, 처칠은 편집증 환자였으니까."

"처칠만이 아니야."

목록을 더 읽어내려가며 글릭이 말했다.

"우드로우 윌슨은 1921년에 미국 은행 시스템을 점점 장악해가는 일루미나티에 대해 경고하는 라디오 방송을 세 차례나 한 것으로 보이는데. 라디오 필기록에서 따온 인용문을 직접 보고 싶어?"

"아니, 됐어."

하지만 글릭은 마크리에게 한 구절을 읽어줬다.

"우드로우 윌슨의 말이야. '세상에는 잘 조직화되고, 아주 은밀하고, 아주 완벽하며, 아주 빨리 스며드는 그런 힘이 존재한다. 이 조직을 비난할 때는 그들의 숨결이 미치지 않는 곳, 혹은 그들이 없는 곳에서 은밀하게 말하는 것이 좋을 것이다.'"

"그런 것에 대해서는 들어보지 못했어."

"1921년에 당신이 그저 꼬마였기 때문이겠지."

"말은 잘하는군."

마크리는 곧장 한대 쥐어박았다. 그녀는 자기 나이가 드러나 보인다는 것을 알고 있었다. 잿빛 머리카락이 마흔세 살인 그녀의 부스스한 까만 곱슬머리에 줄무늬를 그렸다. 그러나 염색을 하기에는 너무나 자존심이 강했다. 남부 침례교 신자인 그녀의 어머니는 딸에게 만족과 스스로 존경할 줄 아는 자긍심을 가르쳤다. 마크리의 어머니는 이렇게 타일렀다.

'네가 흑인 여성으로 태어났을 때, 네가 누구인지를 숨기려고 하지 말아라. 네가 숨기려고 하는 날이, 네가 죽는 날이다. 똑바로 서서 밝게 웃어라. 그래서 어떤 비밀이 너를 그렇게 웃게 만드는지 사람들이 궁금해지게 만들어라.'

"세실 로즈는 들어봤어?"

글릭이 물었다.

마크리가 고개를 들었다.

"영국인 금융업자?"

"그래. 로즈 장학제도를 창설했지."

"설마 나한테 그 사람도……"

"일루미나티 회원이야."

"허튼 소리."

"허튼 소리가 아니라 BBC에서 나온 얘기야. 1984년 11월 16일."

"우리 BBC가 '세실 로즈는 일루미나티 회원이었다' 라는 기사를 썼다고?"

"그랬다니까. 우리 회사 데이터베이스에 따르면, 로즈 장학제도는 세상에서 가장 빛나는 젊은 지성들을 일루미나티로 끌어들이기 위해 수백 년 전부터 조성된 기금이었대."

"말도 안 돼! 우리 삼촌도 로즈 장학금을 받은 학자셨다고!"

글릭이 윙크했다.

"빌 클린턴도 마찬가지야."

마크리는 이제 점점 화가 치밀었다. 그녀는 민심을 소란하게 만드는 조잡한 기사를 용납하지 않았다. 하지만 BBC에서 제공하는 기사들은 모두 신중히 조사하고 확인한 후에 내보내는 것임을 충분히 알고 있었다.

글릭이 말을 이어나갔다.

"여기에 네가 기억해둘 것이 있어. 1998년 3월 5일에 BBC가 보도한 내용이야. 국회의장인 크리스 멀린이 영국 의회의 모든 프리메이슨 의원들에게 그들의 입회를 선언하라고 요구했어."

마크리도 그 일은 기억하고 있었다. 그 결의는 결국 경찰과 판사를 포함하는 것까지 확대되었다.

"왜 그 일을 다시 꺼내는 거야?"

글릭이 데이터를 읽었다.

"……프리메이슨 내의 비밀 분파가 정치, 경제 시스템에 우려할 만한 영향력을 발휘하고 있음을 염려하는 바이다."

"맞아."

"꽤 소란을 떨었지. 의회 내의 프리메이슨 회원들이 격분했거든. 그럴 만도 했지. 의원 대다수는 교우관계와 자선사업을 위해 프리메이슨에 가입한 무고한 사람들로 판명났으니까. 그들이 조직의 과거 입회에 관해서는 알 도리가 없었어."

"입회 혐의."

기사를 훑어보며 글릭이 말했다.

"뭐가 됐든. 이 자료를 좀 봐. 갈릴레이까지 이르는 일루미나티를 추적한 기사들이야. 프랑스의 게레네, 스페인의 알룸브라도스. 심지어는 칼 마르크스와 러시아 혁명도 언급하고 있군."

"역사는 역사 자체를 다시 쓰는 법이야."

"좋아. 좀더 현대적인 것을 원해? 이걸 좀 보라고. 최근 《월스트리트저널》이 일루미나티에 관해 언급한 기사야."

이 말은 마크리의 귀를 잡아끌었다.

《월스트리트저널》?"

"지금 미국에서 가장 인기 있는 인터넷 컴퓨터 게임이 뭔지 맞춰볼래?"

"파멜라 앤더슨과 거시기하기."

"비슷해. 〈바이에른의 일루미나티 : 신세계 질서〉라는 게임이야."

마크리는 글릭의 어깨 너머로 기사를 들여다보았다.

"스티브 잭슨의 게임, 압도적인 히트를 치다…… 바이에른 지방에서 출현한 고대의 악마 숭배 조직이 세상을 접수한다는 내용을 담은 준 역사모험물로, 온라인에서도 찾아볼 수 있다……"

편치 않은 심정으로 마크리가 고개를 들었다.

"일루미나티 사람들이 기독교에 저항하는 이유가 뭐야?"

"단순히 기독교가 아니야. 일반적인 의미에서 종교지."

글릭은 머리를 곧추 세우고 싱긋 웃었다.

"하지만 우리가 방금 전에 받았던 전화를 생각해보면, 바티칸에 특별한 응어리 같은 게 그들의 심장에 맺힌 것 같아."

"이런, 이런. 전화를 건 인물이 당사자가 주장하는 그런 사람이라고 정말로 믿는 것은 아니겠지?"

"일루미나티의 사자(使者)? 네 명의 추기경을 죽일 준비를 하고 있다?"

글릭은 미소를 흘렸다.

"나야 물론 그 사람 말이 맞기를 바라지."

64

랭던과 비토리아가 탄 택시는 널찍한 스크로파 거리를 맹렬히 달려 겨우 1분 만에 도착했다. 막 8시가 되기 전에 택시는 포폴로 광장의 남쪽 편에 멈춰 섰다. 이탈리아 돈인 리라를 가진 게 없어서, 랭던은 미국 달러로 요금보다 과하게 택시비를 지불했다.

두 사람은 택시 밖으로 뛰어내렸다. 인기가 많은 로사티 카페의 야외에는 한 무리의 현지인들이 앉아 있었다. 그들의 웃음소리를 제외하면 광장은 조용했다. 로사티 카페는 이탈리아 문학가들에게 인기 있는 장소이다. 산들바람에 에스프레소와 페이스트리의 향이 묻어났다.

랭던은 판테온에서 저지른 실수 때문에 아직도 충격이 가시지 않은 상태였다. 하지만 광장을 힐끔 둘러본 것만으로도 그의 육감은 이미 번득였다. 광장은 일루미나티가 중요하게 여기는 요소들로 미묘하게 가득 차 있었다. 광장은 완벽한 타원형일 뿐만 아니라, 이집트의 오벨리스크가 중앙에 솟아 있다. 피라미드 꼭대기가 뚜렷하게 보이는 사각의 석재 기둥이다. 이탈리아 제국의 약탈의 남용이랄 수 있는 오벨리스크는 로마 전역에 산재해 있다. 기호학자는 이것을 두고 '우뚝 솟은 피라미드'라고 불렀는데, 하늘로 뻗은 오벨리스크가 신성한 피라미드 형상의 연장이라고 보았기 때문이다.

랭던의 눈동자가 오벨리스크를 따라올라가다, 갑자기 배경에 사로잡혔다. 뭔가 더 대단한 것이 있었다.

"우리가 장소를 맞게 찾아온 것 같습니다."

갑작스러운 걱정을 느끼며 랭던은 조용히 말했다.

"저걸 봐요."

랭던은 사람들의 눈길을 끄는 인상적인 포르타 델 포폴로를 가리켰다. 광장 저 끝에 아치 모양의 문이 높이 있었다. 둥근 천장의 아치형 돌문은 수백 년 동안 광장을 내려다보았을 것이다. 아치의 정중앙, 가장 높은 지점에는 하나의 상징이 새겨져 있었다. 랭던이 말했다.

"익숙하지요?"

비토리아가 거대한 문을 올려다보았다.

"삼각형의 돌무더기 위에 빛나는 별?"

랭던은 머리를 저었다.

"삼각형의 돌무더기가 아니라 피라미드죠. 그 위에 계몽의 원천이 있습니다."

갑자기 눈동자가 휘둥그레지며 비토리아가 돌아섰다.

"그럼…… 미국 지폐에 나오는 옥새처럼?"

"맞아요. 일 달러짜리 지폐에 있는 프리메이슨의 상징입니다."

비토리아는 숨을 깊이 들이쉬고 광장을 둘러보았다.

"그럼 그 망할 교회는 어디에 있는 거죠?"

산타마리아 델 포폴로 교회는 잘못 놓인 전함처럼 광장 남동쪽 구석의 언덕 아래에 비스듬히 서 있었다. 이 11세기의 석조 건물은 외관을 덮은 비계(飛階) 탑들 때문에 지저분해 보였다.

교회로 달려가는 동안 랭던의 생각은 얼룩지고 있었다. 그는 경이로운 시선으로 교회를 응시했다. 살인이 정말 이 안에서 벌어질 것인가? 그는 올리베티가 서둘러주기를 바랐다. 주머니에 든 총이 난처하게만 여겨졌다.

교회의 정면 계단은 입장객을 환영하듯 살짝 휘어 있었다. 하지만 이 경우에는 모순이었다. 교회는 비계와 보수 장비들로 막혀 있고, 경고를 알리는 안내판이 달려있었다.

공사중. 들어가지 마시오.

수리를 위해 교회가 문을 닫았다. 이는 살인자에게 남의 눈을 피할 수 있는 완전한 자유를 부여한다는 것을 랭던은 깨달았다. 판테온과는 다른 것이다. 여기서는 그 어떤 환상적인 속임수도 필요 없었다. 오직 안으로 들어가는 입구만 찾으면 된다.

비토리아는 주저 없이 톱질 받침대 사이를 지나 계단으로 향했다.

랭던이 주의를 줬다.

"비토리아, 만일 범인이 아직 이 안에 있다면……"

비토리아는 들리지 않는 것 같았다. 그녀는 교회의 유일한 입구인 나무문을 향해 계단을 올라갔다. 랭던은 비토리아의 뒤를 따라 서둘러 올라갈 수밖에 없었다. 그가 무슨 말을 꺼내기도 전에, 비토리아가 문 손잡이를 잡고 끌어당겼다. 랭던은 숨을 죽였다. 문은 꿈쩍도 하지 않았다. 비토리아가 말했다.

"분명히 다른 입구가 있을 거예요."

"아마 그럴 겁니다."

숨을 내쉬며 랭던은 이어 말했다.

"하지만 올리베티 사령관이 몇 분 안에 이리 올 겁니다. 안으로 들어가는 것은 너무 위험해요. 바깥에서 교회를 감시하고 있다가 누군가 나오면……"

눈을 빛내며 비토리아가 돌아섰다.

"만일 다른 입구가 있다면, 다른 출구도 있다는 말이에요. 범인이 사라지면, 우린 말 그대로 물먹는 거예요."

랭던은 비토리아가 옳다는 것을 깨달았다.

교회 오른편에 있는 골목길은 좁아지면서 어두웠다. 골목길 양 옆으로는 높은 담벼락이 있었고, 오줌 냄새가 났다. 술집이 공중화장실을 20대 1의 비율로 능가하는 도시에서는 흔한 향기였다.

랭던과 비토리아는 악취가 풍기는 어둠 속으로 서둘러 달려갔다. 그들이 14미터 정도 달렸을 때, 비토리아가 랭던을 팔을 붙잡고 가리켰다.

랭던도 보았다. 골목길 안쪽에 생각지 못한 나무문이 묵직한 경첩을 달고 서 있었다. 랭던은 이 문이 성직자를 위한 비공식적인 입구라는 것을 알아차렸다. 이런 용도의 문들 대부분은 벌써 수십 년 전부터 쓰지 못했다. 교회 주변에 들어선 다른 건물과 제한된 토지가 골목길에 자리한 교회의 측면 입구를 사용하기 불편하게 만든 것이다.

비토리아는 서둘러 문으로 다가갔다. 도착해서 문 손잡이를 내려다본 그녀는 당황한 얼굴로 변했다. 비토리아 곁으로 다가간 랭던은 손잡이가 있어야 할 곳에 도넛 모양의 특이한 고리가 달려있는 것을 보았다.

"고리손잡이로군요."

랭던이 속삭였다. 그는 손을 뻗어 고리를 조용히 들어올렸다. 그리고 자기 쪽으로 고리를 잡아당겼다. 문은 꼼짝도 안 했다. 비토리아가 갑자기 불안한 표정을 지었다. 랭던은 조용히 고리를 시계방향으로 돌려보았다. 고리는 어디에 걸리는 구석 없이 360도를 부드럽게 돌아갔다. 랭던은 눈살을 찌푸리고, 반대방향으로도 해보았지만 결과는 마찬가지였다.

비토리아는 앞으로 뻗은 골목길을 응시했다.

"다른 입구가 더 있을 것 같아요?"

랭던은 의심스러웠다. 르네상스 시대의 성당 대부분은 도시가 공격 당했을 경우를 대비해 임시변통의 요새로 활용할 수 있게끔 설계되었다. 따라서 출입 가능한 입구를 더 만드는 경우가 드물었다.

"만약 다른 입구가 더 존재한다면, 건물 뒤쪽 망루에 우묵하게 들어간 곳에 있을 겁니다. 입구라기보다는 탈출 통로라고 부르는 게 더 맞겠지만."

비토리아는 이미 움직이고 있었다.

랭던은 골목길 안쪽으로 더 깊이 들어갔다. 그의 양 옆으로 담장이 하늘 높이 치솟아 있었다. 어디에선가 8시를 알리는 종이 울렸다.

비토리아가 자기 이름을 불렀을 때, 랭던은 처음에는 그 소리를 듣지 못했다. 그는 창살이 있는 스테인드글라스 창문을 지나면서, 속도를 늦추어 교회 안을 들여다보려고 노력했다.

"로버트!"

비토리아의 목소리가 커다란 속삭임처럼 들려왔다.

랭던이 고개를 돌렸다. 비토리아는 골목길 끝에 있었다. 교회 뒤편을 가리키며, 랭던에게 손을 흔들었다. 랭던은 마지못해 잰걸음으로 그녀에게 다가갔다. 뒤쪽 담장 바닥에 툭 튀어나온 방벽 하나가 폭이 좁은 동굴 하나를 숨기고 있었다. 동굴은 교회의 토대와 곧장 이어지는 작은 통로 같았다.

"저게 입구일까요?"

비토리아가 물었다.

랭던이 고개를 끄덕였다.

'사실은 출구겠지. 하지만 그런 걸 이 자리에서 구체적으로 따질 필요는 없지.'

비토리아는 무릎을 꿇고 동굴 안을 살폈다.

"문을 살펴봐야겠어요. 열 수 있는지 말이에요."

랭던은 반대하려고 입을 열었지만, 비토리아가 그의 손을 잡고 입구로 끌었다.

"기다려요."

랭던이 말했다.

비토리아가 조바심을 내며 랭던을 돌아다보았다.

랭던이 한숨을 토해냈다.

"내가 먼저 들어가겠습니다."

비토리아가 놀란 표정을 지었다.

"기사도 정신을 발휘하는 거예요?"

"미인보다는 노인이 우선이니까."

"그거 칭찬인가요?"

랭던은 웃으며 비토리아를 지나쳐 어둠 속으로 걸어갔다.

"계단 조심해요."

한 손으로 벽을 짚고, 랭던은 천천히 어둠으로 빠져들었다. 손가락 끝에 닿는 돌은 날카로웠다. 순간 랭던은 다이달로스의 고대 신화를 떠올렸다. 미노타우로스의 미로를 걸으며 벽에 손을 짚고 움직이는 소년은, 벽에서 손을 떼지 않는 한 미로의 끝을 찾을 수 있음을 알고 있었다. 랭던은 자신이 통로의 끝에 닿기를 바라는 것인지, 확신하지 못한 채 앞으로 움직였다.

통로가 조금씩 좁아지자, 랭던은 걸음을 늦췄다. 비토리아가 뒤에 가까이 오는 것이 느껴졌다. 길이 왼쪽으로 꺾이자, 반원형으로 움푹 들어간 장소가 나타났다. 이상하게도 여기에는 희미한 빛이 있었다. 어둠 속에서 랭던은 육중한 나무문의 존재를 어렴풋이 인식했다.

"어, 어."

랭던이 신음했다.

"잠겼어요?"

"잠겨 있었던 것 같습니다."

"잠겨 있었던 것 같다니요?"

랭던 옆으로 다가와 비토리아가 물었다.

랭던은 가리켰다. 약간 열린 문 틈으로 한 줄기 빛이 새어나왔다……
출입문의 경첩이 아직도 문짝에 박혀 있는 부러진 막대기 때문에 부
서져 있었다.

두 사람은 순간 침묵에 빠졌다. 그런 뒤 어둠 속에서 랭던은 자기
가슴을 더듬는 비토리아의 손을 느꼈다. 여자의 손은 랭던의 재킷 안
으로 미끄러져 들어갔다.

"긴장을 푸세요, 교수님."

비토리아가 말했다.

"그냥 총을 빼는 중이에요."

그 순간 바티칸 박물관 안에서는 스위스 근위병 기동부대가 사방으
로 흩어져 수색 작전을 펼쳤다. 박물관 안은 어두웠고, 병사들은 미국
해군이 인증한 적외선 안경을 착용했다. 적외선 안경은 모든 것을 음
산한 초록색으로 보이게 했다. 병사들은 모두 안테나처럼 생긴 탐지
기와 연결된 헤드폰을 끼고 있었다. 이 탐지기는 그들이 1주일에 두
번씩 바티칸 내부의 전자 도청장치를 제거하기 위해 사용하는 장치였
다. 기동부대는 조상 뒤, 벽감 안, 장롱, 가구 밑을 체계적으로 조사하
며 움직였다. 아주 미세한 자기장이라 할지라도, 안테나가 뭔가를 감
지하면 탐지기는 소리를 낼 것이다.

하지만 오늘 밤, 그들은 아직 어떤 탐지 신호도 듣지 못했다.

65

흐릿한 불빛 속에서 산타마리아 델 포폴로의 실내는 어두침침한 동굴 같았다. 교회라기보다는 반쯤 공사를 마친 지하철역 같기도 했다. 교회의 본당은 부서진 마룻바닥에 벽돌 운반용 받침대, 먼지더미, 일륜차, 그리고 녹슨 괭이들로 가득 차 마치 장애물 코스를 조성해놓은 듯했다. 바닥에서 솟아오른 거대한 기둥들이 둥근 지붕을 떠받치고 있었다. 스테인드글라스를 통해 들어온 흐릿한 빛 속에서 미세한 먼지가 공기 중에 느릿느릿 떠다녔다. 랭던은 핀투리키오의 프레스코화 아래에 비토리아와 함께 있었다. 그리고 무미건조한 성소의 실내를 둘러봤다.

움직이는 것은 아무것도 없었다. 침묵뿐이다.

비토리아는 손을 앞으로 모아 양손으로 총을 쥐었다. 랭던은 손목시계를 확인했다. 오후 8시 4분. 그는 생각했다.

'우리가 여기에 있는 것은 미친 짓이야. 너무 위험해.'

만약 살인범이 이 안에 있다면, 놈은 자기가 원하는 어떤 문으로도 나갈 수 있었다. 교회 밖에서 총 한 자루를 들고 감시하는 것은 전혀 쓸모가 없을 터였다. 안에 있는 범인을 잡는 것…… 만일 범인이 아직이 안에 있다면, 그게 놈을 잡을 수 있는 유일한 방법이다. 판테온에서 기회를 날려버린 대 실수 때문에 랭던은 죄책감을 안고 있었다. 이제 와서 신중을 고집할 만한 입장도 아니었다. 모두를 이 구석으로 몰아넣은 것은 자신이기 때문이다.

교회를 둘러보고, 비토리아는 난처한 표정을 지으며 속삭였다.

"키지 성당은 어디에 있는 거죠?"

랭던은 어둑어둑해서 잘 보이지 않는 교회 뒤쪽을 응시하며, 벽을 살폈다. 보편적인 인식과는 반대로 르네상스 시대의 교회는 항상 여러 개의 성당을 가지고 있는데, 노트르담 같은 대성당은 성당 숫자가 열두 개나 되었다. 성당은 방이라기보다는 빈 공간, 즉 교회의 벽 둘레에 무덤을 보관한 반원형의 벽감이라고 할 수 있었다.

'나쁜 소식이로군.'

양쪽 벽에 네 개씩의 벽감이 있는 것을 보며 랭던은 생각했다. 모두 여덟 개의 성당이 있는 셈이다. 여덟 개가 유독 많은 숫자는 아니지만, 여덟 개 입구 모두가 공사 때문에 거대한 폴리우레탄 장막으로 가려져 있었다. 반투명한 폴리우레탄 장막은 분명 벽감 안쪽의 무덤에 먼지가 못 들어가도록 해놓은 배려였다. 랭던이 입을 열었다.

"키지 성당은 장막이 드리워진 벽감들 중 하나일 겁니다. 일일이 들여다보지 않고서는, 어느 게 키지 성당인지 알 방법이 없습니다. 올리베티 사령관을 기다려야 할 합당한 이유가……"

"어느 것이 왼쪽 두 번째 후진(後陣)이죠?"

비토리아가 물었다.

건축학 용어로 묻는 질문에 놀라며, 랭던이 그녀를 찬찬히 관찰했다.

"왼쪽 두 번째 후진?"

비토리아가 랭던 뒤의 벽을 가리켰다. 돌에 장식처럼 박힌 타일에는 그들이 바깥 광장에서 본 상징과 똑같은 것이 새겨져 있었다. 빛나는 별 밑에 하나의 피라미드. 이 상징 옆에는 먼지와 때로 더러워진 현판에 다음과 같은 글귀가 있었다.

　　알렉산더 키지의 문장(紋章)
　　키지의 무덤은 이 교회의 왼쪽 두 번째 후진에 있습니다.

랭던은 고개를 끄덕였다.
'키지의 문장이 피라미드와 별이었다는 말인가?'
갑자기 랭던은 부유한 후원자였던 키지가 일루미나티 회원이었는지 궁금해졌다. 그는 비토리아에게 고개를 끄덕였다.
"잘했습니다, 낸시 드류*."(낸시 드류 : 미국에서 방영된 TV 시리즈 〈용감한 형제〉에 등장하는 아마추어 탐정의 이름.)
"뭐라고요?"
"아니에요. 나는……"
불과 몇 미터밖에 안 떨어진 곳에서 금속 조각이 바닥에 부딪히는 소리가 났다. 그 소리는 교회 전체에 울려퍼졌다. 비토리아가 재빨리 총을 들어 소리가 난 쪽을 조준할 때, 랭던은 그녀를 기둥 뒤로 끌고 갔다. 침묵. 두 사람은 기다렸다. 다시 소리가 났다. 이번에는 부스럭거리는 소리였다. 랭던은 숨을 참았다.
'이 안으로 들어오는 것을 내가 말렸어야 했어!'
소리가 가깝게 다가왔다. 절름발이처럼 뭔가 질질 끄는 소리가 간헐적으로 들렸다. 갑자기 기둥 바닥 부근에서 어떤 물체가 시야에 들어왔다.
"으, 더러운 녀석!"
뒤로 펄쩍 물러서며 비토리아가 숨을 내쉬며 저주의 말을 쏟았다. 랭던도 그녀와 함께 뒤로 물러섰다.
기둥 옆에는 거대한 쥐 한 마리가 있었다. 누군가 반쯤 먹다버린 봉투에 든 샌드위치를 질질 끌고 가던 중이었다. 두 사람을 본 쥐도 멈

쥐 섰다. 그리고 비토리아가 들고 있는 총을 잠시 빤히 응시했다. 쥐는 꼼짝 않고 있다가, 자기 수확물을 교회의 벽감 안으로 다시 질질 끌고 갔다.

"저놈의 망할……"

맹렬히 뛰는 심박동을 느끼며 랭던은 헐떡였다.

재빨리 평정을 되찾은 비토리아는 총을 내렸다. 랭던은 기둥 주변을 둘러보다가, 바닥에 나뒹구는 공사 인부의 점심 도시락을 보았다. 수완이 비상한 쥐들이 톱질 받침대를 갉아서 넘어뜨린 것이 분명했다.

몸을 숨기고 있던 기둥에서 나와 교회 안을 둘러보며 랭던이 속삭였다.

"만일 살인자가 이 안에 있다면, 우리가 내지른 소리를 분명히 들었을 겁니다. 올리베티 사령관을 기다리지 않을 겁니까?"

비토리아는 같은 말을 반복했다.

"왼쪽 두 번째 후진. 그게 어디죠?"

랭던은 마지못해 돌아서서, 주변을 파악하려고 노력했다. 교회를 지칭하는 용어는 완전히 반직관적이라는 점에서 무대 감독과 비슷했다. 랭던은 교회의 중앙 제단을 마주보고 섰다.

'무대의 중심.'

그런 뒤에 엄지손가락을 들어 어깨 뒤로 가리켰다.

두 사람 모두 돌아서서 랭던의 엄지손가락이 어디를 가리키는지 보았다.

키지 성당은 그들의 오른쪽에 있는 네 개의 벽감들 중 세 번째에 자리한 것 같았다. 좋은 소식은 랭던과 비토리아가 교회의 오른편에 서 있다는 것이고, 나쁜 소식은 그들이 키지 성당에서 먼 쪽에 있다는 것이었다. 그들은 교회를 따라 반투명한 폴리우레탄 장막이 씌워진 다른 두 개의 성당을 지나, 키지 성당까지 내려가야만 했다.

"기다려요. 내가 먼저 가겠습니다."

랭던이 말했다.

"멈춰요."

"판테온에서 일을 망친 사람은 나입니다."

비토리아가 돌아섰다.

"하지만 총을 갖고 있는 사람은 나예요."

비토리아의 눈동자에서 랭던은 그녀가 무엇을 생각하는지 볼 수 있었다……

'아버지를 잃은 사람은 나예요. 대량 살상무기의 창조를 도운 사람도 나예요. 살인자를 무릎 꿇게 하는 것은 내 몫이에요……'

랭던은 자기 의도가 헛된 노력임을 깨닫고, 비토리아를 앞장세웠다. 그는 교회의 동쪽 편을 따라 조심스럽게 비토리아 옆에서 움직였다. 장막이 드리워진 첫 번째 벽감을 지날 때, 랭던은 초현실적인 게임 쇼에 참가한 사람처럼 신경이 팽팽하게 곤두서는 것을 느꼈다. 그는 생각했다.

'나는 세 번째 장막을 치우는 거야.'

교회 안은 조용했다. 두꺼운 석벽이 바깥세계의 모든 소음을 차단시켰다. 그들이 서둘러 첫 장막을 지나 다음 벽감으로 향할 때, 흐릿한 장막 뒤에서 인간의 형태처럼 보이는 물체가 유령처럼 너울거렸다.

'대리석 조각이겠지.'

랭던은 자기 판단이 맞기를 기원했다. 이제 시간은 밤 8시 6분. 살인범은 정확한 시간에, 랭던과 비토리아가 들어오기 전에 이미 교회를 빠져나갔을까? 아니면 아직 이 안에 있을까? 랭던은 자신이 어느 쪽 시나리오를 더 마음에 들어하는지 알 수가 없었다.

두 사람이 두 번째 벽감을 지나치자, 교회 내부가 음산하게 조금씩 더 어두워졌다. 이제 밤이 재빨리 내려앉는 모양이었다. 스테인드글라스 창문에 곰팡이 핀 자국이 어둠을 강조하였다. 그들이 지나갈 때, 마치 어느 틈새에서 바람이 들어온 것처럼 그들 옆의 비닐 장막이 갑자기 펄럭였다. 랭던은 누군가 어디에서 문을 연 것이 아닌지 궁금했다.

비토리아가 그들 앞에 희미하게 모습을 보이는 세 번째 벽감으로 천천히 다가갔다. 그녀는 총을 앞으로 들고, 벽감 옆에 있는 현판으로 머리를 들었다. 화강암에는 두 단어가 새겨져 있었다.

키지 성당

랭던이 고개를 끄덕였다. 소리를 내지 않고 두 사람은 벽감의 입구 구석으로 다가갔다. 그리고 몸을 널찍한 기둥 뒤로 숨겼다. 비토리아는 장막 한구석에 총을 조준했다. 그런 다음 랭던에게 장막을 걷으라는 신호를 보냈다. 랭던은 생각했다.

'예배를 시작하기에 적당한 시간이로군.'

머뭇거리면서 랭던은 비토리아의 어깨 너머로 손을 뻗었다. 그리고 가능한 한 조심스럽게 장막을 한 쪽으로 끌어당겼다. 시끄러운 소리를 내며 장막이 조금 움직였다. 두 사람 모두 얼어붙고 말았다. 침묵. 잠시 후 느린 동작으로 비토리아가 몸을 앞으로 내밀고, 좁은 틈새로 안을 살폈다. 랭던은 그녀의 어깨 너머로 살펴보았다.

잠시 그들 중 누구도 숨을 쉬지 않았다.

"비어 있어요."

총을 내리며 마침내 비토리아가 말했다.

"우리가 너무 늦은 모양이에요."

랭던에게는 그 말이 들리지 않았다. 경외감에 사로잡힌 그는 다른 세계에 가 있었다. 지금까지 살아오면서 이렇게 생긴 성당은 결코 상상도 못했다. 전체가 밤색 대리석으로 마무리된 키지 성당은 숨이 넘어갈 정도로 감탄스러웠다. 랭던의 훈련된 눈은 성당의 이모저모를 꿀꺽꿀꺽 게걸스럽게 먹어치웠다. 마치 갈릴레이와 일루미나티가 이곳을 설계한 것처럼 키지 성당은 그가 헤아릴 수 없을 만큼 지상의 요소들로 가득 차 있었다.

머리 위의 둥근 천장은 별들과 일곱 개의 천문 행성으로 빛났다. 그 아래에는 천문학에 뿌리를 둔, 이교도적인 흙의 상징인 열두 개의 궁도가 있었다. 이 12궁도는 흙, 공기, 불, 물과 직접 연계되어…… 각각 힘, 지성, 열정, 감정을 나타냈다. 랭던은 떠올렸다.

'흙은 힘을 나타낸다.'

벽 안쪽에는 땅 위에서 일어나는 사계절에 대한 헌사가 있었다. 봄, 여름, 가을, 겨울. 이런 것보다 훨씬 놀라운 것은 방을 지배하는 거대한 두 개의 구조물이었다. 랭던은 경이로움에 휩싸여 말없이 그것을 응시했다. 랭던은 생각했다.

'그럴 리 없어. 그럴 리가 없어!'

하지만 사실이었다. 성당 양쪽에는 완벽한 대칭을 이룬, 3미터 높이의 대리석 피라미드 두 개가 서 있었다.

비토리아가 속삭였다.

"추기경이 안 보여요. 살인범도 안 보이고요."

그녀는 장막을 한쪽으로 치우고, 안으로 발을 들였다.

랭던의 눈은 피라미드에 고정되었다.

'피라미드가 가톨릭 교회 안에서 무엇을 하고 있는 걸까?'

믿을 수 없게도 거기에는 뭔가가 더 있었다. 각각의 피라미드 정면 중앙에는 황금색의 메달이 박혀 있었다…… 랭던이 처음 보는 메달이었다…… 완벽한 타원형의 메달. 둥근 천장으로 비쳐드는 저물어가는 햇살 속에서 잘 닦인 메달이 반짝거렸다.

'갈릴레이의 타원인가? 피라미드는? 별을 그려놓은 둥근 천장은?'

이 방은 랭던이 상상할 수 있는 어떤 방보다 일루미나티가 중요하게 여기는 상징들로 가득했다.

"로버트?"

비토리아가 갈라진 목소리로 불쑥 내뱉었다.

"저기를 봐요!"

몸을 돌려 비토리아가 가리키는 곳으로 눈길을 보내자, 랭던은 현실로 돌아왔다. 뒤로 펄쩍 물러서며 그가 소리쳤다.

"제기랄!"

바닥에서 두 사람을 비웃고 있는 것은 해골 형상이었다. '날아가는 죽음'을 정교하고 꼼꼼하게 묘사한 대리석 모자이크로 해골은 현판을 운반하고 있었다. 그 현판에는 비토리아와 랭던이 교회 밖에서 본 피라미드와 별이 똑같이 그려져 있었다. 하지만 랭던의 피를 얼어붙게 만든 것은 해골 형상이 아니었다. 해골 모자이크는 맨홀 뚜껑 같은 둥근 돌 위에 장식되었는데, 지금 이 둥근 돌 뚜껑은 바닥에 시커먼 구멍을 드러낸 채 한쪽으로 치워져 있었다.

"악마의 구멍이로군."

랭던은 숨이 막혔다. 성당의 천장에 압도되어, 바닥의 둥근 모자이크는 미처 못 보았다. 그는 주저하며 구멍으로 다가갔다. 구멍에서 올라온 악취가 진동했다.

비토리아가 손을 입으로 가져갔다.

"어휴, 이 냄새."

"악취가 심하군요. 부패한 뼈들에서 나는 겁니다."

소맷자락으로 코를 가리고 숨을 쉬며, 랭던은 구멍 위로 몸을 내밀었다. 그리고 아래를 살폈다. 암흑.

"아무것도 안 보입니다."

"누군가 밑에 있다고 생각해요?"

"알 수 없죠."

썩어가는 나무 사다리가 구멍 안에 걸쳐 있는 것을 비토리아가 가리켰다.

랭던이 머리를 저었다.

"절대 안 됩니다."

"바깥 연장통에 전등이 있을지도 몰라요. 가서 찾아볼게요."

악취를 피해 도망칠 구실을 찾는 것처럼 비토리아는 열심이었다.

"조심해요! 살인자가 어디에 있는지, 아직 확실히 모르……"

랭던이 경고했다. 하지만 비토리아는 이미 사라지고 없었다.

'정말 의지 하나는 강한 여인이야.'

구멍을 다시 내려다보자 냄새 때문에 가벼운 현기증이 일었다. 숨을 참으며, 랭던은 구멍 아래로 머리를 들이밀었다. 그리고 어둠 속을 관찰했다. 천천히 그의 눈이 어둠에 익숙해지자, 아래의 희미한 형체들이 눈에 들어오기 시작했다. 구덩이는 작은 방처럼 보였다.

'악마의 구멍.'

키지 가문의 얼마나 많은 가족이 별다른 형식 없이 이 구멍 속으로 던져졌을지 궁금했다. 랭던은 좀더 잘 볼 수 있도록 동공을 확대시키기 위해 눈을 감고 기다렸다. 다시 눈을 떴을 때, 어둠 속에 희미한 형체가 떠있는 게 보였다.

'내가 뭘 보는 걸까? 저건 사람 몸인가?'

형체가 사라졌다. 랭던은 눈을 감고 다시 기다렸다. 이번에는 좀더 오랫동안 감고 있었다. 이제 다시 눈을 뜨면 아주 흐릿한 빛이라도 감지할 수 있을 것이다.

현기증이 몰려오고, 그의 사고는 암흑 속에서 어슬렁거렸다.

'단 몇 초만이라도 더.'

현기증의 원인이 들이마시는 악취 때문인지, 머리를 아래로 처박고 있기 때문인지는 확실하지 않았다. 하지만 랭던은 분명 구토기를 느꼈다. 마침내 다시 눈을 떴을 때, 그의 앞에 있는 상(像)은 설명하기 어려운 것이었다.

랭던은 이제 기괴한 푸른 불빛에 감싸인 토굴을 응시하였다. 희미하게 웟웟거리는 소리가 귀에서 울리는 것 같았다. 구멍 통로의 가파른 벽에서 빛이 깜박였다. 갑자기 긴 그림자가 그의 몸을 덮쳤다. 너무 놀란 랭던은 민첩하게 뒤로 물러났다.

"조심해요!"

뒤에서 누군가 소리쳤다.

돌아보기도 전에 랭던은 뒷목덜미에 날카로운 통증을 느꼈다. 그는 비토리아가 램프를 자신에게서 멀리 치우는 것을 보았다. 쉭쉭 소리를 내며 타오르는 불꽃이 푸른 불빛을 성당 주위로 뿌렸다.

랭던은 자기 목을 움켜쥐었다.

"도대체 무얼 한 겁니까?"

"당신에게 불빛을 비춰주었는데, 갑자기 당신이 뒤로 물러서지 뭐예요."

랭던은 비토리아의 손에 들린 램프를 노려보았다.

"이게 내가 구할 수 있는 최선이었어요. 전등이 없더라고요."

랭던은 목을 문질렀다.

"당신이 오는 소리를 못 들었어요."

토굴의 악취에 다시 얼굴을 찡그리며, 비토리아는 랭던에게 램프를 건넸다.

"저 구멍 안의 악취가 불붙기 쉬운 가스일까요?"

"그러지 않기를 바랍시다."

랭던은 램프를 받아서, 구멍 쪽으로 천천히 움직였다. 그리고 신중하게 구멍 가장자리로 다가가, 불빛을 구멍 안으로 비춰보았다. 토굴 안의 주변 벽이 환해졌다. 램프를 이리저리 비춰보자, 토굴의 윤곽을 대체로 알아볼 수가 있었다. 토굴은 지름이 대략 6미터쯤 되는 원형이었다. 불빛이 9미터 아래의 바닥을 비추었다. 바닥은 얼룩덜룩하고 어두웠다. 흙이 깔려 있는 것 같았다. 그런 뒤에 랭던은 사람을 보았다.

랭던의 본능이 뒷걸음질치게 만들었다.

"저 안에 사람이 있습니다."

몸을 돌리지 말고 똑바로 들여다보라고 자신에게 명령을 내리며 랭던은 말했다. 땅바닥에 사람의 형상이 희미하게 드러나 보였다.

"벌거벗은 남자 같습니다."

순간 그에게 레오나르도 베트라의 벌거벗은 시체가 떠올랐다.

"추기경들 중 한 명일까요?"

랭던은 알 수가 없었다. 하지만 저 밑바닥에 있는 사람이 추기경이 아닌 다른 사람이라고는 상상하기 힘들었다. 그는 윤곽이 흐릿한 창백한 형체를 응시했다. 움직임이 없었다. 기절한 것 같았다.

'그럼 아직······.'

랭던은 망설였다. 몸의 자세가 어쩐지 매우 이상했다. 마치······ 랭던은 소리쳐 불러보았다.

"여보세요?"

"살아 있는 것 같아요?"

아래에서 들려오는 응답이 없었다. 랭던이 말했다.

"움직이지 않습니다. 하지만 저 모습은······"

'아니야, 그건 불가능해.'

"모습이 뭐요?"

비토리아도 이제 구멍 가장자리로 와서 안을 들여다보았다.

랭던은 눈을 가늘게 뜨고 어둠 속을 응시했다.

"서 있는 것 같습니다."

비토리아는 숨을 멈추고, 더 잘 보기 위해서 구멍 쪽으로 얼굴을 낮추었다. 잠시 후에 뒤로 물러나며 비토리아가 외쳤다.

"당신 말이 맞아요. 서 있어요! 어쩌면 아직 살아서 도움을 필요로 하는지도 몰라요!"

그녀는 구멍 안에 대고 소리쳤다.

"이봐요? 내 말 들리나요?"

이끼 낀 토굴 안에서 메아리는 울리지 않았다. 오직 침묵뿐이었다. 비토리아가 곧 무너질 것 같은 낡아빠진 사다리로 향했다.

"내려가야겠어요."

랭던이 비토리아의 팔을 붙잡았다.

"안 됩니다. 위험해요. 내가 가겠습니다."

이번에는 비토리아도 반박하지 않았다.

66

치니타 마크리는 화가 났다. 그녀는 토마첼리 거리 구석에서 빈둥
거리고 있는 BBC 밴 차량의 조수석에 앉아 있었다. 건서 글릭은 길을
잃은 것이 분명했다. 글릭은 로마 지도를 살피고 있었다. 미스터리에
싸인 남자가 구체적인 정보를 가지고 다시 전화를 걸었을 때 그녀는
두려움을 느꼈다. 글릭은 주장했다.

"포폴로 광장이야. 우리가 찾아야 할 곳이 그곳이라고. 거기에 교회
가 있고, 그 안에 증거가 있댔어."

"증거라."

마크리는 손에 든 안경을 닦다 말고, 글릭을 향해 돌아앉았다.

"추기경이 살해되었다는 증거?"

"그게 전화한 남자의 말이야."

"네가 들은 모든 것을 그대로 믿는다는 말이야?"

종종 그렇듯이, 마크리는 자기가 책임자였으면 싶었다. 하지만 카메
라 기자는 그들이 촬영해줘야 하는 미친 취재기자들의 변덕에 시달려
야 했다. 만일 건서 글릭이 전화로 걸려온 그 말도 안 되는 단서를 따
라가고 싶어하면, 마크리는 가죽 끈에 매인 개와 마찬가지 신세였다.

마크리는 운전석에 자리잡은 건서 글릭을 쳐다보았다. 그의 턱이 꽉 다물려 있었다. 건서 글릭이라는 우스운 이름을 아들에게 지어준 이 남자의 부모는 좌절한 코미디언임이 틀림없다고 생각했다. 세상에 뭔가를 증명하고 싶어하는 이 남자에게 놀랄 거리는 없었다. 그의 재수 없는 평범함이나 뭔가 족적을 남기고 싶어하는 짜증나는 열성에도 불구하고, 글릭은 다정한 사람이었다…… 흐물흐물하고 영국 사람답게 소심하고 느슨한 성격이라 매력적이기도 했다. 리튬 원소 위의 휴 그랜트처럼 말이다.

마크리는 최대한 인내심을 가지고 충고했다.

"산 피에트로 광장으로 돌아가야 하지 않겠어? 이 미스터리는 나중에 살펴볼 수 있을 거야. 교황 선거회의가 한 시간 전에 시작되었어. 우리가 자리를 비운 사이 추기경들이 새 교황을 뽑으면 어떡하지?"

글릭은 안 듣는 것 같았다.

"여기에서 오른쪽으로 꺾어야 할 것 같아."

지도를 기울이며 글릭은 다시 궁리를 계속했다.

"맞아, 오른쪽 길로 가다가…… 다음에 즉시 왼쪽으로."

글릭은 그들 앞의 폭이 좁은 길로 차를 몰고 나갔다.

"조심해!"

마크리가 고함을 질렀다. 카메라 촬영기자답게 그녀의 눈은 날카로웠다. 교차로 진입을 멈추려고 글릭이 브레이크를 급히 밟았을 때, 일렬로 늘어선 알파 로메오 넉 대가 어디선가 나타나 굉음을 울리며 쏜살같이 지나갔다. 일단 교차로를 지나간 알파 로메오 차량들은 갑자기 속도를 줄이며 쭉 미끄러지더니, 한 블록 앞선 곳에서 왼쪽으로 급히 틀었다. 글릭이 가려고 마음먹었던 길과 똑같은 방향이었다.

"미친놈들!"

치니타가 소리쳤다.

글릭은 얼빠진 얼굴이었다.

"저것 봤어?"

"그래, 봤어! 저 차들이 우리를 죽일 뻔했다고!"

갑자기 목소리에 흥분을 띠며 글릭이 말했다.

"아니, 내 말은 차들 말이야. 모두 같은 차였어."

"그러니까 생각할 필요 없이 미친놈들이지."

"차들마다 사람이 가득 타고 있었어."

"그래서 그게 뭐?"

"넉 대의 똑같은 차에 승객이 네 명씩 다 탔다?"

"카풀이라는 것도 못 들어봤나?"

"이탈리아에서?"

글릭이 교차로를 살폈다.

"무연휘발유도 들어보지 못한 곳이 여기야."

가속기를 밟으며 글릭은 알파 로메오 자동차들을 쫓아 달리기 시작했다.

마크리는 뒤로 나자빠졌다.

"지금 뭘 하는 거야?"

글릭은 속도를 줄여, 앞서 간 차들처럼 왼쪽으로 밴을 꺾었다.

"지금 교회로 향하는 사람이 당신과 나만이 아니라는 것을 말해주는 거야."

67

랭던은 천천히 내려갔다.

그는 삐걱거리는 사다리 다리를 차례로 밟고 내려갔다…… 키지 성당의 바닥 밑으로 더욱 깊이.

'악마의 구멍 속으로.'

벽을 따라 빈 공간으로 내려가면서, 랭던은 사람이 하루에 어둡고 밀폐된 공간을 얼마나 많이 마주칠 수 있는지 궁금했다. 발을 디딜 때마다 사다리에서 신음이 났다. 썩은 살에서 풍기는 독한 냄새와 축축함은 사람을 질식시킬 것 같았다. 랭던은 올리베티가 도대체 어디에 있는지 의아했다.

랭던의 길을 밝혀주느라, 램프를 들고 구멍 안을 비추는 비토리아의 모습이 아직은 보였다. 어둠 속으로 점점 깊이 내려갈수록, 위에서 비치는 푸르스름한 불빛이 점점 희미해졌다. 강해지는 것은 오직 악취뿐이었다.

사다리 계단을 열두 개 내려갔을 때 일이 벌어졌다. 랭던의 발이 낡아서 미끄러운 사다리 계단을 밟았을 때, 중심을 잃고 비틀거렸다. 바닥에 수직으로 떨어지는 것을 피하려고, 랭던은 몸을 앞으로 던져 팔

뚝으로 사다리를 붙잡았다. 욱신거리는 팔뚝의 타박상을 저주하며 랭던은 사다리 쪽으로 몸을 끌어당겼다. 그리고 하강을 계속했다.

계단 세 개를 더 내려갔을 때, 그는 다시 떨어질 뻔했다. 하지만 이번 재앙을 부른 것은 계단이 아니었다. 갑작스럽게 찾아온 두려움이었다. 랭던은 자기 앞에 구멍이 숭숭 난 벽을 보면서 내려갔다. 그러다 문득 해골과 얼굴을 마주하고 있음을 깨달은 것이다. 숨을 멈추고 주위를 둘러보자, 이 높이의 벽에는 벌집 모양의 시렁처럼 구멍이 뚫려 있고, 구멍 안에 모두 해골들이 들어차 있음을 알게 되었다. 주위에서 깜박거리는 인광 속에 눈자위가 빈 해골들과 썩어가는 갈비뼈들이 오싹한 콜라주를 형성했다.

'불빛 옆의 해골들.'

바로 지난달에 이와 비슷한 밤을 참아야 했던 일이 떠올라, 랭던은 얼굴을 찌푸렸다.

'뼈와 불꽃의 밤.'

뉴욕 고고학 박물관에서 열린 촛불 자선만찬회였다. 브론토사우루스의 해골 그늘 아래에 연어 플람베가 차려졌다. 그는 레베카 슈트라우스의 초대를 받아 만찬에 참석했다. 레베카 슈트라우스는 한때 모델이었다가, 지금은 《타임》지에서 예술평론가로 활동했다. 까만 벨벳을 몸에 휘감고, 담배를 입에 문 채 대담하게 가슴을 강조한 그녀는 그 뒤로 랭던에게 두 번이나 전화했지만, 랭던은 답신을 안 했다.

'가장 비신사적인 거절.'

레베카 슈트라우스가 얼마나 오랫동안 그런 모욕을 참아낼지 궁금해하며 랭던은 자신을 꾸짖었다.

마지막 계단을 내려와 발이 푹신한 바닥에 닿은 것을 느끼고 랭던은 안도했다. 발밑의 땅은 축축하게 느껴졌다. 벽이 자기 주위로 다가오지 않는다고 자신에게 확신시키면서, 그는 납골당을 둘러봤다. 지름이 6미터 정도 되는 원형 토굴이다. 다시 소맷자락으로 코를 막은 채 숨을 쉬며, 시선을 남자의 몸으로 향했다. 희미한 어둠에서 형체는 몽롱했다. 흰 살결에 살이 좀 붙은 사람 같았다. 반대쪽을 보고 있었다. 움직임은 없었다. 침묵.

어두침침한 납골당을 지나면서 랭던은 자기가 보는 것이 무엇인지를 이해하려고 애썼다. 남자가 랭던에게 등을 보이고 있어서, 얼굴을 볼 수는 없었다. 하지만 정말 서 있는 것처럼 보였다.

"여보세요?"

소맷자락으로 얼굴을 가려서 랭던은 목이 메었다. 상대는 아무런 대꾸도 없었다. 좀더 가까이 다가가자, 남자의 키가 아주 작다는 것을 깨달았다.

'너무 작은데……'

"무슨 일이에요?"

불빛을 흔들며 비토리아가 위에서 물어왔다.

랭던은 대답하지 않았다. 이제 그는 모든 것을 똑똑히 볼 수 있을 정도로 가까이에 있었다. 혐오감에 몸을 떨면서 랭던은 알아차렸다. 납골당이 그의 주위로 오그라드는 것 같았다. 땅바닥에서 악마처럼 솟아난 형체는 노인이었다…… 그것도 몸의 절반만 땅에서 나와 있었다. 나머지 절반은 땅 속에 묻혀 있기 때문에 똑바로 선 것처럼 보였던 것이다. 노인은 발가벗겨져 있었다. 그리고 손은 등 뒤에서 붉은 추기경의 허리띠로 묶여 있었다. 소름끼치는 펀칭백처럼 척추가 뒤로 휘어졌고, 시체는 힘없이 위를 보고 있었다. 머리가 뒤로 젖혀진 채, 눈동자는 신에게 도움을 청하듯 하늘을 향했다.

"죽었어요?"

비토리아가 소리쳤다.

랭던은 시신 곁으로 다가갔다.

'이 사람을 위해 차라리 죽었기를 바랍니다.'

시신에서 한두 발자국을 남겨두고, 랭던은 시체의 치켜뜬 눈을 내려다보았다. 파란 눈동자가 충혈된 채 붕어눈처럼 밖으로 부풀어 있었다. 랭던은 숨결이 들리는지 시체의 얼굴로 몸을 숙이다가, 즉시 일어서고 말았다.

"하느님 맙소사!"

"무슨 일이에요?"

랭던은 구역질이 났다.

"이 사람은 완전히 죽었어요. 방금 사망 원인을 확인했습니다."

눈앞의 광경은 끔찍했다. 벌어진 남자의 입에는 흙이 가득 채워져 있었다.

"누군가 남자의 목구멍에 한줌의 흙을 채워 넣었습니다. 남자는 질식해서 죽었어요."

"흙? 네 가지 원소에 해당하는…… 흙?"

비토리아가 말했다.

랭던은 깜짝 놀라며 다시 보았다.

'흙.'

그는 잊고 있었다.

'낙인들. 흙, 공기, 불, 물.'

암살자는 각각의 희생자에게 과학의 고대 원소로 하나씩 낙인을 찍을 것이라고 위협했다. 첫 원소가 흙이다.

'산치오의 흙의 무덤에서.'

냄새 때문에 어지러움을 느끼며 랭던은 돌아서 시체 정면으로 다가갔다. 시체를 마주보고 섰을 때, 기호학자로서의 그의 내면은, 신비로운 앰비그램의 창조는 기술적으로 힘든 도전 과제라고 시끄럽게 떠들어댔다.

'흙이라는 글자를? 어떻게?'

하지만 눈을 감았다 떴을 때, 그것은 랭던 앞에 있었다. 수백 년 먹은 일루미나티의 전설이 그의 마음속에서 소용돌이쳤다. 추기경의 가

슴에 있는 표지는 그을리고 고름이 흘러내렸다. 살점이 새카맣게 타
들어갔다.

  '순수한 언어……'

낙인을 응시하다보니, 방이 빙글빙글 돌기 시작했다.

"흙(earth)."

이 상징을 거꾸로 보기 위해 머리를 기울이며 랭던은 속삭였다.

"흙."

공포가 밀려들고, 랭던의 마지막 사고(思考)는 이것이었다.

  '앞으로 세 사람이 더 있다.'

〈2권에서 계속〉

옮긴이 양선아
이화여자대학교 신문방송학과 졸업, 고려대학교 경영대학원 졸업,
필라델피아 아트 인스티튜트에서 수업한 후 《다 빈치 코드》를 번역하는 등
전문 번역가로 활동하고 있다.

천사와 악마 1

초판 1쇄 발행 2004년 9월 30일
초판 18쇄 발행 2006년 1월 13일

지은이 댄 브라운
옮긴이 양선아

펴낸이 김영관
펴낸곳 대교베텔스만㈜
등록번호 제22-1581호
등록일자 1999년 7월 2일
주소 서울특별시 관악구 봉천동 729-21 눈높이보라매센터 5층
대표전화 840-1700, 840-1621~3(마케팅)
팩스 842-0810
이메일 book@bertelsmann.co.kr
기획편집 김미성 이선나 이진영 고재은
디자인 김세라
제작 이재욱
마케팅 용상철 조현진
관리 왕은숙

책임교정 강양숙

ISBN 89-5759-076-5 04840
ISBN 89-5759-075-7 04840 (세트)
값 8,800원 *잘못 만들어진 책은 교환해 드립니다.

대교베텔스만 스릴러, 추리 소설선

탄탄한 구성으로 무장한 매혹적인 추리극

진실게임

거짓보다 추악한 진실이 꿈틀댄다!
미네소타 북부 황야의 얼어붙을 듯이 조용한 도시에서
연이어 일어난 실종사건. 범인으로 지목된 사람이 재판을
받는 도중 살해당하고 사건은 점점 미궁으로 빠지고 마는데……
수사가 진행될수록 드러나는 거짓보다 추악한 진실.
인간의 욕망과 복수의 발로에서 벌어지는 범행, 과연 그 끝은 어디인가?
브라이언 프리맨 지음 | 이승은 옮김 | 1, 2권 | 각 8,500원

세계적인 스릴러의 거장 제임스 패터슨의 야심작

허니문

달콤한 허니문이 끝나면 잔인한 살인이 시작된다!
매력적인 미망인과 보험회사 직원의 미묘한 관계,
아름다운 연쇄살인범과 FBI 요원간의 아슬아슬한 게임!
마지막 책장을 넘길 때까지 숨조차 쉴 수 없을 만큼 짜릿하다.
제임스 패터슨 지음 | 임정희 옮김 | 8,800원

에드거 상, 샤무스 상, 앤소니 상을 모두 수상한
미국 최고의 작가 할렌 코벤

마지막 기회

선택의 여지가 없다. 기회는 오직 한 번뿐
딸아이의 행방불명 이후 날아든 협박 편지.
경찰도 FBI도 믿을 수 없는 상황에서 납치된 딸을 찾기 위한
아버지의 목숨을 건 추적이 시작된다!
할렌 코벤 지음 | 이창식 옮김 | 1, 2권 | 각 8,500원

심장이 멎을 듯한 긴장감과, 탄탄한 구성으로 무장한 심리 추리극

용의자

평온한 일상을 깨뜨리는 사건의 연속!
아름다운 아내와 사랑스러운 딸 그리고 화려한 경력까지 갖춘
남부러울 것없는 주인공의 평온한 일상에 들이닥친 이상한 사건.
그 작은 사건 하나가 흠 하나 없이 완벽해 보이던
그의 삶을 무너뜨리기 시작한다.
마이클 로보텀 지음 | 서현정 옮김 | 1, 2권 | 각 8,800원